ar drywydd Twm
Carnabwth
HANES DECHRAU GWRTHRYFEL BECCA

*Er cof am Muriel Bowen Evans*
*a gyneuodd fy niddordeb yn hanes fy mro.*


*Cyflwynedig i bawb sy'n chwennych cyfiawnder.*

*Nid oes neb ond Duw yn gwybod*
*Beth a ddigwydd mewn diwarnod*
*Wrth gasglu bresych at fy nghinio*
*Daeth Angau i fy ngardd i'm taro*

# ar drywydd Twm Carnabwth

## HANES DECHRAU GWRTHRYFEL BECCA

# Hefin Wyn

Cefnogir gan Gronfa Dreftadaeth y Loteri Genedlaethol,
trwy Gymdeithas Clychau Clochog

Argraffiad cyntaf: 2022

Llun y clawr: Meirion Jones
Cynllun y clawr: Y Lolfa

Rhif Llyfr Rhyngwladol: 978 1 80099 226 9

Cyhoeddwyd, rhwymwyd ac argraffwyd yng Nghymru gan
Y Lolfa Cyf., Talybont, Ceredigion SY24 5HE
*gwefan* www.ylolfa.com
*e-bost* ylolfa@ylolfa.com
*ffôn* 01970 832 304
*ffacs* 832 782

# Cynnwys

# Cyflwyniad

FEL GOLYGYDD Y gyfrol *Nithio Neges Niclas*, ar y cyd â Hefin Wyn, pleser oedd bwrw golwg ar ei gyfrol ddiweddaraf *Ar Drywydd Twm Carnabwth*. Mae stori'r Becca bellach yn rhan o fytholeg y Preseli ond ychydig a wyddys am y prif actorion.

Y mae yna dair cyfrol Saesneg o safon wedi eu cyhoeddi ar helynt y Becca ond dim ond un gyfrol fer yn y Gymraeg yn 1974 gan Beryl Thomas sydd yn dalfyriad o gyfrol awdurdodol David Williams *The Rebecca Riots* a gyhoeddwyd yn 1955. Bachgen o Lan-y-cefn ger Maenclochog oedd David a ddringodd i swydd Athro Hanes ym Mhrifysgol Aberystwyth. Wrth ddarllen ei gyfrol, ceir yr argraff ei fod yn gwybod mwy am yr helynt na ddatgelid. Bron ei unig gyfeiriad at Twm yw'r sylwad petrus, 'Local tradition has always identified him with Thomas Rees, a pugilist who farmed the little homestead of Carnabwth'. Fel Cymro rhugl, anodd esbonio pam na chynhwyswyd mwy o drosiadau o'r wasg Gymreig. Yr oedd yna gyfeiriadau perthnasol yn *Seren Gomer* ac fe gyhuddwyd David Rees, golygydd *Y Diwygiwr*, o fod yn gefnogwr i'r Becca.

Nod cyfrol David J. V. Jones *Rebecca's Children* (1989) oedd gosod helynt y Becca mewn cyswllt mwy eang. Mewn dadansoddiad meistrolgar llwyddodd i ddangos nad cyrch gan nifer fach o ffermwyr oedd y terfysg ond ymgyrch cymdeithasol i oresgyn annhegwch.

Amcan tra gwahanol oedd i gyfrol *Pettiocoat Heroes* a gyhoeddwyd gan Rhian E. Jones (2015). Yn ôl y broliant yr oedd yn ymgais i gynnig golwg newydd '... on the meaning of Rebeccaite costume and ritual, the significance of the feminine in protest'. Ond yr oedd yna hefyd adran ar Ddeddf y

Tlodion, lle'r ferch yn y gymuned wledig a dylanwad hirdymor yr ymgyrch.

Yn sgil yr holl weithgarwch rhaid gofyn a oes yna le i gyfrol fel hon? Prif nod Hefin wrth lunio'r gyfrol oedd datgelu mwy am Twm Carnabwth a chyfleu naws y cyfnod mewn arddull hygyrch. Mewn un ystyr, cynrychiolydd o ddosbarth arbennig oedd Twm, dosbarth a chwaraeodd ran bwysig yn y terfysg o'r cychwyn. Y *lumpenprolatariat* yw'r enw a fathwyd gan Marx ac Engels i ddisgrifio'r dosbarth, gan y credent ei fod yn elfen bwysig o bob chwyldro.

Yn y bennod gyntaf gosodir y llwyfan trwy gyferbynnu'r ffordd y disgrifiwyd yr helynt mewn papur Torïaidd, y *Carmarthen Journal*, a'r papur enwadol, *Seren Gomer*. Yr oedd yna naws ddychrynllyd i'r erthygl yn y papur Saesneg tra bod adroddiad y *Seren* yn fwy cytbwys. Yn yr ail bennod esbonir pam y codwyd cymaint o dollbyrth ar ffordd Efail-wen. Am y tro cyntaf, deallais mai ffordd o dynnu mwy o arian o bocedi ffermwyr yr ucheldir oedd y cynllun. Yn wahanol i'w cymdogion ar yr arfordir, yr oeddynt yn teithio i waelod y sir i gasglu calch ac felly yn gorfod talu'n ddrud am yr anrhydedd.

Yn y drydedd bennod sonnir am effaith Deddf y Tlodion ar y gymuned cyn troi at ddylanwad gwleidyddol y capeli Anghydffurfiol. Dyma agwedd ar y cynnwrf sydd heb dderbyn fawr o sylw hyd yn hyn, felly mae sylwadau Hefin i'w croesawu. Pennod fwyaf difyr y gyfrol yw'r bedwaredd bennod, lle ceir cipolwg ar amodau byw'r cyfnod. Gwneir hyn trwy ddyfynnu o waith tri awdur a fagwyd yn yr ardal a'r emynydd Elfed Lewis o Flaen-y-coed. Yn y tair pennod nesaf, ceir crynodeb o'r hyn a wyddys am fuchedd Twm a'i deulu. Maes anodd gan mai prin iawn yw'r defnydd, felly da gweld ei fod wedi dod ar draws teyrnged i Twm a gyhoeddwyd yn *Seren Gomer* ar y 17eg o Dachwedd 1876.

Nod pob ymchwilydd diwyd yw dod o hyd i ddefnydd newydd sy'n disodli hen 'ffeithiau'. Da dweud bod Hefin wedi llwyddo, trwy brofi mai ffuglen o law gohebydd *The Times*, John

Campbell Foster, oedd y syniad mai adnod o Lyfr Genesis oedd tarddiad yr enw Becca/Rebecca. Mae'r ateb yn dipyn symlach ac ymarferol. Ateb sy'n rhoi i haneswyr ogwydd wahanol ar y gwrthryfel.

Rhaid sôn am un datguddiad arall ddaeth i'r golwg hefyd wedi darllen erthygl a ymddangosodd yn y *Cardigan and Tivy Side Advertiser* ar y 10fed o Chwefror 1911. Awdur yr erthygl oedd Stephen Rees, perthynas i Twm, oedd yn cofio pob manylyn o'r stori am yr ymosodiad cyntaf ar iet Efail-wen. Yn ôl Stephen, nid bwyeill a llifiau a ddefnyddiwyd i gael gwared o'r rhwystr ond cart trwm a chadwyn gref. Rhaid felly newid ein delwedd o fintai fach yn rhuthro ar yr iet o dywyllwch y nos. Prawf, felly, o baratoadau gofalus i weithred a drefnwyd ar y cyd.

I gloi'r gyfrol, casglwyd defnydd o ffynonellau amryfal ar gyfer cyfres o Atodiadau diddorol. Yn eu mysg y mae yna werthfawrogiad o'r hanesydd David Williams, erthygl ar 'Bwydydd Sir Benfro' a dyfyniadau o nifer o ganeuon a cherddi perthnasol.

Ar ôl darllen y gyfrol, ni ellir ond sylwi bod yna dipyn o dawedogrwydd yn perthyn i hanes Twm o hyd. Hyderaf y bydd cyhoeddi'r gyfrol hon yn fodd i chwalu tipyn o'r niwl sy'n dal i chwyrlïo o amgylch bwthyn 'Carnabwth' ac y daw cyfle eto i ddysgu mwy am hanes y cawr o lethrau'r Preseli.

Glen George
Bowness-on-Windermere

# Diolchiadau

RHAID DIOLCH I'R gymuned gyfan am ei rhan yn sicrhau llwyddiant y prosiect hwn a ariannwyd yn hael gan Gronfa Dreftadaeth y Loteri. Diolch i'r Gronfa am weld yn dda i gefnogi menter yn ymwneud â hanes a threftadaeth y fro. Heblaw am y llyfr, trefnwyd i osod bwrdd dehongli ar ben feidr Glynsaithmaen ac mae eraill yn yr arfaeth. Gobeithir y bydd yna waddol wrth i weithgareddau megis teithiau cerdded gael eu trefnu i gadw'r cof am Helynt y Becca yn lleol ar gof a chadw.

Dyledus wyf i griw o ymchwilwyr achau a wyddai sut i fordwyo'r we i ganfod dogfennau perthnasol. Glynasant wrth y dasg fel daeargwn: Glynwen Bishop, Yvonne Evans, Glesni Vaughan, Heather Tomos ac yn benodol Gareth Jones a ddaeth o hyd i'r Becca wreiddiol. Tystiolaeth a roes hoelen yn arch yr honiad mai adnod o Lyfr Genesis roes enw i'r gwrthryfelwyr. Diolch yn benodol i Teifryn Rees am ei straeon am y ddau gefnder, ei hen-dad-cu, Thoms, a Twm Carnabwth. Diolch hefyd i'r haneswyr Hedd Ladd-Lewis a Jane Aaron am eu hanogaeth. Yr un diolch i ferched ffein Archifdy Sir Benfro am ddelio â phob ymholiad pa mor lletchwith bynnag y bo. Bu Eurgain Wyn ar ymweliad â'r Archifdy Cenedlaethol yn Llundain i astudio dogfennau perthnasol y Swyddfa Gartref.

Diolchaf i Glen George am ei anogaeth a'i barodrwydd i ddarllen y testun gyda llygad beirniadol ac am ei gyflwyniad treiddgar. Diolchaf i fy nghyd-swyddogion o bwyllgor Cymdeithas Clychau Clochog am hwyluso pob dim: Parch Ken Thomas, Eifion Evans a Pam Jones. Dyledus wyf i Hefin Parry-Roberts, Howard Williams a John Osmond, am ganiatáu i mi ddefnyddio eu lluniau, a daethpwyd o hyd i rai lluniau oedd yn eiddo i deuluoedd lleol. Bu llawer ohonyn nhw'n gefnogol yn rhannu'r cof teuluol ac mae'n syndod cymaint o wybodaeth lafar sy wedi goroesi. Profodd gwaith ymchwil manwl Michael Francis, a gyhoeddwyd mewn llyfryn i ddathlu canmlwyddiant Ysgol Maenclochog yn 1980, wedi'i olygu gan y prifathro, Gareth Francis, yn amhrisiadwy.

Diolch i Meirion Jones am ddarparu llun gorchestol ar gyfer y clawr. Bu sôn am ddefnyddio'r cartŵn treuliedig hwnnw a ymddangosodd yn *The Times* o 'ddynes' ar gefn ceffyl yn chwifio bwyell ac sydd i'w weld ymron ymhob cyhoeddiad i wneud â'r gwrthryfel. Ond, na, gan ein bod yn ceisio dehongli cymhellion y Becca o'r newydd roedd rhaid cael mynegiant gweledol o'r newydd. A phwy yn well i wneud hynny na'r arlunydd o Aberteifi? Rhaid cael brodor i werthfawrogi cymhellion ein cyndeidiau. A diolch i'r crefftwr Dai Llewellyn am lunio'r gwaith celf 'Cofiwch Carnabwth'. Rhagwelir y bydd amryw ohonyn nhw'n hongian ar barwydydd y fro a thu hwnt cyn hir.

Diolch i John Penn am ganiatáu i bererinion alw heibio bwthyn Carnabwth ar yr amod na wnan nhw ddamshel ar ei lawnt, fel y dywed yn gellweirus mor aml. Diolch i Tecwyn Ifan am ganu clodydd a'n hysbrydoli i weld gwrhydri gŵr garw ei ffordd oedd am unioni byd gwerin bobl o dan ormes. Diolch i'r beirdd am eu caniatâd i ddefnyddio eu gwaith. Yr un modd diolch i'r nofelydd Brian John, o Gilgwyn ger Trefdraeth, am ganiatáu i mi ddyfynnu'n ddilyffethair o'i nofel *Rebecca and the Angels*, heb anghofio am barodrwydd Tecwyn Ifan i ganiatáu dyfynnu geiriau ei ganeuon am y Becca.

Diolch i Myrddin ap Dafydd am ganiatáu dyfynnu o'i nofel ddarllenadwy llawn cyffro *Rhedeg Yn Gynt Na'r Cleddyfau*, ac i Gwylon Phillips am gael dyfynnu o'i gyfrol iasoer yntau *Llofruddiaeth Shadrach Lewis*. Rhodder yr un clod i wasg y Lolfa am ymgymryd â'r gwaith.

Hyderaf y gwêl y darllenydd fod Twm Carnabwth er ei fynych gamweddau hefyd yn arwr ac yn arweinydd yr oedd ar Gymru ei fawr angen yn ei gyfnod.

Hefin Wyn

# Rhagair

ENW I'W AMGYFFRED gydag ychydig o barchedig ofn yw 'Twm Carnabwth' erbyn heddiw. Er, hwyrach ddim felly yn ystod ei oes ei hun ond, serch hynny, yn un i'w 'ofni' pan oedd yn ei breim. Nid oedd Thomas Rees (1806?–1876), Treial neu Garnabwth, ar ffin plwyfi Mynachlog-ddu a Llangolman yng nghesail y Preselau, yng ngogledd Sir Benfro, yn un i'w figitan o fewn y fro yn ystod hanner cyntaf y bedwaredd ganrif ar bymtheg. Roedd ganddo'r hyn a ddisgrifiwyd fel 'ergyd slecht' a mynych y gwelid defnydd ohoni mewn ffrwgwd tafarn neu ym mwth bocsio ffair. Roedd yn ddyn gwydn yn ogystal â brwysg. A da hynny o ystyried amgylchiadau caled y cyfnod o fyw ar drothwy tlodi, pan oedd cadw dau ben llinyn ynghyd yn ymdrech ddyddiol.

Yn rhan o'r gwytnwch hwnnw roedd cydwybod gymdeithasol a pharodrwydd i beidio â phlygu i'r drefn. Os gwelai anghyfiawnder, ei reddf oedd ei symud yn hytrach na'i oddef. Byddai'n uchel ei gloch os gwelai gam. O'r herwydd, gweithred hawdd iddo oedd arwain ffermwyr llethrau'r Preselau i ddinistrio tollborth Efail-wen yn 1839 – roedd ffyrnigrwydd yn ei wythiennau – a hynny, nid unwaith ond teirgwaith nes ildiwyd gosod tollborth. Gyda hynny gwaredwyd yr hyn a welwyd fel symbol o orthrwm ar werin y cylch. Ac ni feiddiai neb fradychu Twm i'r awdurdodau, er y pris a gynigid. Ac ni feiddiai'r awdurdodau ei arestio am y gwyddent y golygai hynny wrthryfel agored.

Oedd, roedd yn hoff o'r ddiod am gyfnod yn ei fywyd ac yn difoli arni. Yn ei fedd-dod collodd ei olwg mewn un llygad yn dilyn sgarmes yn Nhafarn y Stambar, ger Pentregalar, yn erbyn un o baffwyr ffair pennaf y gorllewin, Gabriel Davies, yn 1847. Cafodd ei ddiarddel o gapel Bethel, y Bedyddwyr, Mynachlog-ddu yn 1845 ac aeth 22 o flynyddoedd heibio cyn iddo gael ei le yn ôl. Ond pan fynychai'r oedfaon roedd yn gantwr heb ei ail, ac yn ei hen ddyddiau, tan ddiwrnod cyn ei farwolaeth, mynychai'r oedfaon yn gyson. Tystiai iddo gael tröedigaeth ac mai ei hoff emyn, rhagor na'r caneuon gwerin a'r caneuon masweddus yr arferai eu canu, oedd emyn Pantycelyn, 'Iesu, difyrrwch f'enaid drud'.

Ac yn ôl pob sôn, yn unol â'r arfer sy'n dal i fodoli yn y fro, roedd yn dipyn o dynnwr coes. A'r tynnu coes hwnnw'n aml yn ymwneud â cheisio gorseddu cyfiawnder. Doedd digrifwch ddim yn bell pan fyddai Twm yn y cwmni. Fe gymrodd hi weinidog o Fedyddiwr yn y fro, yn yr ugeinfed ganrif, i adfer sylw a bri i wrhydri a mawredd Twm ym mherson Tecwyn Ifan, pan gyfansoddodd gân yn cyfeirio at 'arwr gwerin plwy 'Nachlogddu', yn nyddiau ei aelodaeth o'r grŵp gwerin Ac Eraill yn y 1970au, ac yna 'Ysbryd Rebecca' yn ddiweddarach. Twm oedd arweinydd cyntaf y Becca ac fe'i dilynwyd gan lawer o Fecäod eraill ar draws canolbarth a de Cymru. Dyma ddywed Beryl Thomas / David Williams yn eu rhagair i'r gyfrol *Helyntion Becca*:

Un o'r mudiadau mwyaf llwyddiannus a gododd o ddaear Cymru oedd helyntion Becca. Mynegwyd yr anghydfod mewn ymosodiadau ar glwydi a thollbyrth ond âi'r rhesymau dros yr anniddigrwydd yn llawer dyfnach na gwrthwynebiad i'r tollau ffyrdd. Deillient o ddadfeiliad cyfundrefn gymdeithasol Cymru wledig a'r baich a roddwyd ar gymdeithas gan y cynnydd yn y boblogaeth. Erbyn hyn mae'r mudiad yn rhan o'n traddodiad gwerin a'r 'arweinydd' yn sefyll ysgwydd-wrth-ysgwydd â gwroniaid eraill megis Owain Glyndŵr. Aneffeithiol fu'r heddlu a'r fyddin wrth geisio atal y cynnwrf, ac yn y diwedd Becca gafodd y fuddugoliaeth.[1]

Ac nid rhyfedd i'r sgwlyn a'r hanesydd lleol E. T. Lewis

(1904–1978) ddweud, "... the Rebecca Riots expressed the inflamed passions of desperate men."[2]

Meddai Gwylon Phillips yn ei gyfrol *Llofruddiaeth Shadrach Lewis*: "Helynt y ffermwyr bychain, yn dioddef dan orthrwm y degwm a thaliadau cynyddol i gynnal y tlodion a'r ffyrdd oedd terfysg Becca."[3]

Ac yng nghyfrol H. Tobit Evans (1844–1908), *Rebecca and Her Daughters*, ni wneir yr un ymddiheuriad dros gyfeirio'n helaeth at Twm Carnabwth. Yn wir i'r gwrthwyneb:

> The first leader, who was present at Efailwen and Whitland, was one of the most important persons in the whole movement, and no apology is needed for a detailed reference to him.[4]

Roedd Tobit yn Ynad Heddwch ac yn deall ei fater o ran berw gwleidyddol y cyfnod. Yn 1889 cyhoeddodd lyfryn 55 tudalen o dan y teitl *Y Berw Gwyddelig* neu *Gipolwg Ar Gyflwr Presenol Yr Iwerddon Yn Nrych Hanesyddiaeth, Ac Yn Ngoleuni Yr Hyn Welwyd Ac a Glywyd Yn Ystod Ymweliad Diweddar A'r Wlad*.

Bwriad y gyfrol hon yw ceisio bwrw golwg ar fuchedd a chyflawniad Twm Carnabwth gan wneud iawn am yr esgeulustod a fu. Ceisir esbonio'r cefndir a arweiniodd at ei wrhydri, ac at Derfysg y Becca ar draws rhannau helaeth o ganolbarth a de Cymru, er mwyn llacio gafael y teuluoedd bonheddig ar orthrymu'r werin. Wedi'r cyfan, am fod y tirfeddianwyr hefyd, gan amlaf, yn ynadon, yn Aelodau Seneddol ac yn gasglwyr trethi'r degwm a'r eglwys wladol, roedden nhw wedi ffrwyno'r werin bobl. Doedden nhw ddim yn cynrychioli eu buddiannau ond yn hytrach yn eu hecsbloetio i gynnal eu safonau byw eu hunain yn ogystal ag awdurdod y wladwriaeth.

CARNABWTH

Ymystwyria ar ei wely o wellt
o glywed grŵn sguthan uwchlaw'r to cawn;
canodd y ceiliog ers tro ond ni chyffrodd.
Gwasga ei asennau dolurus â'i ddwrn chwyddedig,
dadebra'n araf, araf; ei dafod yn sych, sych
a'i dalcen cleisiog
yn brawf nad hawdd fu hi'n Ffair Henfeddau.

Yn anfoddog cyrhaedda Rach â'i phadell
o ddŵr claear, powltis a chlwtyn i olchi'r clwyfau.
Ofer fu chwilota ym mhocedi britshis ei gŵr
am sofren felen na chlincen efydd.
Enillion y crasu wedi'i wario ar ddablen i bawb,
rhialtwch a sbri yn drech na chydwybod a chariad.
Sarnwyd addewid o gyflwyno'r cyfan i'r aelwyd,
troes geiriau'n glwstwr o synau gweigion
heb yr un ffeiryn i ddadmer calon.

Garw oedd ei llaw ar ei foch, dwrdio wnâi ei llais,
edliw nad oedd dim yn eu haros ond tlodi
a thlodi, llwgu a begian, mynd ar alw'r plwyf
a bedd buan.
Gwichiodd yntau mewn poen am yn ail â'i darbwyllo
y daw yfory gwell pan geir mêl ar fara ceirch,
cwningen mewn crochan a ffesant i'w rostio,
afalau a phlwms o'r berllan,
mwyar, llusi a shifis gwyllt o'r cloddiau.

Ceisiodd ei choglis a'i thynnu'n nes,
er y cymalau clymhercyn codwyd blys
o weld y bronnau llawn yn hofran uwch ei ben;
sawrai ei benyweidd-dra.
Ceisiodd ei hanwesu, ond, na,
rhoddid blaenoriaeth i fwydo baban
dros fwydo chwant.
Doedd dim yn llugoer yng ngwres ei waed
waeth pa mor llipa'r corff

ond
ni cheid brochgáu y bore hwnnw;
rhaid fyddai oedi tan oriau'r tywyllwch
cyn ymdrybaeddu yn nirgelion serch.

Pesychodd wrth i fwg y tân mawn
lenwi unig ystafell y bwthyn unnos
godwyd ganddo yntau a'i wehelyth
ar lan Afon Wern.
Penderfyniad a delfryd
o hawlio darn o dir wedi'i wireddu,
wrth daflu'r filwg cyn belled ag y medrai
o dan whiffen denau o fwg y simdde ar doriad gwawr,
ond amgylchiadau'n bygwth tagu
pob ysfa i orchfygu.

Rhaid straffaglu i godi, erys brithyllod braf
o dan y ceulannau yn barod i'w codi i'r bwrdd.
Edrych draw a gwêl yr eithin yn felyn,
clatsh y cŵn yn goch o'i amgylch,
plu'r gweunydd yn wyn ar y llethrau
yn gymysg â phorffor y grug;
cwyd cyffylog a gïach o'r waun
a chlyw smotyn o ehedydd fry.
Dyma oedd ei gynefin; wrth i'r plantos redeg yn ffri,
ffroenodd yr awel a theimlo
eiliad o fodlonrwydd dwfn, eiliad o berthyn dwys.
Dyma oedd ei nefoedd gyforiog o ofidiau.

Rhaid ymweld â'r maglau
i godi cwningen neu gynffon coch llwynog
ddeuai a cheiniog neu ddwy iddo;
hyfforddi'r hynaf yn y grefft o flingo ac ailosod,
torri ychydig o fawn
a pharatoi
yn un o fintai o geirt
i gyrchu calch o Eglwys-lwyd
er mwyn melysu surni'r tir.
Câi hynny ei drefnu yn y sgubor gyda'r nos.

Clyw'r cleber ar glos Glynsaithmaen
o drothwy Carnabwth.
Buan y try'r brawl am y cledro ffair
yn draethu chwyrn am anghyfiawnder.
Atseinia muriau'r cartws o leisiau croch
yn dadlau dros weithredu cynted â phosib.
'Rhaid dinistrio'r tollborth' yw'r gri
a hynny'n 'rhacs jibidêrs' meddai Twm
wrth ymestyn i'w lawn faintioli
yng nghanol y gyrdd, y bwyelli a'r byllt.
'Ma'r arfe 'da ni fan hyn bois,
does ond ishe dishgwl am leuad lawn,'
meddai'n fuddugoliaethus fyddar
i gri hynafgwr yn annog pwyll a chymedroldeb.
Ond na, clywsai ddigon o ddadleuon yn melltithio'r drefn
nes ysu i fwrw coelbren i ddileu'r gorthrwm
a gosod y Cymry'n ben.
Ymgartrefodd gwres cyfiawnder yn ei waed
nes na wnâi dim y tro ond anelu am Efail-wen
fel na fo rhwystr mwyach ar y ffordd i'r odyn galch.
Pa synnwyr talu am y llwyth wrth yr odyn obry
a thalu drachefn i'w gludo ar hyd ffordd drofais
gan osod ceiniogau prin yn nwylo
perchnogion barus?
Perchnogion na hidient ddim am bicil
gwerin bobl y llethrau.
Crynai'r trawstiau yn sŵn cynddaredd
ffermwyr a gweision.
Digon oedd digon a digofaint
a digofaint glywid y tu fewn i'r lats
nes cytuno y dylid canu
corn y cynnydd i alw pawb ynghyd.

Gwelwyd brwydrwr ffeiriau Carnabwth
yn ei elfen yn cyfarwyddo'r rhacsan
a pheri ofn.
Ysai i brofi bod nerth penderfyniad rheswm
cystal â nerth bôn braich emosiwn
pan gyfyd yr angen.

Nid arwr wedi'i gyfyngu i'r sgwâr bocsio mohono
ond arwr gwerin ddamshelwyd dan draed.
Pwy feiddiai ei fradychu o'u plith,
er mor hawdd ei adnabod ym metgwn Becca Fawr
â'i lais croyw, diedifar,
ar gefn ei gaseg winau,
yn cynhyrfu'r Rhocesi i gyflawni'r gyflafan?
Picwarch a gordd, morthwyl a phastwn
yn taro nes bo'r hoelion yn tasgu
a'r iet bren yn shils.
Dychwelodd nid unwaith ond ddwywaith
gyda'i fintai gynddeiriog ar draed,
ar gefn ceffylau clwmbwrnaidd,
i hoelio'r neges
nad oedd croeso i Bullin,
yr estron ŵr,
i'w godro o'u henillion prin
i bluo ei nyth ei hun.

Ar ei liniau wrth orsedd gras
gwna ei addunedion gerbron ei Dduw;
derbynia faddeuant rhad
am bob segurdod a llymeitian
ffôl.
Gwêl ei gyfoedion yr Anac ynddo
wedi'i dymheru gan chwa o wres diwygiad;
    addfwynder wedi disodli blagardiaeth,
    cymedroldeb wedi cymryd lle trachwant.
'Iesu, difyrrwch f'enaid drud' gyffyrddodd â'i enaid
lle cynt ffrydiai 'Morfa Rhuddlan' o'i galon.
Hen ŵr yn gyffyrddus yn ei groen ei hun
wedi cwblhau ei benyd.

Ninnau, gofiwn yr arwr yn ei fedd
wrth dalcen Bethel, gyda'i bennill smala,
fel arwr gwerin plwy Mynachlog-ddu,
sbardun y Becca a phentywyn gwrthryfel.

Heddiw deil ei ysbryd i gyniwair
megis awel yn cwhwfan
yn y brwyn,
ei ddireidi megis ewyn ar wyneb peint o chwerw
a'i gadernid megis cnepyn o garreg las,
a'r cof ohono megis gwres
haul canol dydd.

Hefin Wyn

# 1

# Helynt Iet 'Evelwen'

DYDD GWENER, 26 Gorffennaf 1839 ymddangosodd yr adroddiad canlynol yn y *Carmarthen Journal* am ddigwyddiad yn Efail-wen, pentref ar y ffin rhwng Sir Benfro a Sir Gaerfyrddin, naw niwrnod ynghynt. Roedd yno gynnwrf yn ddiamau ac o ddarllen yr adroddiad hawdd credu bod y gohebydd yn llygad-dyst neu o leiaf wedi siarad â llygad-dystion. Chwalwyd tollborth Efail-wen ar ddau achlysur eisoes yr haf hwnnw, a'r tro hwn, yng nghefn golau dydd, roedd y gwrthryfelwyr yn benderfynol o ddileu pob arlliw o bresenoldeb y tollborth. Ymddiriedolaeth Hendy-gwyn oedd perchennog y tollborth a gŵr o'r enw Thomas Bullin oedd yn ei weinyddu ar eu rhan. Ond roedd y 'mob' am waredu'r tollborth am eu bod yn ei weld fel symbol o orthrwm. Does dim amau bod yna wrthdaro wedi digwydd ond a yw manylion y disgrifiad mor ddiffygiol â sillafiad y cyhoeddiad o enw'r pentref yn ei bennawd?

### Riots again at Evelwen

About a month ago we noticed that the Toll-house and Gate at this place were entirely demolished by a mob having assembled in the night: we have the painful task this week of recording one of the most brutal and cowardly deeds ever comitted in a civilised country. After the destruction of the house and gate, a chain was put up, guarded by a body of constables; on Wednesday the 17th instant, a mob collected in open day, pursuant to public notice on the Sunday previous, and a certain number of them dressed in women's clothes, and headed by a distinguished one under the name of 'Becca', proceeded towards the spot with blackened faces and bludgeons on their shoulders. At their savage and frightful appearance, the constables took to their heels and all effected their escape with the exception of one, who was lame, he having ran about 50 yards distance, they overtook and immediately knocked him down, adding several severe blows on his head, and other parts of his body, while his groans and cries for mercy, and to spare his life, were the most pitiful and heart-rending ever heard. The defenceless man, after being cruelly beaten in the grip of a hedge was left with his life, and after some time was seen creeping away; the rioters 'mirable dictu' are informed of the day and hour of meeting by placards posted and handed about dissenting chapels on the Lord's Day 'O tempora! O mores! – From a correspondent.[1]

Roedd yr adroddiad yn hynod gondemniol ac yn llawn gwae. Papur Torïaidd a sefydlwyd yn 1810 oedd y *Carmarthen Journal*, cynheiliaid y drefn, a'r adroddiad fel petai'n disgrifio gwrthryfel gan frodorion yn un o diriogaethau pell yr Ymherodraeth Brydeinig. Ar y pryd roedd tair blynedd o ryfela aflwyddiannus i geisio goresgyn Affganistan ar fin dechrau. Yr un modd y Rhyfeloedd Opiwm er mwyn cynnal y fasnach ddieflig o'r cyffur yn Tsieina, er bod y defnydd ohono yn y wlad honno wedi'i wahardd. Roedd y Prydeinwyr, yn rhith yr East India Company, yn tyfu erwau fyrdd o'r planhigyn yn yr India a'i gyflenwi i Tsieina, y brif farchnad.

I ddychwelyd i Efail-wen, tybed pe bai yna gwnstabl wedi'i anafu i'r fath raddau oni ellid fod wedi'i enwi a nodi pa fath o ymgeledd dderbyniodd? Ymhellach, oni ddylai rhywun neu rywrai fod wedi'u harestio a'u cyhuddo o drosedd ddifrifol pe bai'r ymosodwyr wedi ymddwyn mor ddidostur o giaidd? Ac a fyddid wedi cyflogi cwnstabl herciog?

Ni chynigir esboniad ynghylch cymhelliad y gwrthryfelwyr, er y dylai hynny fod yn wybyddus i'r gohebydd erbyn hynny ar achlysur y trydydd ymosodiad. Ni soniodd eu bod wedi'u cynddeiriogi gan yr orfodaeth i dalu am gludo calch tra fyddai nwyddau eraill megis gwellt a thato yn cael eu cludo trwy'r tollborth am ddim. Cafwyd awgrym fod y capeli Anghydffurfiol yn gefnogol am fod yr ymosodiad wedi'i gyhoeddi rhag blaen ar y Sul blaenorol yn eu cynteddoedd. Ystyr yr ymadrodd Lladin *mirable dictu* yw 'er hwylustod' ac ystyr *O tempora! O mores!* yn y cyswllt hwn yw 'Caton pawb, i ba beth mae'r byd yn dod!'

Yn nhermau heddiw, wrth gwrs, byddai'r cyfryngau wedi mynd i wreiddyn y mater. Byddai gohebwyr papurau newydd a rhaglenni teledu materion cyfoes wedi bod yn holi'r ffermwyr ac yn pwyso a mesur i ba raddau oedd eu hachwynion yn gyfiawn. Fe fyddai'r camera wedi dilyn y daith i'r odyn yn Eglwys-lwyd, islaw Arberth, ac yn ôl.

Ond y cymal mwyaf arwyddocaol yn yr adroddiad oedd *"and headed by a distinguished one under the name of 'Becca',"*. Hynny yw, roedd yno arweinydd. Ac roedd ganddo enw benywaidd a'i fod, fel ei gyd-ymosodwyr, wedi'u gwisgo yn rhith gwragedd, wedi duo eu hwynebau ond yn defnyddio arfau dynion. Roedd yr arweinydd hwnnw'n tynnu sylw ac yn amlwg yn rhannu gorchmynion. Byddai'r trigolion lleol yn gwybod mai'r 'arweinydd' oedd Twm Carnabwth a'i fod yn gwisgo dillad cymdoges iddo, Becca Fawr, Llangolman, ac fe fydden nhw'n gwybod am y drafferth fu i ganfod dillad benywaidd digon o faint i osod am ei gorpws.

Tebyg y byddai'r adroddiadau yn *The Welshman*, papur Saesneg ei iaith arall, a gyhoeddwyd hefyd yng Nghaerfyrddin, ers saith mlynedd, yn bur wahanol ei ogwydd, gan ei fod yn cael ei ystyried yn lled radical ei safbwynt. Ond yn anffodus ymddengys nad yw rhifynnau 1839–1840 wedi'u cadw. Mae 'Tangnefeddwr' wedyn, wrth olrhain cychwyn helyntion y Becca yn rhifyn mis Chwefror o *Seren Gomer* yn 1843, yn cynnig disgrifiad o'r hyn a ddigwyddodd yn Efail-wen, bedair blynedd ynghynt. Wrth dynnu darlun o'r Becca ei hun, awgryma fod rhywun a feiddiodd gynorthwyo'r awdurdodau wedi gorfod ffoi am ei einioes, a'i rybuddio i beidio â dychwelyd:

Nis gwyddis yn y byd yn mha le y mae yn byw, na pha fodd y mae yn cael ei chynnaliaeth. Y mae yn dal iawn, tua saith troedfedd o uchder, ac yn *gommanding* iawn yn ei hymddygiad, fel pe buasai wedi bod yn llywydd ar y fyddin, neu ar y llynges. Gwaith Becca, yw dystrywio toll-byrth (toll-gates), y rhai y mae hi yn ystyried yn anghyfreithlawn, ac yn ormesiad ar y ffermwyr. Dechreuodd ar y gwaith hwn er ys tair blynedd yn ol.

Toll-borth Efel-wen, Llandissilio, oedd gwrthddrych cyntaf ei hanfoddlonrwydd. Aeth yno liw nos, a thua 200 o'i phlant gyda hi ; a dechreuodd tuag 20 ohonynt weithio, ac yn fuan drylliwyd y glwyd, a thynwyd ymaith y pyst ; ac yna dychwelodd y cwmpeini yn foddhaol a buddugoliaethus. Wedi hyn, tywyllodd ar Becca, oblegid daeth dyn yn ymlaen i'w chyhuddo ; ond o herwydd rhyw beth neu gilydd, ffodd y cyhuddwr, ac ni welwyd mohono mwyach.

Yn fuan ar ol hyn, gwnaed yno glwyd newydd, ac anfonwyd 25 o filwyr o Llundain, a 12 o hedd-geid-waid o Narberth i'w diogelu. Tybiwyd y buasai hyn yn dychrynu Becca ; ond yn lle hyny, chwerwodd Becca yn enbyd. Y swyddwr ar y milwyr a ofynodd, Paham yr oedd Becca yn beiddio tori clwydau y toll-byrth ? Dywedwyd wrtho, mai y plwyfau oedd yn cadw y ffyrdd, ac nad oedd y Trust yn talu un ddimai, er ys blynyddau, at gadw y ffyrdd mewn cyflwr trefnus. Yna, dywedodd y swyddog, na chelai ei filwyr ef wneud dim er amddiffyn y fath ormes ; a gadawodd y lle.

Ymwrolodd Becca, ac a lidiodd yn fawr ; ac mewn gwewyr rhyfeddol, hi a esgorodd ar 600 o ferched, yn eu cyflawn faintioli ; ac ymosodasant ar doll-borth liw dydd, ac a'i llwyr ddystrywiasant. Ymosodasant ar yr hedd-geid-waid, a gorfu iddynt ffoi am eu bywydau, wedi i un ohonynt gael ei guro nes torri ei fraich. Yr oedd Becca yn llidiog iawn y tro hwn.

Ysgrifenodd lythyr yn Lladin at yr Ustus heddwch a ddanfonodd am y milwyr a'r heddgeidwaid, yn mynegi ei bod yn bwriadu ymweld ag ef y noson hono. Cafodd y gwr boneddig gymaint o ofn Becca, nes y ffodd ymaith i Lundain, lle yr arosodd am chwech wythnos cyn dychwelyd. Pwy bynag yw Becca, y mae yn ysgolheiges dda. Tybia rhai ei bod wedi bod yn Rhydychain.[2]

Cofnodwyd disgrifiad arall o'r hyn a ddigwyddodd yn Efail-wen nid gan un a oedd yn rhan o'r fintai na chwaith yn lygad-dyst ond a oedd, serch hynny, yn llinach Thomas Rees, ac a fyddai wedi clywed adrodd yr hanes ganwaith ar lafar gwlad.

Roedd Stephen Rees yn ugain oed ar y pryd ond yn 92 oed pan gyhoeddwyd ei atgofion ar dudalennau'r *Cardigan and Tivyside Advertiser*, wythnosolyn a sefydlwyd yn Aberteifi yn 1866. Yn ei gyfraniad ar 10 Chwefror 1911 mae Stephen Rees yn cyfeirio at yr ymosodiad cyntaf ar y nos Lun loergan honno ar 13 Mai, yn ogystal â'r ail ymosodiad nos Iau 6 Mehefin. Mae ei safbwynt a'i ogwydd yn wahanol i eiddo'r *Carmarthen Journal*:

Adseiniai y wlad gan sŵn y ceirt a chaniadau llawen y bechgyn. Pan ar fryn Efailwen gwelid nifer fawr o ferched golygus, ar geffylau, yn llawn o bob math o arfau amaethyddol, yn sefyll yn ymyl y tollborth o'r tu gogleddol. Cyn i'r porthor gael amser i ddadebru o'i gwsg, neidiodd ceffyl Becca ymlaen i ymyl y ceirt, a gwaeddodd hithau "Rhoddwch y gadwyn haiarn fawr hon wrth y cert cryfaf, ac yna rhoddwch y ceirt wrth ei gilydd, a thynwch." Gwnaed felly gyda phob parodrwydd, a phan waeddwyd "Gee on" ar y ceffylau, tynwyd y tollborth yn ddarnau, a rhoddwyd bloedd arswydus o fuddugoliaeth. Pasiodd yr holl geirt y noson honno yn ddidâl, ac aeth Becca a'i merched i'w cartrefi yn orfoleddus.[3]

Fe'i gwnaeth yn gwbl amlwg pwy oedd yr arweinydd a pha mor anodd y bu i'w wisgo'n briodol:

Ym mhlwyf Llangolman yr oedd ac y mae eto, dŷ bychan o'r enw Carnabwth. Trigai yno yr adeg hon gawr bychan o ddyn o'r enw Thomas Rees. Yr oedd yn ddyn cryf, cadarn, clyfar iawn, ond yr oedd y ddiod yn peri cryn ofid iddo. Yr oedd yn ganwr bas diail ymron. Gwnâi i hen Gapel Bethel ymysgwyd hyd ei sylfaeni, meddir, pan fuasai yn ei hwyliau goreu. Yn unfrydol dewiswyd y gŵr hwn yn fam i'r merched, ond nid gorchwyl bach oedd cael dillad merch yn ddigon o faint iddo. Ond mewn lle o'r enw Mynyddbach, gerllaw Maenclochog, trigai menyw fawr o'r enw Becca, a dywedid fod ei hamgylchedd yn fwy na Twm Garnabwth. Benthyciwyd holl ddillad uchaf Becca, y bedgwn a'r bais, y ffedog a'r cap gwyn, a'r het gopa segur, a'r menyg, a gwisgwyd hwynt am Twm ynghanol asbri mawr. Eilliwyd ei wyneb yn lân, a threfnwyd ei wallt yn null merched yr oes hono. Felly fe wnaed Becca parod i waith o Twm.[4]

Dyna bortread cystal â'r un dim o Twm Carnabwth. Byddai 'Mynyddbach' rhyw filltir o bellter, fel hed y frân, o Garnabwth i gyfeiriad Maenclochog ond yn dal ym mhlwyf Llangolman. Yn wir, ymddengys fod yna Rebecca Phillips yn byw yno ar y pryd. Daethpwyd o hyd i dystysgrif priodas yn nodi iddi briodi Thomas Jones, o'r un cyfeiriad, ddydd Mercher, 3 Mawrth 1840, yn Eglwys Llangolman. Rhaid ei bod yn ddynes nobl. Fyddai Twm wedi dychwelyd y dillad benthyg iddi wedyn? Yn sicr, gwnaeth gymwynas â gwerin y fro. Nodir ei bod yn 52 oed yn ôl cyfrifiad 1851, a rhaid ei bod felly yn 42 oed yn 1841 ac yn 40 oed, yn anterth ei dyddiau, pan roddodd fenthyg ei dillad isaf i Twm. Wedi priodi symudodd hi a'i phriod i dyddyn o'r enw Wauntwlce yn nes at Faenclochog.

Yn arwyddocaol ni soniodd Stephen Rees am yr adnod honno o Lyfr Genesis, yr honnwyd yn ddiweddarach, iddi fod yn darddiad yr enw 'Becca'. "Ac a fendithiasant Rebeccah, ac a ddywedasant wrthi, Ein chwaer wyt, bydd di fil fyrddiwn; ac etifedded dy had borth dy gaseion" (24:60). Roedd y Rebecca a drigiasai yn ymyl Twm yn ddigon o esboniad ymarferol i'r gŵr a oedd yn y llinach yn hytrach nag unrhyw gysylltiad â Rebeccah, gwraig Isaac a mam yr efeilliaid, Jacob ac Esau, a drigiasai yn yr Hen Destament.

Soniodd ymhellach am gynddaredd y ffermwyr pan sylweddolwyd fod y tollborth wedi'i ailgodi ac y byddai'n ofynnol iddyn nhw ei ddinistrio'r eilwaith. Yn arwyddocaol ni sonia Stephen Rees am Thomas Bullin na'r un Ymddiriedolaeth Tollbyrth. Yn wir rhy'r argraff mai cynnen rhwng gwŷr Llandysilio a gwŷr y plwyfi oedd yn ffinio â'r llechweddau oedd yr holl helynt wrth iddo esbonio fel yr elai'r gweision ffermydd yn un haid i gyrchu calch o Eglwys-lwyd:

> Yr oedd y gweision yn myned gyda'i gilydd, gan nad oedd yn ddiogel iawn i un neu ddau deithio wrthynt eu hunain. Elai pobl Eglwyswen ac Eglwyswrw, a Llanfair ac ati drwy Mynachlogddu a thrwy bentref Llandysilio. Ar groesffordd Glandy Cross cyfarfyddid â hwy gan bobl Llangolman a'r cylchoedd : felly yr oedd gan y ceirt

oll i fyned drwy Efailwen. Wrth weld y traffic mawr newydd hwn penderfynodd plwyf Llandysilio y gellid ac y dylid gwneud i'r bobl hyn dalu at adgyweirio'r ffordd. Rhoddwyd tollborth newydd gan wŷr plwyf Llandysilio yn Efailwen. Nis gwn faint o hawl gyfreithiol oedd ganddynt i wneud hyn ond fodd bynnag nid ystyrid hi gan y werin bobl yn dollborth y Frenhines ond edrychid arni mewn sarhad ac fel peth yn cyfyngu ar eu hawliau.[5]

Yr esboniad am hynny mae'n siŵr, yw am fod Thomas Bullin, y ffermwr tollbyrth, wedi cyflogi gwŷr Llandysilio i godi'r tollborth a'i hailgodi, a gosod pâr lleol yn geidwaid yn lle ei frawd, Benjamin, a bod yr ynadon wedi penodi gwŷr lleol yn gwnstabliaid i sicrhau y telid y tollau priodol. Rhaid bod yna elfen o wirionedd yn esboniad Stephen Rees neu, fel arall, pam na fyddai'r tollborth wedi'i godi yng nghyffiniau Clunderwen. Roedd ffermwyr Llandysilio a Chlunderwen yn cael eu heithrio rhag talu toll felly. Cafodd saith o gwnstabliaid eu cyflogi. Golygai hynny ragor o waith i'r 'Becca':

Pan welwyd fod y toll-borth wedi ei ail osod, galwodd Becca ei merched ynghyd yr ail waith, gyda thri chymaint o rifedi o ferched, a cheirt a cheffylau, ac arfau o bob math. Cylymwyd yr iet wrth un o'r ceirt cryfaf, a thynwyd hi ymaith, a'r pyst a phopeth perthynol iddi, ac awd ymaith a'r cwbl oddi yno 'mhell, rhy bell i ddyfod byth yn ôl. Y mae y ffordd yn rhydd er hynny i bawb a phobpeth i basio yn ddidâl hyd y dydd heddiw.[6]

Stephen Rees yn unig sydd wedi sôn fod gan y gwrthryfelwyr geirt a'u bod wedi'u defnyddio i ddarostwng yr iet. Sonia fod y Becäod yn marchogaeth eu ceffylau yn null gwragedd, gyda'r ddwy goes ar yr un ochr. Sonia hefyd fod ffermwyr tlawd y llethrau'n benderfynol o ddefnyddio'r ffordd oedd newydd ei thorri i gyrchu calch a chwlwm o'r Eglwys-lwyd, islaw Arberth, am fod y nwyddau gymaint â chwarter y pris yn rhatach na'r hyn a delid amdanynt yn Aberteifi a Threfdraeth. Roedd y gost o gludo'r nwyddau ar longau i'r porthladdoedd hynny yn codi'r pris. Dim ond ffermwyr lled gyfoethog y gwastadeddau ar hyd yr arfordir fyddai'n manteisio ar galch y porthladdoedd.

Roedd yn siwrnai ugain awr ddwy ffordd i'r odyn galch yn Eglwys-lwyd ac wrth fynd yn haid gyda'i gilydd, er diogelwch ar y siwrnai hirfaith, cludai'r gweision fwyd iddynt eu hunain ac ebran i'r ceffylau. Mae'n rhaid bod yna gryn edliw a rhegi'r tollbyrth ymhlith y minteioedd yn ystod y siwrneiau hynny. Ond na, doedd Stephen Rees ei hun ddim ymhlith y fintai ar yr un o'r achlysuron, er yn pryderu y cai ei alw i ymuno â rhengoedd y Becca:

> Cyfodid bechgyn o'u gwelyau ganol nos, a gorchymynid iddynt uno â'r fintai o dan gosb drom. Bum yn ofni lawer gwaith gael fy ngalw i fyned gyda hwy.[7]

Ni soniodd chwaith am bresenoldeb cwnstabliaid ond tebyg fod y rheiny o dan ei lach wrth dybio eu bod fel y seiri a'r ceidwad Thomas Davies – Twm Bec – a'i wraig, Rebecca, yn ddynion o gyffiniau Llandysilio a Chlunderwen. Benjamin Bullin oedd y ceidwad ar achlysur yr ymosodiad cyntaf ond fe ffodd ar draws y perci gyda chymaint o'i eiddo ag y medrai yntau a'i deulu eu cario wrth i'r tolldy gael ei losgi'n ulw. A does dim amau geirwiredd Stephen Rees o wybod am ei gefndir.

Roedd yn aelod o deulu nodedig o wŷr glewion o gyffiniau Pen-y-groes ar ochr ogleddol y Preselau. Bu farw yn 1914 ar ôl treulio ei oes yn amaethu yn Felin-uchaf. Mab iddo oedd Daniel Rees (1855–1931), a fu'n olygydd *Papur Pawb* a'r *Herald Cymraeg* yng Nghaernarfon ac aeth ati i gyfieithu 'Dwyfol Gân' Dante o'r Eidaleg i'r Gymraeg gan gadw at fesur a mydr y *terza rima* gwreiddiol. Perthynai iddo yntau hefyd annibyniaeth barn am iddo gefnogi streic chwarel y Penrhyn a gwrthwynebu Rhyfel De Affrica yn ei safbwynt golygyddol. Mae'n siwr ei fod wedi annog ei dad i gyhoeddi ei atgofion.

Yn yr un llinach roedd Caleb Rees (1883–1970), yr Arolygydd Ysgolion a gydolygodd gyfrol nodedig yn olrhain hanes yr achos yng nghapel yr Annibynwyr ei blentyndod, *Pen-y-groes*

*Gyrfa Dwy Ganrif* a gyhoeddwyd yn 1959. Roedd hefyd yn un o arweinwyr y frwydr lwyddiannus i gadw'r Preselau'n rhydd o filitariaeth ar ddiwedd y 1940au, pan geisiodd y Swyddfa Ryfel droi'r llethrau'n safle ymarfer milwrol parhaol. Yn y gyfrol honno a gydolygodd gyda'i frawd, Stephen, dywedir am Stephen Rees:

> Er na welodd ei ffordd yn glir i dderbyn y swydd ddiaconol, fe wasanaethodd ei Arglwydd yn yr eglwys fel aelod gweithgar ac athro galluog a goleuedig am gyfnod maith. Yr oedd yn berchen corff cadarn a meddwl cawraidd. Yr oedd yn wleidyddwr goleuedig, yn ymneilltuwr egwyddorol ac yn Annibynnwr selog. Meddai argyhoeddiadau dyfnion a medrai sefyll drostynt a'u hamddiffyn yn erbyn pob gwrthwynebiad.[8]

Does dim dwywaith bod Benjamin Bullin wedi codi gwrychyn ffermwyr y llechweddau. Gorchmynnodd ddau gwnstabl i arestio dau ffermwr am wrthod talu tollau. Aed â William Philip a Daniel Luke o'u ffermydd mewn gefynnau a'u cadw yn y ddalfa dros nos. Cawsant ddirwyon trwm o £5 yr un, ond am na chawsant eu harestio wrth yr iet, ond yn hytrach ar glosydd eu ffermydd islaw Clunderwen, daethant ag achos o dresmasu yn erbyn y ddau gwnstabl, John Mends a Henry Rees. Rhoddwyd iddynt £6 yr un o iawndal ym Mrawdlys Sir Benfro yng ngwanwyn 1840.

Cafodd y ddau gwnstabl eu carcharu wedyn am nad oedden nhw'n medru talu costau'r achos. Am eu bod yn gweithredu yn enw Ymddiriedolaeth Hendy-gwyn, a oedd yn gyfrifol am godi a gweinyddu tollborth Efail-wen, bu rhaid i'w cyflogwyr dalu'r swm o £175 ar eu rhan, gan wanhau ymhellach cyflwr ariannol gwantan yr Ymddiriedolaeth. Mae'n rhaid bod rhywun wedi annog a chynghori'r ddau ffermwr i ddod ag achos yn erbyn y cwnstabliaid. Rhywun â gwybodaeth gyfreithiol ac yn troi yn y byd hwnnw. Anodd credu y byddai dau ffermwr cyffredin wedi gwneud hynny ar eu liwt eu hunain. Am y tro digon yw crybwyll enw Hugh Williams.

Trannoeth y trydydd ymosodiad yn Efail-wen cyfarfu'r ynadon gan ddedfrydu ffermwr o'r enw David Hughes i ddau fis o garchar am wrthod talu tollau. Ac ar sail tystiolaeth ddaeth i law'r awdurdodau fe anfonwyd Morris Davies, gof oedrannus, ynghyd â ffermwr lleol, John Davies, Plas, Llanglydwen, i sefyll eu prawf ym Mrawdlys Caerfyrddin am eu rhan yn y terfysg, yn ystod yr ail ymosodiad, yn ôl pob tebyg. Dywedir i'r gof gael ei gludo i'r ddalfa mewn cadwynau ac yntau'n ddyn eiddil. Bu'r ddau yno am rai misoedd yn disgwyl eu hachos. Pan ddaeth yr achos llys doedd yna'r un tyst ar gael i roi tystiolaeth yn eu herbyn. Gwadodd y ddau eu bod yn gwybod yr un dim ynghylch yr honiadau a wnaed yn eu herbyn. Fe'u rhyddhawyd gan uchel reithgor.

Roedd y ffaith fod tollborth Efail-wen wedi'i ddiddymu erbyn hynny yn ffactor dros eu rhyddhau hefyd. Enwau'r ynadon oedd W. H. Yelverton a W. B. Swann ynghyd â'r clerc, T. S. Biddulph. Mae H. Tobit Evans yn taflu peth goleuni ar amgylchiadau arestio Morris Davies yn ei lyfr *Rebecca and Her Daughters* a gyhoeddwyd yn 1910 gan ei ferch, Gwladys Tobit Evans.

... Rebecca again visited Efailwen, and finding the task of demolishing the gate a difficult one, without having the necessary implements at her disposal, sent two of the company to the blacksmith's shop to demand sledges from the smith, Morris Davies. He at first refused, but upon their threatening to pull down the smithy, he threw the key of his shop out of his window to them. The sledges were then brought out, and the posts and the gate smashed to atoms. The rioters then dug under the walls, and the toll-house was completely destroyed.

Subsequently the authorities were informed that sledges from Efailwen smithy had been used, and that a farmer named John Davies, residing at Plas Llangledwen had said something relative to the demand made at the smithy. Enquiries were made with a view to procuring sufficient evidence to justify proceedings being taken against someone for the damage, but the blacksmith and John Davies denied all knowledge of the fact. They were in consequence taken into custody, and lodged in Carmarthen Goal. There they were kept for three months awaiting their trial, but eventually they were discharged.[9]

Daethpwyd i ddeall bod John Davies yn ddiweddarach yn cael ei gydnabod yn dipyn o fardd yn arddel yr enw Ioan Glantaf ac iddo farw yn 1883 a'i gladdu ym mynwent Capel Hebron, nepell o Efail-wen ym mhen uchaf Dyffryn Taf. Canwyd ei glodydd gan gyd-feirdd megis Penfro, Carnalw a Chlwydwenfro, ond heb yr un sill o gyfeiriad tuag at ei gysylltiad â'r Becca. Tebyg nad dymunol fyddai cyfeirio at hynny ar y pryd gan iddo dreulio cyfnod yng ngharchar a doedd gwrhydri nac arwyddocâd chwalu'r tollborth yn cael ei lwyr werthfawrogi. Ar ben hynny, gan iddo gael ei eni ym mis Rhagfyr 1825, ni fyddai wedi cyrraedd ei bymthegfed pen-blwydd adeg helynt iet Efail-wen, ond yn ddigon hen i fod yn was bach, fel oedd y drefn yr adeg honno. Tebyg iddo gael ei dywys yno gan weision mawr a chael ei gymryd i'r ddalfa a'i gadw yno am dri mis fel bwch dihangol. Profiad ysgytwol i grwt ifanc mae'n siwr. Ystyrid ei fab, Hugh, yn fardd hefyd yn arddel yr enw barddol Garnwenydd.

Tybed a fu gan Morris Davies wedyn ran yng ngwneuthuriad yr ail iet mewn gwirionedd? Oedd disgwyl iddo fenthyca arfau er mwyn dinistrio gwaith ei law ei hun? Roedd yn amlwg na feiddiai fradychu y Becca neu ni fyddai ei fywyd yn werth ei fyw. Ni fyddai'r un ffermwr yn defnyddio ei wasanaeth i drwsio'r un cart nac i lunio'r un arf. Fiw iddo ddatgelu unrhyw wybodaeth am y terfysgwyr hyd yn oed os gwyddai pwy oedd wedi'i orfodi i fenthyca ei yrdd. Ac yn sicr ni fyddai wedi beiddio hyd yn oed grybwyll enw Twm Carnabwth. Mae'r hyn a ddywed H. Tobit Evans eto yn awgrymu mai felly yr oedd hi:

The story of the attack on Efailwen Gate is typical of other attacks. The gate, which was a wooden one, was cut down with hatchets, saws, and bars, and an attempt was made to burn down the house, but unsuccessfully. The gate-posts were cut down, carried away, and thrown into the river Cleddau. Shortly after, another gate was erected, which was made of wood, plated with iron, so as to prevent its being cut down with hatchets and saws, whilst the posts were made of cast-iron.[10]

Soniai'r adroddiad yn y *Carmarthen Journal* bod bwriadau'r Becca yn cael eu cyhoeddi ymlaen llaw yng nghynteddoedd y capeli. Mae H. Tobit Evans yn cyhoeddi un o'r rhybuddion hynny:

" 1839
Men of Efelwen
Llanboidy!!! –

"Let not your feelings, however excited, lead you to blame or injure the native magistrates of your native Country. They have commiserated those feelings. They sympathise with you!!!
"Boldly represent to your Sovereign the unparalleled fact that two Sassenachs with scarcely a qualification, and one from a neighbouring isle, have strained your laws to an imprudent tension!
"A rara Avis in terris, nigroque simillina Cygno!
"An Apostate!! A Fortune Ganger!!!
"These support a little Bull in the matter –
"Pricilla Top, August 5th, 1839

Becca"[11]

Ymddengys, yn ôl y dyddiad, i'r uchod gael ei ddosbarthu wedi'r ymosodiadau ar dollbyrth Efail-wen a Maesgwynne, ger Llanboidy, a'i fod wedi'i gyfansoddi gan rywun dysgedig a hynny gyda phinsiad o goegni. Am gadarnhau bod y Becca yn cymryd ei dyletswyddau o ddifrif efallai. Tebyg mai cyfeiriadau at y brodyr Bullin yw'r 'Sassenachs' a'r 'little Bull', waeth pwy fyddai'r unigolyn o ynys gyfagos – Iwerddon, mae'n debyg, lle'r oedd yna wrthryfela eisoes wedi bod. Ystyr y geiriau Lladin yw 'Aderyn prin ar y ddaear, hynod debyg i alarch du' o waith Juvenal, dychanwr Rhufeinig o'r ganrif gyntaf neu'r ail. Prin y byddai neb o blith ffermwyr Llanboidy na Mynachlog-ddu yn gyfarwydd â'r dywediad. Gallwn dderbyn bod 'Pricilla' yn ymgais i sillafu 'Precelly' oherwydd yn y cyfnod hwnnw cyfeiriwyd at Foel Cwm Cerwyn, y copa uchaf, yn ôl yr enw hwnnw ar fapiau a dogfennau.

Mae yna adroddiad arall am yr hyn ddigwyddodd yn Efail-wen ar gael, wedi'i gyhoeddi yn yr wythnosolyn *Tarian y Gweithiwr* gan Anhysbys ym mis Awst 1886. Cynnig ei atgofion a wna'r cyfrannwr ymron 50 mlynedd wedi'r digwyddiad, a phrin fod ei ffeithiau'n gwbl gywir. Serch hynny, mae'n werth craffu ar yr hyn a gyhoeddwyd ym mhapur Aberdâr pe bai dim ond i gael ychydig o naws yr hyn a ddigwyddodd ar sail y chwedloniaeth oedd eisoes ar droed. Ceir awgrym mai baglu a thorri ei fraich yn ei frys i ddianc oedd hanes y cwnstabl yr honnai'r *Carmarthen Journal* iddo gael ei guro'n ddidostur.

Cawn weld yn y man mai'r gohebydd Anhysbys, yn ôl pob tebyg, oedd gŵr a arferai fyw yn y tolldy – wedi'i adfer a'i enwi yn Noble Court – cyn iddo symud o'r Efail-wen i Gwmaman yng nghyffiniau Aberdâr yn 1880. Llwydda Job Lewis – a derbyn mai ef yw'r awdur – i osod yr helynt yn ei gefndir hanesyddol hefyd. Ac nid heb reswm y câi ei adnabod yn ei ardal fabwysiedig fel 'Y Sgolor Mawr' ar gownt ei wybodaeth ysgrythurol:

Tua'r flwyddyn 1840, os wyf yn cofio yn iawn, y dechreuodd Becca ar ei gwaith yng Nghymru. Nid oeddwn i y pryd hwnnw ond ieuanc, ond yn ddigon hen i gofio am lawer o symudiadau Becca. Mawr yr holi oedd pwy allasai y greadures hon fod, ond nid oedd neb a fedrai ateb ym mha le yr oedd yn byw, na pha fodd yr oedd yn cael ei chynhaliaeth. Yr oedd yn dalach na'r cyffredin, yn gwisgo gwn sidan gwyn, a gorchudd dros ei gwyneb. Barnai rhai ei bod wedi ei dwyn i fyny yng Ngholeg Rhydychain oherwydd ei bod y fath ysgolheiges, yn medru ysgrifennu ei llythyron yn Lladin yn ogystal ag yn Seisnig. Yr oedd yn marchogaeth ar anifail porthiannus, buandroed, a nerthol, ac yr oedd hi a'i hanifail, fel pe wedi eu dysgu yn holl *exercise* milwrol y deyrnas.

Pan oedd y Siartiaid ym Morgannwg, a'r Scotch Cattle yn Mynwy, yn dechrau tawelu, dyma yr adeg yr oedd Becca a'i phlant yn ffyrnigo, ac yn dechreu o ddifrif ar eu gwaith yn Nyfed a rhannau gorllewinol ein gwlad. Yr oedd llygredigaeth y Senedd yr adeg honno yn cynhyrfu y wlad o benbwygilydd, ac nid oedd ond rhyw derfysgoedd i'w clywed amdanynt ymhob man. Tolldaflen (tariff) Syr Robert Peel oedd wedi cynhyrfu yr amaethwyr ag eraill i arfogi eu hunain yn erbyn trais a gormes. Gwaith Becca oedd torri y tollbyrth (turnpike gates), y rhai a ystyriai hi yn anghyfreithlon, ac yn ormesiad ar y wlad.

Yn y flwyddyn 1840 ymwelodd â chlwyd Efel-wen, Llandysilio, Sir Benfro. Anfonodd Becca amryw o'i phlant o'i blaen ychydig at y glwyd yn nyfnder nos, y rhai a arosent i'w meistres ddyfod ymlaen. Hithau yn foesgar a ofynnodd iddynt paham yr oeddynt yn aros! Hwythau a ddywedasant, "Gate, mam." "Agorwch hi," meddai hi. "Y mae o dan glo," meddent hwythau. "Torrwch hi ynte". Ar hyn, dyma hanner cant o fwyelli, a chymaint â hynny o lifiau a gyrdd, yn dryllio yr hen glwyd a'i physt yn ddigon mân i wneuthur matsus ohonynt cyn pen deng munud! Yna, dychwelodd Becca a'i merched y noson honno, gan adseinio eu hudgyrn yn fuddugoliaethus i'w cartrefleoedd.

Dylasem grybwyll fod Becca a'i merched bob un yn gwisgo dillad y rhyw fenywaidd, a'u gwynebau wedi eu dieithrio yn ofalus, fel nad oedd y naill yn adnabod y llall, na neb arall wrth gwrs. Ond, er hynny, wedi y noson honno, cododd cyhuddwr i'w herbyn, a meddyliai am ennill gwobr, ond gwelodd ei gamsynied mewn pryd; ffodd o'r gymdogaeth, ac ni welwyd ef mwy. Yn fuan ar ôl hyn, gwnaed yno glwyd newydd gadarnach nag o'r blaen, a gosododd yr awdurdodau fintau o 25 o filwyr o Lundain, a 12 heddgeidwad o Narberth i ofalu amdani, a'i diogelu rhag Becca mwyach.

Tybiwyd y buasai hyn yn dychryn y foneddiges, ac na ddangosai hi ei gwyneb byth mwy i neb, ond dyma hi yn myned ar ei hunion i ymddiddan â'r prif swyddog milwrol, yr hwn a ofynnodd iddi paham yr oedd yn torri y clwydi? Dywedodd wrtho y rheswm, sef mai y plwyfi oedd yn cadw y ffyrdd, ac nid y Llywodraeth, ac nad oedd y Trust yn talu yr un ddimau ers blynyddau at gadw'r ffyrdd mewn trefn. Mewn atebiad i Becca, dywedodd y swyddog nad oedd yn iawn iddo ef na'i filwyr amddiffyn y fath ormes, a gadawodd y lle.

Gwelodd Becca mai hi oedd yn iawn, ac ymwrolodd, a daeth arni wewyr rhyfeddol, fel yr esgorodd ar o 600 i 700 o ferched yn eu cyflawn faintioli, ac aethant at y glwyd newydd liw dydd i'w gwneuthur yn un garnedd i'r llawr. Yr oedd Becca mor llidiog y tro

hwn fel yr anfonodd lythyr yn Lladin at y gŵr mawr a anfonodd
am y milwyr a'r hedd-geidwaid, yn mynegi ei bod yn ymweled ag ef
y noson honno. Cafodd yntau gymaint o ofn fel y ffodd i Lundain,
lle yr arhosodd hyd nes i'r terfysg fyned heibio.

Clywsom un o'r merched yn dweud fod yr hedd-geidwaid
wedi dechrau eu gwrthsefyll y tro hwn, ond ar yr esgus o'r rhuthr
cyntaf wnaeth Becca arnynt, iddynt ffoi bob un am eu heinioes tua
Narberth at eu gwragedd. Yr oedd un bobi yn dweud iddo ymladd
hyd nes torrodd ei fraich, ond y gwir achos oedd iddo syrthio wrth
redeg mewn ofn.[12]

Edliw gweithredoedd llym cynrychiolwyr yr awdurdodau
fyddai ymateb greddfol trwch y boblogaeth ar y pryd. Doedd
hi o ddim cymorth mai Saesneg oedd iaith y sefydliad yn
ogystal ag iaith Benjamin Bullin. Adroddir stori ar lafar gwlad
amdano'n gorchymyn Twm Carnabwth i dalu'r doll, 'Can you
tell me precisely what is your load?' gyda'i acen ddieithr yn
tystio ei fod yn frodor o dde-orllewin Lloegr. Ac ymateb Twm,
'Fe gei di barsli nawr' a thaflu twlpyn o fenyn i'w gyfeiriad cyn
ei gwân hi trwy'r tollborth heb yr un bwriad o dalu. Ni fentrodd
yr un cwnstabl arestio Twm Carnabwth er na fyddai'n anodd
iddyn nhw ddod o hyd iddo nac yn anodd canfod mai ef oedd
yr arweinydd. Ond mater arall fyddai casglu tystiolaeth yn ei
erbyn a chael tystion i ddod i lys barn.

Yn wir, mae'r Gwyddel, Pat Molloy (1930–2003) yn ei lyfr *And
They Blessed Rebecca*, a gyhoeddwyd gyntaf yn 1983, yn nodi
na fu'r un swm o arian yn ddigonol i ddenu neb i roi tystiolaeth
gadarn yn erbyn y Becäod hyd yn oed os oedd ambell un yn
cael ei demtio i rannu gwybodaeth. Doedd yna ddim bradwyr
ar y llethrau. Cydymdeimlad a chefnogaeth a fodolai ymhlith
trwch y boblogaeth am fod y ffermwyr yn gweithredu yn enw
cyfiawnder:

> ... the authorities – for all their frantic efforts, including the
> mobilisation of the Pembroke Yeomanary, the manacling and
> committal for trial of a frail old man, and the offers of large
> rewards – never succeeded in getting one conviction nor even

identifying the huge and frightening figure on the white horse who had so exposed the vulnerability of an anachronistic system of law and order to determined popular action. It was an exposure of far-reaching consequence.[13]

Ac os rhywbeth mae'r cyn-blisman a Phennaeth CID Heddlu Dyfed-Powys am 26 mlynedd yn gresynu na lwyddwyd i gynnal cyfraith a threfn ar y pryd. Gwêl ddiffygion yn y dulliau o gadw heddwch yn y cyfnod hwnnw pan nad oedd heddluoedd wedi'u sefydlu. Mater o hap a damwain oedd hi i ddod â throseddwyr i gyfraith. Ond mae ei ddisgrifiadau lled ddychmygol o'r ymosodiadau ar dollborth Efail-wen yn lliwgar a dweud y lleiaf. Dyma sut y mae'n agor ei lyfr, gydag awgrym cryf ei fod yn cydymdeimlo â cheidwad y tollborth a'i deulu:

The warning sounds would soon become familiar to himself and other toll gate keepers, but they were not recognised by the keeper of the turnpike gate at Efail-wen on the west Wales border of Pembrokeshire and Carmarthenshire when he heard them for the first time in the late evening of Monday 13 May 1839. As dusk blurred the outlines of road and hedge and stilled the familiar sounds of the countryside, the call of horns floated across the evening air and then what sounded like the beat of a drum, with voices too, growing louder, as of the approach of a large group of revellers down the Cardigan road. A wedding party perhaps, or revellers returning from the drunken aftermath of a farmer's funeral. Whoever they were they seemed to be enjoying themselves and if, as was likely, they were on foot they would pass toll-free, with no more exchange than a few insults to a gatekeeper grown thick-skinned to such occupational hazards.

Suddenly they arrived at the gate, with horns, drums and a few blasts of gunfire. Still nothing unusual. But then a loud voice shouted a command which could not be ignored, and the toll collector opened his door... to see a sight he would remember for the rest of his life.

The leader of the black-faced mob outside was a huge figure seated upon a large white horse, bundled up in what seemed like several layers of women's nightgowns or petticoats, his black-

smeared face topped by a nightmarish wig hung with ringlets. He
waved a sword in the air and his followers responded by shouting
'Hurrah for free laws! Toll gates free to coal pits and lime kilns!' to
a cacaphony of horns, bugles, flutes and drums, while a hundred
arms stabbed the air with a profusion of axes, sledgehammers,
crowbars, scythes and sticks, and while the flashes and sparks of
several shotgun blasts added spectacular lighting effects to what
might have been some ghastly Victorian melodrama.

The terrified toll collector and his family fled as the gate was
attacked with felling axes and their house was sledge-hammered
and put to the torch. It was over in minutes and the jubilant crowd,
responding instantly to their leader's command, went back the
way they had come and disappeared into the gathering darkness,
leaving only the echoes of their discordant music, their shouts for
'free laws' and the crackling flames of the gatehouse ruins to mark
their visit.[14]

Prin fod y Gwyddel wedi ffrwyno ei ddychymyg. Cyhoeddwyd
disgrifiad yr un mor lliwgar gan Amy Dillwyn (1845–1935) yn
ei nofel boblogaidd *The Rebecca Rioter* a gyhoeddwyd gyntaf yn
1880. Dangosai'r nofelwraig o Abertawe gryn gydymdeimlad ag
achos y Becca (gweler Atodiad I). Ond waeth beth yn gwmws
ddigwyddodd ar y tri achlysur y talodd Rebecca ymweliad
â thollborth Efail-wen fe lwyddodd yn ei nod. Byr fu hoedl
tollborth Thomas Bullin. Prin dri mis. Fe ymddangosodd y
rhybudd canlynol yn y *Carmarthen Journal* ar 9 Awst 1839:

> Whitland Turnpike Trust
> In obedience to an Order in Writing to me directed, bearing the
> date of 29 July instant and signed by John Evans, Clerk and R. P.
> Beynon, Esquire, two of the Trustees of the Roads comprised in
> the above mentioned Trust
>
> NOTICE IS HEREBY GIVEN
> That a Meeting of the Trustees of the said Trust will be held at
> the Blue Boar Inn, in the village of Saint Clears, in the county of
> Carmarthen, on Tuesday, 20th day of August next, at the hour of
> 12 o'clock at noon, for the purpose of taking into consideration the
> propriety of revoking, or altering the Order or Determination, of

the said Trustees, for the erection of Toll Gates and Side Bars, or any of them, recently, for the first time erected on the Roads of the Trust and all other Orders and Determination of the said Trustees, in any manner relating to such Toll Gates and Side Bars, or any of them.

Dated this 31st day of July 1839

William Evans

Clerk of the said Trustees. [15]

Sylwer ar y geiriau 'revoking, or altering'. Yn wir cynhaliwyd cyfarfod arall ar 24 Medi, ac ar 4 Hydref 1839 cyhoeddodd y *Carmarthen Journal* adroddiad yn nodi penderfyniad yr Ymddiriedolwyr i ddiddymu tollborth Efail-wen, yn ogystal â thollborth Maesgwynne, ger Llanboidy, oedd hefyd wedi'i dinistrio gan y Becäod ar 15 Mehefin.

Two most respectable meetings of the Trustees were held at the Blue Boar Inn, Saint Clears, attended by most of the leading Magistrates of this county, and some few from the county of Pembroke. After mature consideration, it was resolved that the said order should be rescinded, the Trustees never having adopted the said Branch Roads which had been formed, repaired and upheld by the different parishes.[16]

Datgelwyd mai dim ond trwy fwyafrif o ddwy bleidlais y penderfynwyd ac nad oedd y rhai a oedd o blaid yn gwybod fawr ddim am y ffyrdd dan sylw os hyd yn oed yn gwybod am eu bodolaeth. Nodwyd bod gohebiaeth wedi dod i law wrth y plwyfi fyddai'n cael eu heffeithio'r adeg hynny yn gwrthwynebu.

Yn wir, mae Martha Morgan, prif gymeriad nofel Brian John *Rebecca and the Angels*, yn honni iddi fod yn bresennol yn y cyfarfod hwnnw o Ymddiriedolwyr Hendy-gwyn ar 24 Ionawr 1839 pan dderbyniwyd cynnig Thomas Bullin. Mae'r hyn a nodwyd yn y dyddiadur ffuglennol yn sicr yn rhoi naws o'r awyrgylch tebygol yn y cyfarfod.

Mynna Martha Morgan iddi wrthwynebu'r cais am y byddai

Bullin am adennill ei fuddsoddiad o £800 gynted â phosib, ac o ystyried dyledion yr Ymddiriedolaeth fyddai yna fawr ddim cyfalaf ar gael i'w wario ar y ffyrdd eu hunain am getyn go lew. Rhybuddiodd mai dim ond cynddeiriogi ffermwyr y wlad fyddai caniatáu iddo godi pedwar tollborth arall a oedd yn rhan o'i amodau. Ni chafodd Martha gefnogaeth ac amheuai fod y cadeirydd ac un neu ddau arall eisoes wedi taro'r fargen gyda Bullin ymlaen llaw. Ceisiodd wedyn liniaru rhywfaint ar y cytundeb trwy gynnig mai cytundeb am flwyddyn yn unig ddylid ei ganiatáu, yn hytrach na thair blynedd, a'i adolygu wedyn, a hynny am bris o £700, gan ychwanegu amod na fyddai'n codi'r un tollborth newydd. Ond doedd dim yn tycio.

Does dim dogfennau yn profi mai felly y bu wrth gwrs, ond mae gan y nofelydd bob hawl i ddychmygu mai fel yna yr oedd hi am y byddai'n gydnaws â theimladau'r cyfnod. Fodd bynnag, dywed Martha iddi letya yn yr un gwesty â Thomas Bullin, sef Y Ddraig Goch yn Hendy-gwyn, yn hytrach na dychwelyd i gyffiniau Carn Ingli y noson honno, ac iddi hi a'i mab mabwysiedig, Brynach, a gyrrwr y cerbyd, Ioan, dreulio amser yng nghwmni Thomas Bullin wedi swpera, ac iddi ddod i'r casgliad canlynol ynghylch ei bersonoliaeth:

> We even spent a jovial half hour in the presence of Master Bullin, who is not a bad fellow. He is insensitive and lacking in sophistication, but I think he is honest, and he makes no bones about the fact that he is involved in the business of tollgates and turnpike trusts simply in order to make a tidy fortune. He knows what the risks are, and one has to admire him for risking his own money in a way that I could never contemplate.[17]

Roedd anwybodaeth yr Ymddiriedolwyr a'r modd y gweinyddid y gyfraith gan dirfeddianwyr dieithr i'r fro yn creu gelyniaeth ymhlith y werin bobl. Ni theimlent eu bod yn derbyn cyfiawnder, a hynny ar adeg pan oedden nhw'n dioddef tlodi enbyd. Mae prif hanesydd 'Terfysg y Becca', yr Athro David

Williams, (1900–1978) a oedd yn frodor o'r parthau, (gweler Atodiad II) yn tanlinellu hyn yn ei astudiaeth arobryn *The Rebecca Riots* a gyhoeddwyd gyntaf yn 1955:

Discontent with magistrates was fairly widespread; 'justices' justice', it was said, 'was proverbial'. It is important to consider whether the conditions were worse in West Wales than elswhere. Difference in language certainly hindered the administration of justice in Wales. Cases were tried in a language which defendants barely understood, and this made the elaborate paraphernalia of the law appear to a bewildered peasantry to be a species of trickery, of chicanery, intended to deprive them of justice. It also emphasised the fact that the legal system was, in reality, an alien one, imposed upon a conquered people, and not arising indigenously out of their own social life. The provision of an interpreter was haphazard. For example, in a case arising out of the earliest Rebecca Riots in 1839, the only interpreter was the surveyor of roads who had made the original application to the magistrates; in other words, it was the prosecutor who acted as interpreter. Even if justice was done in such circumstances, it was difficult to preserve the appearance that it was being done.[18]

Mae'r uchod yn adleisio llawer o'r hyn a ddywedwyd gan H. Tobit Evans yn ei ddadansoddiad yntau a gyhoeddwyd yn 1910 (gweler Atodiad III). Yr un modd David Davies yn ysgrifennu yn rhifynnau o'r cylchgrawn misol *Red Dragon* yn 1887 (gweler Atodiad IV).

Ers canoli grym y wladwriaeth yn Llundain yn dilyn Deddf Uno 1536 roedd y teuluoedd bonedd wedi graddol ymseisnigo. Deddfwyd mai Saesneg fyddai iaith gweinyddiaeth a chyfraith, ac wrth ymgreinio i wella a chynnal eu statws breiniol roedd y byddigions wedi cofleidio'r Saesneg ar draul esgeuluso'r Gymraeg. O'u plith y dewiswyd Aelodau Seneddol a heb afael ar y Saesneg ni fedrent gyflawni eu dyletswyddau. A chan fod yr Ymerodraeth Brydeinig ar ei hanterth ar y pryd doedden nhw ddim am amddifadu eu hunain o'r cyfleoedd a'r manteision masnachol a ddeuai o hynny. O ganlyniad roedd yna ymbellhau cymdeithasol wedi digwydd rhyngddyn nhw a'r werin bobl. Mewn ardal mor ddiarffordd â'r Preselau, ac mor bell o Lundain, roedd y brodorion wedi dal at y Gymraeg, ac i bob pwrpas roedden nhw'n uniaith Gymraeg. Wel, doedd yna fawr o ddiben iddyn nhw feistroli'r un iaith arall o ran eu byw bob dydd ymhlith ei gilydd.

Er gwaethaf yr anfanteision hyn roedd trigolion y fro yn medru gwrthsefyll awdurdod pan ddeuai yn fater o raid ac yn y cyd-destun hwn yn seinio buddugoliaeth. Trwy ddefnydd o drais gwaredwyd rhwystr; rhwystr a oedd yn effeithio ar eu safonau byw a rhwystr diangen yn eu tyb nhw. Ac yn ôl traddodiad llafar a chof gwerin ymddengys mai mater o falchder oedd gwrhydri a gorchest Twm Carnabwth a'i fintai. Dyma sut y mae E. Llwyd Williams (1906–1960) yn ei gyfrol *Crwydro Sir Benfro (Cyfrol 1)* yn crynhoi'r digwyddiad, yn 1958, gan gyfeirio at y cysylltiad â'r ysgolhaig, Timothy Lewis. Magwyd yr awdur ar fanc Efail-wen:

Daeth rhwng tri a phedwar cant o fechgyn cyhyrog yr ardaloedd yno wedi duo'u hwynebau a gwisgo dillad merched. Eu hoffer gwaith bob-dydd oedd eu harfau, a'u harweinydd oedd Thomas Rees, Carnabwth. Yr oedd rhwygo'r glwyd yn drosedd yng ngolwg cyfraith Lloegr, eithr "trech gwlad nac arglwydd" oedd hi'r flwyddyn honno, ac ni chlywais i neb yn yr ardal hon yn rhoi anair i Dwm Carnabwth a'i ddilynwyr...

Safai'r glwyd islaw'r groesffordd gyferbyn â Noble Court, ac yno y trigai'r ceidwad... Yn y tŷ hwn y ganed Mr. Timothy Lewis, Aberystwyth, yr ysgolhaig Celtaidd sydd, er wedi ymddeol, yn methu cadw'i drwyn allan o ddogfennau pwysig y Llyfrgell Genedlaethol. Y mae yntau'n awdur nifer o lyfrau cywrain a nai iddo oedd Alun Lewis, y bardd galluog o Aberdâr, a laddwyd yn yr Ail Ryfel Byd. Gwŷr cadarn, diwylliedig oedd y Lewisiaid... Mewn llythyr a yrrodd imi dywaid Timothy Lewis... "Drwy do Noble Court y diangodd 'Twm Bec' y noson y llosgwyd clwyd yr Efail-wen, meddai nhad wrthyf un tro; ac yr oedd darn o'r glwyd i'w weld yng nghlais y clawdd gerllaw Noble Court pan oeddwn i yn grwt. Yr wyf finnau yn blino fod y cwbl mor ddieithr bellach ar y banc, ond yr wyf yn falch iawn imi gael byw yn ddigon hir yno i gyfrodeddu rhai o'i draddodiadau â'm heiddo fy hun."... Yr oedd y gŵyr cyntaf a gofiaf ar fanc yr Efail-wen yn ddarllenwyr Beibl ac esboniadau; crefydd oedd eu diwylliant ac egwyddorion oedd eu gwleidyddiaeth. Disgynyddion oeddent i'r gŵyr a dorrodd y glwyd, a chondemnient y fam a feddwodd ei mab i gwsg noson y taro, a hithau wedyn yn rhoi swper o ham a wyau i'r gwas cyn iddo gychwyn i gyfeiriad yr Efail-wen â phicwarch ar ei ysgwydd.[19]

Deil annedd ar y llecyn lle'r oedd bwthyn bychan Noble Court ond wedi'i ehangu a'i adnabod bellach fel Penllainwen. Ganed yr ysgolhaig Timothy Lewis yn 1877, ond prin yw ei atgofion o'r lle gan i'r teulu ddilyn y tad, Job, i gyffiniau Aberdâr pan oedd yn ddim o beth. Bu farw'r un flwyddyn â chyhoeddi cyfrol E. Llwyd Williams yn 1958. Adwaenid Noble Court fel Bronysgawen am gyfnod yn ddiweddarach ac yno y magodd Roger Williams, brawd y bardd, Waldo, dyaid o blant.

Canu clodydd y Becca a wnai'r baledwr o Gwmfelinmynach ger Hendy-gwyn, Lefi Gibbwn (1807–1870), yn ffeiriau'r cylch. Yn 1839 byddai'r baledwr dall, a gai ei dywys gan ei ddwy ferch, ac un ohonynt yn cyfeilio iddo hefyd ar y ffidil, tua 32 oed, ac wedi colli ei olwg mewn damwain saith mlynedd ynghynt. Diau y byddai cryn fynd ar y faled yn ffeiriau'r blynyddoedd dilynol. Dyma ddetholiad o benillion o'r faled sy'n cynnwys 25 o benillion yn ei chyfanrwydd. Doedd dim angen iddo enwi'r arweinydd yn uniongyrchol. Gwyddai'r gynulleidfa pwy oedd ganddo mewn golwg:

Er cnifer o ferched a ddygodd i'r byd,
mae Becca, hyd heddiw, yn weddw o hyd:
does obaith cydymaith i'r eneth, rwy'n siŵr,
mae Becca'n cenedlu, mewn gwely, heb ŵr.

Mi glywais am Becca, mi fentra', gan waith:
erioed am ei phriod ni chlywais un waith:
mae Becca a'i merched fel gwibed drwy'r wlad:
wel dwedwch, os gellwch, pwy ydyw eu tad?

41

Cadd Becca ei geni yng Nghymru fel fi,
yn faban corfforol ym mhlwyf Monachlog Ddu:
fe dyfodd i fynny yn uchel ei phen,
fe gymrodd lawn feddiant o gate'r Efel-wen.

Bu yno gwnstabli, ac hefyd bolîs,
a llawer o soldiers, mewn pŵer am fis,
er rhwystr i Becca ladrata'r hen glwyd,
fel caffo pob gateman bryd cyfan o fwyd.

Mae Becca a'i merched mor ffalsed â'r ffox,
mae'n torri rhai clwydi mor fân â phren clox:
pan fyddo bugeiliaid yn gwylied man draw,
mae Becca man obry yn torri'n ddi-fraw.

Mae Becca fel bwci'n gweithredu 'rhyd nos:
bydd llawer yn chwerthin wedi terfyn ei hôs,
hi aeth â'i chenhedlaeth i Arberth mewn grym,
fe dynnodd y caerau a'r ietau i'r dim.

Holl hanes Rebecca, mi waedda'n dra hŷ,
nis gallaf ei gofio na'i goffa i chwi:
yng Nghymru a Lloegr mae llawer o swae
o achos fod Becca'n lledrata fel mae.

Yn awr rwy'n terfynu fy ffwdan a'm ffair,
mi garwn weld heddwch, os coeliwch fy ngair:
boed llwyddiant yn wastad i gariad, heb sen,
fod rhyngom â Becca, mi waedda 'Amen'.[20]

Roedd yna faledwyr eraill wrthi hefyd, yn amlwg am ganu
am destun poblogaidd. Cyfansoddodd Dafydd Jones (1803–
1868) o Lanybydder 14 o benillion i'w canu ar y mesur 'Pray,
what will old England come to?' gan gyfeirio at helyntion lledled
y gorllewin. Roedd yntau'n ddall hefyd a gwisgai het ac iddi
gantel llydan bob amser. Dyma un pennill sy'n cyfleu'r naws:

Rhyw ddynes go ryfedd yw Becca,
Am blanta mi goeliaf yn siŵr;
Mae ganddi rai cannoedd o ferched,
Er hynny does ganddi'r un gŵr;

Mae hyn yn beth achos rhyfeddu,
I bawb yn gyffredin trwy'r wlad,
Pa ffordd y mae Becca yn medru
Rheoli'r holl blant heb un tad.[21]

Canu clodydd oedd dymuniad J. Dyfnallt Owen (1873–1956) hefyd, a fu'n weinidog capel Heol Awst, yr Annibynwyr, yng Nghaerfyrddin o 1910 tan 1947, yn olygydd *Y Tyst*, wythnosolyn ei enwad, am dros chwarter canrif ers ei benodi yn 1928, ac yn Archdderwydd o 1954 tan ei farwolaeth ddwy flynedd yn ddiweddarach:

Mudiad Cymreig cefn gwlad oedd y Beca, ei wreiddiau yn naear hanes Cymru, a'i rym yn nioddefiadau ein pobl. Nid crwsâd cenedlaethol neu ddiwygiad gwleidyddol mohono. Gwaedd gwerin mewn gwewyr ydoedd na bu ei fath yng Nghymru Gymreig, wledig er dyddiau gwrthryfel Owen Glyndŵr yn y bymthegfed ganrif...
Erys cryn ddirgelwch ynglŷn â genesis Y Beca. Megis enhuddo tân dros nos oedd cau ar dymer ferw y werin. Pan gofiwn yr ymnyddu a'r ymwingo yn ei chalon, y cwbl oedd eisiau oedd rhywun i roi proc i'r tân, a dyfod awel i'w chwythu yn fflam. Daeth yr awr, daeth y gŵr, daeth y gwynt...
Tebyg mai enaid mudiad y Beca oedd Hugh Williams. Y dwrn cyntaf a'i dinoethodd ei hun yn enw Beca oedd Twm Carnabwth o ardal y Fynachlog Ddu, Penfro. Anodd, yn wir, yw dyfalu am lwyddiant mudiad y Beca heb fath o gymdeithasau dirgel hwnt ac yma, ac i bob cymdeithas ei Beca ei hun.
Wedi gosod clwyd newydd yn yr Efail Wen, Sir Benfro, clywid gyda'r nos gorn Beca yn galw i'r gâd: nifer o geffylau, yn cael eu dilyn gan gannoedd o wŷr traed, pob un wedi duo'i wyneb neu'n gwisgo masc, bonet hen wraig ar ei ben, pais a betgwn amdano ac yn cyfarch ei gilydd wrth enwau merched. Yna, cnoc ar ddrws tŷ y "gateman": munud o rybudd i adael y tŷ: wedyn, malu'r glwyd a'r pyst yn goed tân a'u dodi o gylch y tŷ. Yna, ffagl, a'r cwbl yn llosgi'n eirias nes goleuo'r nos. Banllef, gorfoledd a dawnsio ar lwch adfeilion!...
Nid rhialtwch torri clwydi, saethu yn yr awyr, canu cyrn yn y nos a rhyw dwymyn yn ddim ond ewyn ar waed drwg oedd Beca, ond mudiad ag iddo egwyddorion mawr ac argyhoeddiadau dyfnion yn ddynamig.[22]

Ond roedd yna wasgfeydd eraill heblaw am y tollbyrth. Olrheinir y rheiny yn gryno yn *Gwyddoniadur Cymru*:

> Deuai sawl carfan o dan lach y ffermwyr: eu landlordiaid di-hid a oedd yn gwrthod gostwng y rhent; yr ynadon lleol, a oedd yn trin y tlodion 'fel cŵn' pan ddeuent o flaen y fainc; meistri'r tlotai lle câi'r tlodion eu carcharu; derbynwyr y degwm, beilïaid ac offeiriaid Anglicanaidd a oedd yn codi'r degwm drud ar blwyfolion a oedd gan mwyaf yn mynychu'r capel; a chasglwyr tollau. Protest y mân ffermwyr oedd Terfysgoedd Rebeca yn ei hanfod, a phan gydiodd y dwymyn brotestio yn y gweision ffermydd, buan y daeth yr helynt i ben.[23]

Cyn olrhain y rheiny ymhellach a chyn edrych yn fanylach ar fuchedd Twm Carnabwth cawn olwg ar gefndir y tollbyrth a'r ffyrdd tyrpeg.

# 2

# Pam Codi'r Tollbyrth?

DISGRIFIAD J. DYFNALLT Owen o gyflwr y ffyrdd yng ngorllewin Cymru ar ddechrau'r bedwaredd ganrif ar bymtheg oedd, "Nid oeddynt namyn creithiau ar wyneb y tir neu rigolau lleidiog".[1] A gwir hynny. Prin fod y 'ffyrdd' yng nghefn gwlad yn ddim mwy na llwybrau llydan. Cerdded neu farchogaeth oedd y ffordd arferol o deithio. Byddai'n rhaid i ffermwyr wrth geirt ar gyfer gwaith fferm a chludo nwyddau ond artaith fyddai eu defnyddio ar hyd ffyrdd y fro. Er mai cyfrifoldeb y plwyfi oedd cynnal a chadw'r ffyrdd, rhyw hap a damwain oedd y trefniant. Rhoddwyd mwy o sylw i'r ffyrdd oedd yn cysylltu'r prif drefi â phorthladdoedd yr arfordir.

Roedd disgwyl i blwyfolion a oedd yn berchen tir oddi fewn i blwyf neilltuo hyd at chwe diwrnod y flwyddyn am ddim i gynnal y ffyrdd yn y plwyf. Ond gwelid hyn yn aml iawn fel 'diwrnodau i'r brenin', sef diwrnodau o segura, gan mai'r term cyfreithiol am wasanaeth o'r fath oedd 'corvée' – rhoi eich gwasanaeth i'r wladwriaeth. Pan fyddid yn cydymffurfio hwyrach y câi llwyth o gerrig eu harllwys ar y ffordd a'u gadael heb eu trin na'u gwastatáu gan wneud y ffordd yn anos fyth i'w thramwy. Byddid yn anfon plant i gyflawni'r dasg a fawr ddim yn cael ei wneud. Roedd mwy o raen ar y ffyrdd a dorrwyd gan y Rhufeiniaid un ganrif ar bymtheg ynghynt.

Er bod yna arolygwyr yn cael eu penodi gan y plwyfolion i arolygu'r gwaith trwsio doedd hyn ddim yn effeithiol. Doedden nhw ddim yn cael eu talu ac am nad oedd eu tymor yn para mwy na blwyddyn doedd yna fawr o gymhelliad iddyn nhw gydio yn y gwaith. Yn ddiweddarach rhoddwyd y cyfrifoldeb i ynadon, wedi'u henwebu gan y plwyfolion, yn ogystal â hawl i'r plwyfi godi treth y ffordd. Ond esgeuluso'r gwaith a wnaed a doedd dim awdurdod digonol gan yr ynadon i orfodi cyflawni'r gwaith. Doedd tlodi cyffredinol ddim yn sbardun i dalu am wasanaeth nac i neilltuo dyddiau o wasanaeth ar gyfer adnodd a welid gan lawer yn ddiangen.

Yr un pryd roedd yna gwmnïau tyrpeg wedi'u ffurfio trwy ddeddf seneddol yn Lloegr ers dechrau'r ddeunawfed ganrif. Byddai tirfeddianwyr yn buddsoddi eu harian yn y cwmnïau, gan ddisgwyl eu had-dalu ynghyd ag elwa o gyfradd llog y benthyciad. Nhw oedd yr Ymddiriedolwyr. Disgwylid i'r doll fyddai'n cael ei chodi ar ddefnyddwyr y ffyrdd gyflawni hyn, yn ogystal â thalu am wella cyflwr y ffyrdd fyddai o dan ofal y cwmni. Ond gwelwyd anniddigrwydd ymhlith y werin bobl am nad oedd y doll bob amser yn cael ei neilltuo i wella'r ffyrdd ac am fod y gyfundrefn 'corvée' yn dal mewn grym yr un fath.

Yr Ymddiriedolwyr oedd yn elwa ac nid y wlad yn gyffredinol. O'r herwydd, o bryd i'w gilydd, gwelwyd dinistrio ambell dollborth. Ym mis Awst 1749, er enghraifft, dinistriwyd bron bob tollborth yng nghyffiniau Bryste. Roedd rhai o'r terfysgwyr wedi'u gwisgo mewn dillad gwragedd. Yn wir, cymaint oedd y pryderon nes pasio deddf yn gwneud dinistrio tollborth yn drosedd a fedrai arwain at y grocbren.

Yn 1763 y ffurfiwyd y cwmni tyrpeg cyntaf yng Nghymru a oedd yn gyfrifol am y ffordd o gyffiniau Llanymddyfri trwy Landeilo, Caerfyrddin a Sanclêr cyn belled â Thafarnspeit. Y bwriad oedd lledu'r ffordd a'i gwneud yn addas ar gyfer y goets fawr yn ogystal â phob math o geirt a dynnid gan geffylau. Mae'n werth nodi'r amodau a bennid. Roedd rhaid i Ymddiriedolwr fod naill ai'n berchen tir gwerth £50 y flwyddyn, yn etifedd ystâd oedd yn werth £100 y flwyddyn neu yn berchen ar ystâd bersonol gwerth £1,000. Byddai pump yn ddigonol i ffurfio cworwm. Mae'n werth nodi manylion y tollau fel y'u nodir yng nghyfaddasiad Cymraeg Beryl Thomas, *Helyntion Becca,* o gyfrol David Williams, *The Rebecca Riots:*

Pennwyd y doll yn 3c am bob ceffyl yn tynnu cerbyd neu drol, 9c am geffyl a phâr, 1c am geffyl heb fod yn tynnu dim, 10c am sgôr o warteg, a 5c am bob sgôr o ddefaid a âi trwy'r glwyd. Nid oedd rhaid i neb dalu toll wrth fwy na thair clwyd yn berchen i'r un cwmni rhwng hanner nos a hanner nos, na thalu ar y siwrne'n ôl trwy'r un clwydi o fewn yr un cyfnod. Nid oedd toll ar lo, calch, na thail, nag ar wair, ŷd, na gwellt oedd heb fod ar werth. Nid oedd yn rhaid i ffermwr dalu os âi lai na thri chan llath ar hyd y ffordd i hwsmona, ac ni thelid am gerbyd wrth iddo fynd a dod i eglwys neu angladd. Cost gyntaf y cwmnïau hyn oedd talu am y ddeddf, yr ail oedd adeiladu'r clwydi a'r tolldai, a'r trydydd oedd gwella a lledu'r ffyrdd. Dywed y ddeddf yn hollol bendant mai'r plwyfolion oedd yn parhau'n gyfrifol am drwsio'r ffyrdd.[2]

Ond amrywiai'r taliadau o ardal i ardal am fod gan bob Ymddiriedolaeth yr hawl i bennu eu prisiau eu hunain. Ac roedd yn anodd dirnad y rhesymeg y tu ôl i'r dull o bennu'r prisiau rhagor na chodi'r un pris am bob dim. A pham eithrio codi toll ar gart oedd yn cludo tato neu gynnyrch arall y ffarm? Roedd ambell doll yn golygu bod rhaid i ffermwr dalu mwy am fynd drwy'r iet nag y byddai'n talu ei was am ddiwrnod o waith. Doedd dim disgwyl i'r goets fawr dalu. Dengys y dyfyniad uchod o delerau prisiau un o'r Ymddiriedolaethau cyntaf a ffurfiwyd nad oedd angen talu am gludo calch. Mewn rhai achosion caniateid gostyngiadau neu hyd yn oed hawl i deithio am ddim i bwy bynnag oedd yn gyfranddalwyr.

Yn 1791 y ffurfiwyd Cwmni Tyrpeg Hendy-gwyn. Y prif Ymddiriedolwr yn y dyddiau cynnar oedd Nathaniel Rowland (1749–1831), mab y diwygiwr Methodistaidd, Daniel Rowland, Llangeitho (1713–1790). Ymgartrefodd yn Henllan Amgoed gerllaw yn 1776. Buan y daethpwyd i adnabod Cwmni Hendy-gwyn ar lafar gwlad fel 'cwmni calch'. Roedd hyn am fod nifer o gwmnïau blaenorol yn Sir Gâr wedi'u ffurfio er mwyn gosod toll ar gludo calch a glo. Roedd y ffyrdd roedden nhw'n gyfrifol amdanyn nhw'n rhedeg o'r gogledd i'r de o Landeilo a Llangadog, er enghraifft, i'r odynnau calch yn Llandybïe a'r gweithfeydd glo yn Nyffryn Aman. Bu gwrthwynebiad i godi toll ar galch ond am fod y ceirt calch yn achosi cryn ddifrod i'r ffyrdd, ac am eu bod mor lluosog, barnwyd mai afresymol oedd eithrio codi toll ar eu trafnidiaeth.

Cododd Cwmni Hendy-gwyn dollbyrth ar hyd y ffordd o Sanclêr trwy Hendy-gwyn cyn belled â Llangwathen (Robeston Wathen) lle ymunai â Chwmni Tafarnspeit. Oddi ar y briffordd hon ymestynnai chwe ffordd i'r gogledd i gyfeiriad gorllewin Sir Gâr a bryniau'r Preselau. Roedd amodau'r gwahanol gwmnïau tollborth yn amrywio, a'r un modd eu prisiau, a doedd hynny ddim yn ychwanegu at eu poblogrwydd ymhlith y werin bobl. Roedd yna ormod ohonyn nhw hefyd mewn rhai ardaloedd yn gwau trwy'i gilydd. Doedd dim deddf yn cyfyngu ar nifer y tollbyrth y gellid eu codi na chwaith yn cyfyngu ar y pellter rhyngddyn nhw. Tirfeddianwyr cefnog fyddai'r prif fuddsoddwyr gan amlaf ac roedd bod yn 'berchen' ar ffordd dyrpeg yn ychwanegu at werth eu heiddo.

Gwerthid bondiau fel stoc, a'u hysbysebu yn y wasg o bryd i'w gilydd, gan gynnig llog o bump y cant. Yn aml iawn ni fyddai'r llog yn cael ei dalu oni bai bod y buddsoddwr yn gofyn amdano. Roedd rhai o'r cwmnïau gymaint ag ugain mlynedd ar ei hôl hi o ran talu llog. Byddai mudiadau elusennol yn prynu cyfranddaliadau. Roedd gan Gapel Albany, Hwlffordd, arian mewn dau gwmni ac roedd Ysgolion Elusennol Madam Bevan wedi buddsoddi mewn cwmnïau tyrpeg. Doedd dim terfyn ar y nifer o bobl neu fudiadau fedrai fuddsoddi symiau amrywiol. Yn hanes Cwmni Hendy-gwyn, o'r 93 o fuddsoddwyr roedd 51 o'r perchnogion bondiau wedi cyfrannu symiau o £10 neu lai. Roedd nifer o labrwyr cyffredin yn eu plith. Hwyrach eu bod yn gweld hynny fel ystryw i osgoi talu tollau os oedden nhw'n ddefnyddwyr cyson.

Un anhawster a wynebai nifer o'r cwmnïau oedd denu

digon o Ymddiriedolwyr i fynychu cyfarfodydd i drafod a phenderfynu. Anodd cael cworwm a rhaid byddai gohirio byth a beunydd. Am amrywiol resymau fe fydden nhw'n cadw draw. Roedd esgeulustod yn rhemp ymhlith rhai cwmnïau. Doedd yna ddim atebolrwydd o ran swyddogion a benodid i weinyddu, a'r arolygwyr eu hunain yr un mor ddiffygiol wrth gadw llygad arnyn nhw. Dihangodd clerc Prif Gwmni Caerfyrddin i'r Unol Daleithiau yn 1823 gan gymryd £650 o arian y cwmni.

Dynion lleol oedd y swyddogion tollau ac yn aml iawn, yn caniatáu i gydnabod a thylwyth beidio â thalu. Yr un modd, fydden nhw ddim yn archwilio beth oedd o dan y llwyth o ddom neu lafur na fyddid yn codi toll arno. Un o'r triciau fyddai cuddio cerrig neu frics, y dylid talu toll amdanyn nhw, ar waelod y cart. Hwyrach y byddai ambell swyddog yn caniatáu ffermwr oedd â dau geffyl yn tynnu ei gart i ddadfachu un ohonyn nhw a'i gerdded trwy'r iet am y byddai toll cart dau geffyl yn uwch na tholl cart un ceffyl. Roedd troi llygad dall i ofynion y doll yn gyffredin.

Arferiad y mwyafrif o gwmnïau oedd gosod y clwydi ar rent blynyddol i brydlesydd. Cynyddid y rhent yn gyson a doedd hi ddim yn hawdd denu prydleswyr bob amser. Hwyrach y byddai ambell brydlesydd yn cyflogi swyddog fyddai'n ei chael yn haws ac yn fwy proffidiol i blesio cydnabod o blith defnyddwyr y ffordd fawr na chrynhoi digon o arian toll i fodloni'r gadwyn uwch ei ben. Byddai gan aml i swyddog ffynhonnell arian arall wrth ddilyn crefft y crydd neu deiliwr, gan adael cyfrifoldeb y doll yn nwylo ei wraig. Bryd arall ni chesglid toll heblaw ar ddiwrnod marchnad, ffair neu briodas.

Teg nodi mai dim ond ar ryw un rhan o bump o ffyrdd y gorllewin y gosodwyd tollbyrth. Ond roedd y rheiny yn ffyrdd lle roedd tipyn o drafaelu ar eu hyd. Yn 1790 roedd dau ddwsin o blwyfi – yn cynnwys Mynachlog-ddu, Maenclochog, Llanfyrnach, Clydau, Llanglydwen, Llandysilio, Llan-y-cefn, Llys-y-frân a Threfelen – wedi lobïo'n llwyddiannus i atal gosod y ffordd dyrpeg o Hwlffordd i Aberteifi, dros y Preselau, yn nwylo cwmni o ymddiriedolwyr, ac roedd nifer o'r plwyfi gryn bellter o'r ffordd. Dadleuent y byddai codi tollau ar y ceirt hynny na fydden nhw'n teithio mwy na milltir ar hyd y ffordd yn annheg. Ni chodwyd tollbyrth erioed ar hyd y ffordd o Hwlffordd i Dyddewi. Roedd Cwmni Abergwaun yn gyfrifol am y ffordd o'r dref glan-y-môr i Aberteifi a chai ei hystyried gyda'r gwaethaf o ran ei gweinyddiaeth.

Aneffeithiol ac amhroffidiol oedd cyflwr Cwmni Hendy-gwyn pan ddaeth Thomas Bullin (1805–1873) i'r fei. Roedd y gŵr o Esher, Surrey, eisoes yn gyfrifol am ribidirês o dollbyrth, yn ymestyn o Lundain i Fryste, ac wedi dechrau prynu prydlesau nifer o gwmnïau yn ne Cymru oedd mewn trafferthion. Cynigai dalu rhent dipyn uwch na'r prydleswr cynt, a phrin y gallai'r cwmnïau oedd mewn cyflwr simsan wrthod ei gynnig. Gwyddent hefyd ei fod wedi profi ei hun yn ffermwr tollbyrth llwyddiannus gyda'i ddulliau trylwyr o sicrhau talu tollau. Ni roddai gredyd i neb. Doedd neb yn osgoi talu. Er mwyn gwireddu hynny byddai'n gosod aelodau o'i deulu yn gyfrifol am y gweinyddu ac yn swyddogion yn ôl y gofyn.

Tystia'r hanesydd R. T. Jenkins (1881–1969) fod Cwmni Hendy-gwyn gyda'r "mwyaf anniben a di-lun yn Neheudir Cymru". Dywed ymhellach wrth sôn am y 63 o filltiroedd o ffyrdd oedd o dan ofal y Cwmni:

> Ffyrdd gwael oeddynt; er gwaethaf y tollau arnynt, nid oedd gan
> y Cwmni ddigon o arian i dalu i'r ffermwyr am gerrig i drwsio'r
> ffyrdd, ac felly nid oedd yn eu trwsio ryw lawer. Yn nechrau 1839,
> daeth i ben y Cwmni "osod" y ffyrdd i gontractiwr o Loegr, a
> meddai hwnnw; "nid yw'n bosibl imi wneud i'r ffyrdd hyn dalu,
> fel y mae pethau – ond os rhowch ganiatâd imi i godi rhagor o
> dollbyrth ar y ffyrdd y bydd glo a chalch yn mynd ar hyd-ddynt o
> waelod Sir Benfro i gyfeiriadau Abergwaun ac Aberteifi, bydd rhyw
> siawns imi.[3]

Pan gynigiodd 'y contractiwr o Loegr' £300 yn fwy am brydles Cwmni Hendy-gwyn na'r taliad blaenorol o £500 roedd y fargen felly wedi'i tharo'n ddiymdroi. Gwnaeth hynny ar yr amod y byddai'n cael codi pedwar tollborth o'r newydd ac y daliai'r brydles am dair blynedd. Yn ôl H. Tobit Evans, heblaw am Efail-wen, ei fwriad oedd codi tollbyrth yn Llanfallteg, Cwmfelin-boeth a chroesffordd Cefnbralam ger Llanboidy. Yr un flwyddyn cymrodd gyfrifoldeb am gwmnïau Tafarn-speit, Aberteifi, Castell Newydd Emlyn, Aberdaugleddau a'r Prif Gwmni ar hyd y de. Roedd Cwmni Cydweli eisoes yn ei feddiant ers y flwyddyn flaenorol. Teg dweud fod ganddo fonopoli a rhyddid i wneud fel y mynnai i raddau helaeth. Roedd ganddo enw am beidio â chaniatáu credyd, ac am fynnu cadw at lythyren y ddeddf o ran codi prisiau.

Roedd ganddo enw hefyd am osod bariau, a hynny heb ganiatâd yr ymddiriedolwyr o reidrwydd, ar y ffyrdd llai yng nghyffiniau pob tollborth er mwyn sicrhau taliadau gan y rheiny a geisiai osgoi trafaelu trwy'r tollborth. Ni phoenai rhyw lawer p'un a wnai'r plwyfi lleol drefnu gweithredu'r 'corvée', trwy neilltuo plwyfolion i weithio ychydig ddyddiau ar y ffyrdd, neu gyfrannu'n ariannol yn uniongyrchol o dreth ffyrdd y plwyf at gostau'r cwmnïau. Gwyddai sut i wneud arian. Tystia R. T. Jenkins ymhellach i'r triciau fyddai'n cael eu defnyddio wrth gasglu'r doll gan ychwanegu at eu amhoblogrwydd ond gan addef y byddai casglwyr lleol yn fwy ystyriol o amgylchiadau defnyddwyr:

Gynt, pobl o'r ardal fyddai'n cael eu penodi i'r tollbyrth; byddent yn "adnabod eu cwsmeriaid" ac yn arfer eu doethineb – gollwng pobl drwodd weithiau heb dalu, gwneud bargen â ffermwr ("talu hyn-a-hyn yn yr wythnos"), aros am eu harian nes byddai pethau'n well, ac felly ymlaen. Ond yn awr, "gosod" ardal gyfan i ryw ddyn o bell ffordd, "contractiwr," nad oedd ganddo ddim cydymdeimlad â phobl yr ardal; byddai ganddo was ym mhob tollborth ("publicanod" y gelwir pobl felly yn y Beibl, a chwi gofiwch fel y byddai pobl gwlad Canaan yn eu casáu), a hwnnw druan yn ceisio cael pob dimai o'r arian i mewn, hyd yn oed gan dorri manylion y contract rhwng ei feistr a'r Cwmni, a chyfraith y wlad weithiau, o ran hynny. Darllenwn am un contractiwr yn codi tollbyrth a barrau

fel y mynnai, ac yn eu symud o fan i fan, fel na wyddai'r Cwmni
ei hun ym mhle'r oedd tollbyrth ar ei ffyrdd! Neu eto, newidient
swm y doll; newid y ffigurau ar y *tariff board* a oedd wrth bob
tollborth, "anghofio" ail-beintio'r bwrdd hwnnw, nes i'r ffigurau
fynd yn rhy aneglur i'w darllen. Dro arall: yn ôl y gyfraith, yr oedd
gan gert hawl i "fynd a dod" am un taliad – ond os byddai dyn wedi
gwneuthur cymwynas â chymydog gan ddod â rhywbeth drosto
o'r dref, neu, dyweder, daro parsel rhyw hen wraig yn ei gert yn lle
iddi hi ei gario, byddai'r tollwr yn hawlio mai "siwrnai newydd"
oedd honno, ac yn gofyn toll drachefn.[4]

Yn nofel hanesyddol Brian John *Rebecca and the Angels*,
mae'r prif gymeriad, Martha Morgan, fel cyfranddalwraig
dwy Ymddiriedolaeth Tollbyrth ei hun, yn honni nad oedd Mr
Bullin wedi creu argraff ffafriol arni:

> ... a toll farmer whose ambitions seem to have no limits. He is also
> wealthy and persuasive. He spoke with a rough English accent,
> and he seemed to me to be a perfect example of that new breed
> of merchants and money-men who will no doubt eventually rule
> the world. At both meetings he offered to take over the collection
> of tolls at fees twice as high as those paid by the present licence
> holders. But he also wanted to build more gates so as to cover his
> investments. This had already been widely expected of Master
> Bullin within the community, for he and his surveyor had already
> been spotted at work during the summer, making mesurements on
> all of the roads leading out of town.[5]

Y ffordd drwy Efail-wen oedd y brif ffordd o Aberteifi i
Arberth a Hwlffordd bellach ac roedd ei chyflwr wedi gwella'n
ddigon da i gymryd y goets fawr, a'r diolch am hynny'n bennaf i
dafarnwr Tŷ Mawr, Pentregalar, Jams Dafi (1758–1844). 'Oracl
ei ardal', yn ôl y garreg goffa a godwyd iddo ar draws y ffordd
o'r tŷ tafarn sydd heddiw'n ffarm. Dyn o ddylanwad yn wir,
ac yn ôl ei gofiannydd, Clwydwenfro (Parch J. Lloyd James,
1835–1919), roedd yn ŵr o orwelion eang a berchid yn fawr yn
y gymdogaeth:

Roedd Jams Dafi yn dafarnwr, yn ysgolhaig, yn henuriad yng Nglandŵr, yn bregethwr cynorthwyol, yn brydydd, yn llenor ac yn un yr edrychid i fyny arno gan bawb. Ato ef yr elai yr ardalwyr am gytundebau ysgrifenedig, amodau arwerthiannau, archwiliad a phenderfyniad cyfrifon ac arolygiad ymdrafodaethau.[6]

Oherwydd ei gonsýrn ynghylch amodau byw bu'n arolygu'r gwaith o dorri rhan o'r ffordd o Aberteifi i Arberth rhwng 1809 a 1812. Daeth tramwyo'n dipyn haws, oherwydd cart yn cael ei dynnu gan ychen oedd hi cynt ar draws tir anwastad, a'r echelau'n suddo a hollti byth a hefyd. Cymaint haws oedd teithio ar hyd ffordd lled wastad gyda cheffylau'n tynnu'r ceirt. Nid rhyfedd i Jams Dafi fanteisio ar y cyfle i droi ei ffermdy yn dafarn ar gyfer derbyn teithwyr y goets fawr a'u lletya. Cynhelid Ysgol Sul a chyrddau gweddi rheolaidd yn y dafarn. Byddai'r AS, yr Arglwydd Kensington, yn galw yno yn ei dro a dengys dyddiadur y tafarnwr i'r Barnwr Bosanquet letya yno ym mis Gorffennaf 1831 ar ei ffordd i Aberteifi. Ond yr un pryd nodir iddo roi llety i ddwsin o Wyddelod, yn cynnwys plant, oedd ar eu cythlwng ym mis Rhagfyr 1828 ac iddo roi tair torth iddyn nhw fel cynhaliaeth ar eu taith.

Felly, pan aeth Thomas Bullin ati i godi tollborth yn Efail-wen yng ngwanwyn 1839 gwyddai y byddai cryn dramwyo ar hyd y ffordd a photensial i'r prydlesydd wneud ffortiwn. Ar y llaw arall roedd trigolion y bryniau yn gwybod beth i'w ddisgwyl. Roedd ei hanes wedi cyrraedd o'i flaen. Ni cheid trugaredd gan 'Bawlin' fel y cyfeirid ato. Pan ososdd ei frawd, Benjamin, yn swyddog y tollborth, gan wybod mae'n siŵr y gallai fod yna drafferth, buan y rhoddwyd iddo'r llysenw 'Y Tarw Bach'. Gwyddai ffermwyr yr ucheldir y byddai rhaid talu am gludo calch y flwyddyn honno. Doedd dim modd gyrru ar hyd y mân ffyrdd i osgoi'r tollborth gan fod cymaint o'r rheiny'n serth ac mewn cyflwr gwael fel y byddai'n ormod o her i bâr o geffylau'n tynnu llwyth o galch.

Yn ddiweddar daethpwyd o hyd i gleddyf mewn wal bwthyn o'r enw Waun-hyfryd yng Nghwm Rhydwilym wrth ei adnewyddu. Barnwyd iddo gael ei guddio yno gan John Johns, y preswylydd yng nghyfnod y Becca, a oedd yn saer maen. Pan archwiliwyd y cleddyf fe'i dyddiwyd i'r cyfnod 1837–1845. Roedd yn gleddyf y byddai swyddog milwrol yn ei ddefnyddio ond am nad oedd yn hawdd ei dynnu o'r wain rhoddwyd y gorau i'w gynhyrchu. Ni wyddom sut y daeth i feddiant John Johns ond tebyg bod un o'r milwyr a ddanfonwyd i'r ardal wedi'i 'golli' rhywsut. Ond un peth sy'n sicr yw y gallai John Johns fod wedi wynebu cosb lem pe bai wedi'i ddal â'r cleddyf yn ei feddiant; ei alltudio neu ei grogi hyd yn oed. Nid rhyfedd iddo ei gwato. Fel masiwn, tebyg byddai'n rhaid iddo yntau gludo ambell lwyth o gerrig trwy'r tollbyrth.

Pa ddewis oedd gan drigolion y Preselau? Oedden nhw am ildio i'r drefn a dioddef rhagor o dlodi a chaledi? Neu a oedd yna fodd o waredu'r iet os am gyrchu calch o Eglwys-lwyd yn ddi-dâl ar hyd y ffyrdd fel y gwnaed cynt. Fe wydden nhw o herio'r drefn y gallai cosb fod yn eu haros o gael eu herlyn a honno'n gosb lem gan mai'r Ymddiriedolwyr tollbyrth, yn amlach na pheidio, oedd yr ynadon yn yr achosion ddeuai gerbron y sesiynau bach. Cyn penderfynu pa drywydd i'w gymryd roedd yna faterion eraill oedd yn gwasgu arnyn nhw i'w hystyried.

# 3

# Talu'r Degwm, Deddf y Tlodion a Thwf Ymneilltuaeth

WRTH DAFOLI AC olrhain twf Ymneilltuaeth, ac enwad yr Annibynwyr yn benodol, noda'r Athro R. Tudur Jones (1921– 1998) yn ei gyfrol *Hanes Annibynwyr Cymru*, mewn un frawddeg gwta, yr union resymau dros wrthryfel y Becca:

> Gwerin cefn gwlad yn mynegi ei syrffed ar amgylchiadau economaidd a chymdeithasol annioddefol oedd y mudiad hwn a chymerodd y tollbyrth fel arwydd gweledig o'r drefn a'i hysigai.[1]

Noda hefyd fel yr oedd Ymneilltuaeth wedi rhoi cyfle, hyder a gallu o'r newydd i werin gwlad feddwl drostynt eu hunain, i ymresymu ac i gymryd yr awenau i wella eu byd i'w dwylo eu hunain. Yn ystod hanner cyntaf y bedwaredd ganrif ar bymtheg amcangyfrifwyd fod capel Annibynnol wedi'i sefydlu bob pum wythnos. Yn 1825 roedd 257 ohonyn nhw, tua 500 erbyn 1839 a 684 erbyn 1851. Tebyg oedd hi yn hanes y Bedyddwyr a'r Methodistiaid.

Sefydlwyd Ysgolion Sul a golygai hynny fod cynulleidfaoedd nid yn unig yn cael eu hyfforddi i ddarllen, gan atgyfnerthu'r gwaith a wnaed gan yr Ysgolion Cylchynol a sefydlwyd gan Gruffudd Jones (1683–1761), ond hefyd yn eu meithrin i drafod ac i fynegi barn. Gwyddys i ysgolion y gŵr o Landdowror gael eu cynnal yn ysbeidiol ym Mynachlog-ddu ar bedwar achlysur rhwng 1739 a 1773 gyda thua deugain o'r plwyfolion yn eu mynychu. Yn 1789 sefydlodd y Parch John Griffith ysgol ddyddiol. Cynhelid yr ysgolion cylchynol fesul rhyw dri mis ar y tro a hynny yn ystod misoedd y gaeaf gyda'r nos gan amlaf. Yn ardaloedd Maenclochog, Llan-y-cefn, Llangolman a Llandeilo cynhaliwyd 19 ohonyn nhw rhwng 1738 a 1761. Fe'u mynychwyd gan 926 o ddisgyblion.

Parhawyd â chyfundrefn Griffith Jones gan ei noddwr, Madam Bevan (1698 –1779), a gwyddys i un o'u hysgolion gael ei chynnal mewn adeilad ym mynwent Eglwys y Santes Fair, Maenclochog am gyfnod. Dyma fangre gyson yr arfer o ymladd ceiliogod nad oedd wedi llwyr ddiflannu o'r tir. Rhoddid cryn fri ar geiliog du Sir Benfro fel ymladdwr gwydn na ellid ei drechu dim ond gan geiliog du arall. Sefydlwyd ysgolion dyddiol achlysurol ym Maenclochog tua throad y ganrif ac mae'n debyg i un disgybl, John Howell Bach, gael cyfnod o addysg pellach yn Ysgol Ramadeg Hwlffordd tua 1834. Saesneg fyddai'r cyfrwng ac ni fyddai'r Gymraeg yn rhan o'r amserlen.

Trwy ordeinio a sefydlu gweinidogion ar y capeli penodwyd arweinwyr ar gyfer y werin Gymraeg. Perchid gwŷr y pulpud a byddai'r gynulleidfa a'r blaenoriaid yn porthi'r traethu o Sul i Sul gan annog y perfformiwr i godi hwyl. Rhoddid bri ar y Gymraeg yn eu dillad gorau, felly, a ffocws i'r defnydd ohoni tra bo pob ymwneud swyddogol a chyfreithiol trwy gyfrwng y Saesneg. Rhoddwyd peth gollyngdod i rwystredigaeth y werin uniaith. Cofier bod y Beibl ar gael yn Gymraeg er 1588, diolch i'r Esgob William Morgan a William Salesbury. Ond prin oedd y bobl a fedrai ei ddarllen am dros ganrif a hanner ers ei gyfieithu.

Roedd y bwrlwm i'w weld ym mro'r Preselau. Codwyd capel Annibynnol ym Mrynberian ger Eglwyswrw ar ochr ogleddol y Preselau yn 1690, tra oedd gan y Bedyddwyr achos wedi'i sefydlu yn Rhydwilym, nepell o'r Efail-wen, er 1668, gyda'r hynaf yng Nghymru, ond yn 1701 y codwyd y capel cyntaf.

Byddai'r Ymneilltuwyr yn cyfarfod yn nhai ei gilydd yn y blynyddoedd cynt a chyn i Ddeddf Goddefiad 1689 ganiatáu codi tai cwrdd. Codwyd capel Bethel, Mynachlog-ddu yn 1824; Calfaria, Login yn 1833 a Horeb, Maenclochog yn 1835. Yn ddiweddarach, wedi helynt tollborth Efail-wen, yn 1843, y codwyd capel y Bedyddwyr, Blaenconin, yn Llandysilio ond roedd Pisgah, yr Annibynwyr, yn yr un pentref, ar ei draed er 1826.

Enghraifft o'r gweithgarwch cynnar oedd y modd y byddai'r Bedyddwyr cynnar yn cyfarfod yn ardal Maenclochog. Penderfynodd Frances Jones, Pantmaenog, wedi iddi dderbyn bedydd trochiad ym Methel, Mynachlog-ddu ym mis Mai 1831, y byddai'n trefnu oedfaon yn ei chartref fry ar lethrau'r Preselau uwchben chwarel Rhos-y-bwlch. Gwahoddodd David Owen, Pantithel, un o bregethwyr cynorthwyol Bethel, i gynnal oedfa unwaith y mis. Sefydlwyd Ysgol Sul lewyrchus. Ymhen llai na dwy flynedd cartrefwyd yr oedfaon yn un o stablau'r chwarel gyda chaniatâd y perchennog tir, y barwnig Syr Hugh Owen, a hynny'n ddi-rent. Roedd e'n byw gerllaw ac yn berchen ar dir yn y fro, er efallai nid cymaint ag oedd yn nwylo tirfeddianwyr y stadau mawrion megis Philippiaid Castell Pictwn a'r teulu Le Hunte, a hanai o Iwerddon.

Cynhaliwyd Cyrddau Agoriadol yn y Stablau ar ddydd Sul, 7 Hydref 1832 gyda phedwar gweinidog yn pregethu, a'r mansicr yn cael ei ddefnyddio fel pulpud. O hynny tan fis Rhagfyr 1835, pan symudwyd i adeilad pwrpasol ar dir Trebengych yn nes at bentref Maenclochog, cynhaliwyd tair oedfa'r mis yn y Stablau ac oedfa yng nghartref un o'r aelodau methedig ar y Sul arall. Ond roedd yno Ysgol Sul bob Sul a Chwrdd Gweddi bob nos Wener ar gyfer y 35 o aelodau. Gweithredai fel cangen o Gapel Rhydwilym nes iddi gael ei chorffori yn eglwys yn ei hawl ei hun yn 1864. Roedd yr hanner erw o dir yn ymyl Trebengych yn eiddo i gyfreithiwr o Hwlffordd, Thomas Gwynne, ac fe roddwyd prydles o 999 o flynyddoedd ar rent o hanner coron y flwyddyn.

Credir bod y bedydd trochfa cyntaf wedi'i weinyddu yn y pentref yn 1805 pan gronnwyd pwll o ddŵr y tu fas i gartref gwraig orweddiog o'r enw Ann Morgan. Roedd hi eisoes yn aelod gyda'r Annibynwyr yn Hen Gapel yn y pentref ond yr hyn a'i blinai oedd na chafodd ei bedyddio yn null y Testament Newydd, ac na fedrai pan ddeuai wyneb yn wyneb â'i Harglwydd ddywedyd, 'Gwneuthum fel y gorchmynnaist'. Ni chytunodd eglwys Rhydwilym i'w chais ar y cynnig cyntaf ond ildiwyd ac fe'i cariwyd o'i gwely i'w bedyddio gan y Parch John Llewelyn, Rhydwilym. Dywedwyd iddi gerdded o'r pwll ym mraich y gweinidog.

Ar 30 Rhagfyr ger y Stablau bedyddiwyd gŵr nodedig o'r enw Dai Trinant. Ystyrid David Lewis yn ddyn a feddai ddwylo blewog ac nad oedd eiddo neb yn ddiogel pan fyddai oddi amgylch. O'r herwydd ymgasglodd tyrfa fawr i fod yn dyst i'r achlysur. Dywedir bod o leiaf un o'r chwiorydd, a fwriadai ei wawdio, wedi'i hargyhoeddi o fedydd crediniol ar sail yr Ysgrythur, nes iddi hi a phedwar arall gael eu bedyddio y mis dilynol. Diau bod y datblygiadau hyn yn diwallu rhyw angen i lenwi gwacter ymhlith y bobl.

Barnir mai yn 1765 y codwyd addoldy Pen-y-groes, yr Annibynwyr, i'r gorllewin o Grymych ond roedd gan yr enwad eisoes nifer o gapeli yn y pentrefi cyfagos i Efail-wen ar yr ochr ddwyreiniol. Yr agosaf oedd Nebo, newydd ei godi yn 1838, tra bod Hebron ar ei draed er 1803 a Glandŵr er 1707. I gyfeiriad y gorllewin rhwng Llangolman a Maenclochog ac uwchlaw Rhydwilym roedd Capel Llandeilo wedi'i godi yn 1714. Ac yna roedd Hen Gapel, Maenclochog, neu Pergamus i roi iddo ei enw gwreiddiol, ar ei draed er 1790. Dyna ddigon o brawf os bosib o ddylanwad Anghydffurfiaeth ar y boblogaeth gan fod y capeli erbyn yr 1830au cyn amled ag eglwysi'r Eglwys Wladol. Er gwaethaf y tlodi affwysol rhoddwyd arian ac ewyllys a nerth bôn braich i godi'r adeiladau. Cafwyd maeth i'r enaid a'r ysbryd o'r oedfaon ac nid y lleiaf o'r rhesymau am hynny oedd canu emynau William Williams, Pantycelyn (1717–1791), Ann

Griffiths (1776–1805) a Dafydd Jones o Gaeo (1711–1777) a'u tebyg. Doedd dim prinder emynwyr.

Serch hynny, rhaid peidio â syrthio i'r demtasiwn o beintio gwerin y fro fel pobl uchel ddiwylliedig, yn arddel delfrydau gloyw neu yn gwbl sanctaidd a moesol eu buchedd fel y gwnâi rhai haneswyr Saesneg, a Pat Molloy yn eu plith yn ein cyfnod ni. Fe'n rhybuddir rhag hynny gan R. Tudur Jones:

> Nid oes eisiau gwadu am foment nad oedd llawer o'r hen ddiwylliant gwerin wedi aros yn fyw yn adloniant y bobl gyffredin. Nid oes angen gwadu chwaith nad oedd i'w bywyd ei ddewrder, a'i lawenydd a'i odidowgrwydd a'i hiwmor. Ond prin i'r eithaf yw'r dystiolaeth tros fodolaeth gwerin fodlon, hapus, ddi-gŵyn, fonheddig y rhamantwyr. Ond beth bynnag fo'r farn am hynny, fe gytunir fod tynnu'r werin i mewn i'r capeli wedi rhoi stamp newydd a gwahanol arni.[2]

Gellir ategu'r uchod trwy ddyfynnu o gyfrol D. Tyssil Evans (1853–1918), *Cofiant Caleb Morris*. Roedd yr awdur yn hanu o'r un ardal â'i wrthrych yng nghesail Foel Drygarn, yn Athro Hebraeg yng Ngholeg y Brifysgol, Caerdydd, ac yn weinidog ar gapel Saesneg New Trinity, Treganna, Caerdydd. Doedd yr ymdrech feunyddiol i gael dau ben llinyn ynghyd ddim yn caniatáu fawr o amser i ddarllen a myfyrio yn ei fro enedigol. Roedd y mwyafrif yn anllythrennog a phrin oedd yr aelwydydd lle gwelwyd llyfrau. Lle byddai yna lyfrau y rheiny fyddai'r Beibl; y Llyfr Gweddi Cyffredin; *Canwyll y Cymru*, Ficer Prichard a hwyrach *Taith y Pererin*, John Bunyan, ac ambell almanac. Ac er ei fod yn cyfeirio at was ffarm yn offrymu gras cyn bwyd, fel tystiolaeth o ddylanwad y capeli, rhy sylw i agwedd arall o'r gymdeithas hefyd:

> Effeithiai caledu y gwaith, a diffyg diwylliant, ar foesoldeb yr ardal. Pan deflid y baich i ffwrdd ar ddiwrnod ffair neu farchnad, mewn arwerthiad neu neithior, yr oedd perygl myned i eithafion; ac yr oedd meddwdod ac anlladrwydd yn lled gyffredin yn y gymydogaeth. Yr oedd dyddiau dirwest heb wawrio, a syrthiai y

bobl yn aml i fagl yr un drwg. Esgorai y dyddordeb cyffredinol a gymerid yn helyntion y plwyf ar chwedl a chlec, a therfysgid tangnefedd yr ardal gan gynen a chenfigen. Ond er yr holl wendidau a'r diffygion, byddai yn anhawdd yn yr oes hono gael gwell meithrinfa i gymeriad cryf a charedig.[3]

Roedd yna le i'r dafarn a'r ffeiriau o hyd. Gwyddom ddigon am Twm Carnabwth eisoes i ddeall ei fod yn troedio'r ddau fyd ac nad oedd ei berthynas â chapel Bethel bob amser yn gymodlawn. Cyniga Pat Molloy y disgrifiad hwn o Twm Carnabwth:

As well as being independent, Twm Carnabwth was also regarded as something of a tearaway and he lived a life which was remarkable for its blend of devout religious observance and outrageous behaviour. He was the chief reciter of the Pwnc – the catechism of the points of the Scriptures – at Bethel Chapel in Mynachlog-ddu where he always did the recitation for the Whitsun Festival – though they had to keep him off the drink for two days beforehand. And he was known across three counties as a prize fighter who would take on and beat all comers at the country fairs and would always be good company in the ale houses afterwards as he stood rounds of drinks on his winnings.[4]

Waeth beth am ei ddealltwriaeth o'r Gymanfa Bwnc mae'n rhaid bod asesiad yr awdur o gymeriad Twm yn lled agos ati. A diau waeth beth fyddai'r rhialtwch yn nhafarnau'r ffair byddai Tomos Rees yn ddigon parod i gytuno â'r farn gyffredinol, ynghylch yr orfodaeth i dalu'r degwm i'r Eglwys Wladol pan nad oedd yntau na'i gyfeillion yn mynychu'r eglwys. Dwysawyd y gwrthwynebiad pan basiwyd deddf yn 1836 yn caniatáu priodasau mewn capeli Anghydffurfiol. Treth oedd hon ar gyfer cynnal yr adeiladau a chyfrannu at ddiddosrwydd y ffeiradon. Roedd yn peri anesmwythyd a thyndra cynyddol, ac yn arbennig y modd roedd yn cael ei threfnu. Festri'r Plwyf fyddai'n pennu'r dreth. Mewn aml i blwyf byddai haid o Ymneilltuwyr yn mynychu'r cyfarfod blynyddol ac yn sicrhau y byddai mwyafrif yn pleidleisio dros ohirio neu atal pennu'r dreth. Roedd y dreth wedi'i seilio ar yr egwyddor o dalu deg y cant o enillion at ddefnydd eglwys y plwyf. Caniateid gwneud y taliadau mewn da drwy gyfrannu cynnyrch ffarm ond yn dilyn pasio Deddf Cyfnewid y Degwm 1836 disgwylid i'r taliadau gael eu gwneud mewn arian. Ac roedd rhaid trefnu dull o weinyddu a chasglu'r degwm. Byddai yna dir yn eiddo i'r plwyf gan amlaf yn ychwanegol i'r eglwys a'r ficerdy. Nid dyletswydd y ficer fyddai'r gwaith o gasglu'r degwm. Ddydd Sadwrn, 30 Tachwedd 1839, cynhaliwyd arwerthiant yn y Castle Inn, Hwlffordd, yn gwahodd 'cyfalafwyr' i brynu Degymau Amfedd (Impropriate Tithe) plwyfi Llangolman, Llandeilo a Maenclochog. Tirfeddianwyr fyddai'r prynwyr ac fel 'cyfalafwyr' fydden nhw ddim yn mynd ynghyd â'r dasg heb iddyn nhw fod ar eu hennill. Y prynwr yn y cyswllt hwn oedd Charles Wheeler Townsend Webb Bowen, gŵr dibriod, a etifeddodd ystâd Camros, ger Hwlffordd, wrth ei dad ddwy flynedd ynghynt.

Cafwyd datblygiad pellach pan ddisgwylid i berchnogion tir dalu degwm yn seiliedig ar brisiau cyfartalog gwenith, barlys a cheirch dros y saith mlynedd flaenorol, gyda phob un o'r tri'n cyfrannu'r un swm i'r cyfanswm. Golygai hynny y gallai'r degwm y disgwylid i'r ffermwr dalu ar sail y saith mlynedd a aeth heibio fod yn uwch na phris cyfartalog y flwyddyn honno. Rhaid oedd llunio mapiau manwl yn nodi daliadau a'u manylion. Cymhleth, a dweud y lleiaf, ac er bod hawl bargeinio ac apelio at Gomisiynwyr pe bai rhaid, i'r werin bobl roedd hyn yn dreth annioddefol arall. Roedden nhw fel pe baen nhw'n rhoi a rhoi heb dderbyn dim yn ôl i wella eu byd.

Doedd dim gweithgarwch diwylliannol yn gysylltiedig â'r Eglwys Wladol na chwaith unrhyw symbyliad i ddefnyddio crebwyll meddyliol annibynnol. Prin ei bod yn cyfateb i ddyheadau'r werin mewn unrhyw ffordd nac yn ei chynrychioli. Ni chysylltid diwygiadau crefyddol ag eglwysi'r plwyf. Y tirfeddianwyr oedd mewn grym ac i lawer ystyrid yr eglwys fel arf i gadw'r werin yn ei lle.

Ac ar ben hynny cyflwynwyd diwygiad i Ddeddf y Tlodion yn 1834 a olygai gyfraniadau ariannol pellach. Cynt, dyletswydd y plwyfi unigol oedd gofalu am y tlodion. Yn ogystal â chynnig arian i'w cynnal byddai cymdogion yn rhannu bwyd a dillad yn ôl yr angen yn unol ag egwyddorion y gymdogaeth dda. Mae cyfrol E. T. Lewis, *Mynachlog-ddu – A Historical Survey of the Past Thousand Years*, a gyhoeddwyd yn 1969 yn gloddfa ddihysbydd o wybodaeth ddiddorol. Bu wrthi'n pori'n ddyfal yng nghofnodion Llyfrau'r Festri a oedd yn gyfrifol am weinyddu trefn yn y plwyf.

Nodir bod dros £118 wedi'i wario ar gynnal y tlodion yn 1805; dros £115 yn 1810; dros £190 yn 1813 a dros £133 yn 1825. Roedd yna dai ar gyfer y tlodion ac yn 1836 roedd y plwyf wedi talu am eu trwsio a thalu teiliwr am ddillad i ddau brentis. Nodwyd y flwyddyn honno bod £1/12/0 wedi'i wario ar gwrw ar gyfer achlysuron arbennig. Roedd hi'n gyfrifoldeb ar y plwyf i osod plant siawns i'w magu ar aelwydydd pwrpasol yn y fro hefyd. Ymddengys mai yn 1837 y talwyd y swm uchaf i gynnal y tlodion sef £211/10/5½.

Gan fod y sgwlyn lleol yn cadw ei glust ar y ddaear ac yn byw ymhlith ei bobl, ni fyddai'n troi clust fyddar pan glywai dystiolaeth storïol am ffordd o fyw dyddiau a fu. Edrydd hanes Wil Dwl a gai ei gadw gan y plwyf yn un o'r tai fferm gan ei siarsio i wneud ambell ddiwrnod o waith. Cai hi'n anodd cyflawni'r dasg. Pan ofynnwyd iddo un diwrnod i fynd i gyfrif y defaid, gan ei siarsio mai dwsin ddylai fod yno, dychwelodd ymhen hir a hwyr mewn penbleth. Roedd wedi cyfrif un ar ddeg meddai droeon ond doedd y ddeuddegfed ddim yn fodlon aros yn llonydd yn ddigon hir iddo ei chyfrif.

Ond roedd y wladwriaeth o'r farn fod y tlodion yn fwrn ar y plwyfi a bod y rhan fwyaf ohonyn nhw'n segurwyr ac yn ddiog, heb geisio canfod gwaith. Ceisiwyd diddymu'r baich ariannol uniongyrchol oddi ar y plwyfi a'u gorfodi i gyfrannu at gynnal a chadw tlotai fyddai'n cartrefu'r anghenus. Anfonid mamau dibriod a phlant amddifad i'r tloty neu'r wyrcws lle'r oedd yr amodau'n fwriadol llym er mwyn annog trueiniaid i gadw draw, a'r sawl a oedd yno i ddychwelyd i'r gymuned gynted â phosib. Ni chaniateid i ŵr a gwraig gyd-fyw, er eu bod o dan yr un to.

Aed ati i godi tloty yn Arberth a fyddai'n gwasanaethu ardal y Preselau a phlwyfi'n ymestyn at arfordir de'r sir. Ond cymaint oedd yr anniddigrwydd nes i ymgais gael ei wneud i losgi'r adeilad ym mis Ionawr 1839 pan oedd y gwaith adeiladu yn dal ar y gweill. Roedd hynny wrth gwrs bum mis cyn yr ymosodiad ar dollborth Efail-wen. Erbyn 1858 roedd plwyf Mynachlog-ddu yn talu symiau blynyddol at gynnal y tloty.

Yn gefnlen i hyn oll roedd y prinder cyffredinol o arian parod gyda chwymp nifer o'r banciau, prisiau isel ac anwadal yn y farchnad, cyfres o gynaeafau gwael ac effeithiau dyledion Rhyfeloedd Napoleon, a ddaeth i ben yn 1815, yn dal i wasgu, yn ogystal â goblygiadau cynnydd aruthrol yn y boblogaeth. Roedd banciau Sir Benfro wedi mynd i'r wal yn 1825/1826. Y mwyaf nodedig o'r rhain oedd Banc Nathaniel Phillips, mab i Iddew a droes yn Gristion gan amlygu ei hun ymysg y Methodistiaid Calfinaidd. Yn 1832 yr un oedd tynged Banc Waters, Jones a'r Cwmni yng Nghaerfyrddin.

Doedd gorfod wynebu taliad pellach am gludo llond cart o galch trwy dollborth, a hynny ar fwy nag un achlysur, yn anterth y tymor cludo ddiwedd y gwanwyn, pan nad oedd angen talu am ddim mwy na'r calch ei hun yn yr odyn cynt, ddim yn orfodaeth roedd ffermwyr y llethrau am ei stumogi. Doedden nhw ddim yn awyddus i gydymffurfio.

Mae nofel Brian John, *Rebecca and the Angels*, yn adlewyrchu'r uchod ac yn darlunio'r ysbryd gwrthryfelgar oedd yn cyniwair, trwy gyfrwng dyddiadur dychmygol Martha Morgan, a hithau ei hun yn berchen tiroedd yng nghyffiniau Carn Ingli. Dyma roedd hi wedi'i nodi ar 6 Rhagfyr 1832:

Another thing which contributes to the gathering of the storm clouds is the rise and rise of Nonconformity. As the small farmers have come to hate the church rates and the tithes which are imposed upon them by greedy rectors and vicars across the region, they have become more and more inclined to join the Baptists or the Methodists. The religious societies, both old and new, are thriving; and now there are five little chapels within a few miles of the Plas. The buildings are already too small for their swelling congregations. As religious fervour sweeps across the countryside it catches up the poorest and most vulnerable members of the community and gives them support. They remain poor and vulnerable, but they are given spiritual comfort and a sense of belonging, and also education through the Sunday Schools. That is something of which I thoroughly approve, having been involved from the early days in the Circulating Schools and in the welfare of Madam Bevan's College in Newport. More important than anything is the sudden realization of power by these poor people, who can participate in the making of decisions for the first time in their lives. They learn the Welsh Bible, they sing the great Welsh hymns, they recite the *pwnc*, and they come away from their chapels on a Sunday evening with a little more self-respect than they had at breakfast time. Their leaders are eloquent and passionate, and their sermons are charged with a *hwyl* that cannot be matched in the English language expositions which echo through the empty churches of St Mary in Newport or St Brynach in Nevern. So the seeds of dissent are sown by ministers and deacons who see the way that the world works, and who do not like what they see. And I have to sympathize with them...[5]

Mae J. Dyfnallt Owen yn crynhoi'r cyfan mewn termau du a gwyn:

Cystal darlun â dim o'r sefyllfa yw pennill hen fardd gwlad a wyddai am galedi a gorthrwm:

> Codi cloddiau, plannu coedydd,
> Codi cerrig, sychu meysydd,
> Codi rhent ond yw'n beth rhyfedd
> Bedair gwaith mewn deuddeg mlynedd.

Yr oedd hyn yn wir llythrennol. Dyma ddyddiau yr 'Enclosure Movement' pryd yr amgaeid y tir comin. Yr elw i gyd i'r meistr tir, a'r golled i gyd i'r tenant. Pan ddaeth y 'Poor Law Amendment Act' i rym yn 1834, chwerwodd ysbryd y werin yn fawr. Aeth wyrcws Caerfyrddin yn ddihareb am anghyfiawnder a chamwri at ferched anffodus, plant anghyfreithlon a hen bobl. Y bardd gwlad sy'n canu'r gwir yn rhwth:

> Hyd angau medd y ffeirad ffraeth
>   Cysylltaf chwi â'ch gilydd;
> Nage, myn diawl, medd Shoni bach,
>   Ond hyd y wyrcws newydd.

Anghydffurfwyr oedd pobl y Beca, a'r meistri tir yn eglwyswyr. Tân ar groen yr Anghydffurfwyr oedd talu Degwm i gynnal eglwys nad oedd yn credu ynddi. Gweithiai'r eglwys wladol law yn llaw â'r arglwyddi a rhwng y werin a'r eglwys. Yn 1836, ychwanegwyd at faich y Degwm drwy'r 'Tithe Commutation Act'. Gorfodwyd y ffermwyr i dalu degwm mewn arian yn lle mewn da. Ymhen ychydig flynyddoedd chwyddodd y degwm bron deirgwaith y peth oedd yn 1832. Dyna danwydd arall ar gyfer y goelcerth.[6]

Profodd Anghydffurfiaeth yn sbardun a roddai ffocws i'r werin bobl sefyll ar eu traed eu hunain i fynnu newid, yn hytrach na phlygu'n slafaidd i'r drefn benbwygilydd. Ond roedd rhaid dygymod â'r amodau byw anffafriol yr un fath.

Un agwedd o'r amodau hynny nad yw'r rhelyw o haneswyr wedi'i grybwyll yn ôl David J. V. Jones (1941–1994), yn ei gyfrol *Rebecca's Children*, yw'r achosion niferus o fabanladdiadau, a hynny hwyrach am mai prin yw'r dystiolaeth sydd wedi goroesi. Ond mynna ei bod yn anghyffredin i barau briodi heb fod y wraig eisoes ychydig fisoedd yn feichiog. Byddai'r ferch oedd wedi'i beichiogi gan dad na fynnai ei phriodi neu gan ŵr priod, mewn cyfyng gyngor, a'r ateb yn aml, gyda chydweithrediad ei theulu, fyddai llofruddio'r newyddanedig. O bryd i'w gilydd deuid o hyd i esgyrn a sgerbydau bychain yn y mannau mwyaf anghyffredin. Yn 1838 daeth buwch ar draws corff baban wrth ymyl craig ar Fynydd Treffgarn. Y fam oedd Elizabeth Vaughan o Drefdraeth.

Pan gyhoeddwyd adroddiad y Comisiwn Brenhinol yn olrhain y rhesymau arweiniodd at Derfysgoedd y Becca yn 1844 rhoddwyd sylw cyson i'r hyn y cyfeiriwyd ato fel 'bastardy'. Mae'n werth dyfynnu rhan o dystiolaeth a gyflwynwyd mewn gwrandawiad yn Arberth gan y Parch John Davies, gweinidog lleol gyda'r Annibynwyr, a'r Parchedig Benjamin Thomas, a oedd yn byw ar gyrion gogleddol y dref. Cynhaliwyd y gwrandawiad ddydd Sadwrn, 18 Tachwedd, 1843. Y Gwir Anrhydeddus Thomas Frankland Lewis, cadeirydd y Comisiwn, a gŵr a fu'n cynrychioli etholaethau seneddol Cymreig yn cynnwys Biwmaris a Maesyfed yn ystod ei yrfa, oedd yn holi. Cyflawnodd y gwaith yn ddi-dâl. Fe'i ystyrid yn arbenigwr ar Ddeddf y Tlodion:

You say that bastardy clauses press heavily upon the parishes in consequence of the fathers of the bastard children going free? – (Mr Davies) Yes; I have seen bastardy increase amazingly since I have been a minister in Narberth. I have observed it to my sorrow, even in my congregation. – (Mr Thomas) The bastardy clauses are a heavy pressure upon the parishes. There is a woman belonging to a parish up here; she came to the Union to be supported; she had twins in the workhouse, and she gave notice that she wanted to quit the Union; she went out with them, and in a barn she left the children, but disturbed the house, in order that there might be no danger, and away she went. It is a common thing that the girls cannot support themselves, and their parents are not able, and they come into the Union for a month or six weeks, and recover, and they go out then, and say to some woman, "I am going to service to So-and-so, and I will pay you for the child." There is a combination between the nurse and the mother; the girl goes away, perhaps, to St David's, ten miles off, to service, and the nurse comes to the Board of Guardians and says, "Here is a child left with me; I do not know what to do with it;" so we have to take it.

What is the remedy you propose? – That they should affiliate the children on the men, the same as formerly.

And that the man should indemnify the parish? – The man should assist to pay, but now it is not worth while to follow the man; the expense of it would be more than the remedy; and it is very difficult thing for a girl in this part of the country to prove. We cannot do anything with the man.

Is the thing capable of any other remedy than resorting to the power of imprisoning the man, in case he does not pay? – No; I do not know that more can be done. We are perfectly aware of the reason why that clause was introduced, because in England women are so hardened that they will swear the children on men that they never saw; but it is not so here; not one woman in ten thousand will take a false oath; and, in the next place, the women are not in that way unless when they are deceived by a promise of marriage, and the Board of Guardians take pity upon a woman; if there is a hard member of the Board, we out-vote him, because we find the girl was taken in by a promise of marriage.

If it was not for the necessity of having corroborative evidence you would affiliate the children? – Yes

Do you not think you would soon get into the habit of always believing a girl? – But they never tell false – (Mr Williams) I perfectly agree with my friend Mr Thomas. I think it is a great difficulty affiliating children. – (Mr Davies) Women in this part of the country are generally servant girls; they know nothing about the law; they never read or think much about it; and the man generally promises the servant girl that he will marry her, and tells her to go into the workhouse till the child is born and the month expires, and the moment that is over he turns his back upon her, and she cannot do anything at all

Are those cases very common where the man seduces the girl under promise of marriage, and then refuses to marry her? – They are very common. Unfortunately it has been a very common thing since the passing of the new Poor Law Act.

Is it not considered a disgrace to a man; does he not get a bad name? – (Mr Thomas) Yes; but he generally removes to the works in Glamorganshire, or elsewhere.

You use your influence to counteract these practices? – (Mr Davies) Yes, as much as I can; but it is still impossible to prevent it.

Do you think the term ought to be lengthened beyond three months in which the girl might be able to affiliate the child? (Mr Thomas) I think so. I think there ought to be no term at all.

After several years has elapsed, when a man may have a family of his own, would it not be hard upon him to allow the mother to affiliate the child? (Mr Thomas) I think so. I think there ought to be no term at all.[7]

# 4

# Amodau Byw

O RAN AMGYLCHIADAU byw y brodorion ni ellir gwneud yn well na dyfynnu ymhellach o gofiant D. Tyssil Evans i'r Parch Caleb Morris (1800–1865), a fu'n weinidog capel Saesneg Fetter Lane, Llundain, am dros ugain mlynedd. Ganwyd Caleb yn ardal Pen-y-groes a chyhoeddwyd y cofiant iddo yn 1900. Byddai'r disgrifiadau yr un mor wir am drigolion ochr ddeheuol y Preselau:

> Yr oedd bwyd y bobl mor syml a'u gwisg. Nid llawer o foethau a welid ym mhlwyf yr Eglwyswen. Ychydig o fara gwenith geid yno, o herwydd nid oedd y tir yn ddigon da i'w gynyrchu. Bara haidd a cheirch oedd ffon cynhaliaeth y bobl. Gwnaent ddefnydd mawr o'r llaeth, a'r ymenyn a'r caws a wneid o hono. Yr oedd yr uwd a'r bwdran mewn arferiad cyffredinol, ond y *cawl* oedd brenin y bwydydd… Ond mae yn bosibl cael gormod o beth da; a diau fod y bobl yn dyheu weithiau am amrywiaeth, yn enwedig yn yr haf, pan dwymid yr un cawl yn aml, ac yr elai yn sûr. Dywedir i un gwas pan alwyd arno i ofyn bendith ar fwyd, weddio fel y canlyn:
>
> *"Cawl sûr, a bara llwyd*
> *Arglwydd annwyl, dyma fwyd"*[1]

Yn 1898 cyhoeddodd Thomas Rees arall – y Prifathro Thomas Rees (1869–1926), Coleg Diwinyddol Bala Bangor, yn ddiweddarach – erthygl yn *Y Geninen* yn canu clodydd cawl Sir Benfro fel cynhaliaeth trigolion y Preselau yn nyddiau ei blentyndod. Yr un fyddai'r cynhwysion – er anodd credu y bydden nhw i gyd ar gael gydol y flwyddyn ac ar bob aelwyd

– a'r dull o ferwi yn nyddiau y gŵr y rhannai ei enw. Yn wir mae Twm Gwndwn, fel roedd yn cael ei alw, yn nodi cyfres o wahanol fathau o gawl (gweler Atodiad V).

Fel Athro Adran Amaethyddiaeth Coleg y Brifysgol Aberystwyth a Phennaeth y Fridfa Blanhigion gerllaw, ni fedrai T. J. Jenkin (1885–1965), a fagwyd ar fferm Budloy, ger Maenclochog, beidio ag ymchwilio i arferion amaethu a bwyta'r cylch. Fyddai arferion dyddiau ei blentyndod heb newid rhyw lawer dros y degawdau blaenorol:

Erbyn yr amser wyf fi yn cofio, nid oedd `ffest y wrach` ar ddiwedd y cynhaeaf mewn bod, ac yr oedd Cinio Hen Ddydd Calan (Ionawr 13) yn gyfle i wahodd pawb o'r rhai a fu yn cynorthwyo gyda'r cynhaeaf i ddod i wledd am ddeuddeg o'r gloch. Yr unig waith a wneid y diwrnod hwnnw y tu allan i'r tŷ (yn y tŷ, yr oedd mwy o waith nag arfer) ydoedd gofalu am yr anifeiliaid. Y cinio ganol ddydd oedd y peth mawr, ond yr oedd pob ffarm yn macsu (h.y. gwneud cwrw gartref) ar gyfer y dydd, ac yfid cryn dipyn ond yr oedd y cwrw hwn (o frag, hopys a berem) mor wan fel nad oedd berygl i neb feddwi arno. 'Tablen' oedd yr enw lleol arni, neu ambell dro, 'diod fain'. Tybed ai "Table" (Saes.) sydd wrth wraidd y gair 'Tablen' – a'i fod yn golygu yn y man cyntaf 'Table Ale' – h.y. cwrw neu ddiod i'w yfed ar bryd bwyd. Beth bynnag, cai pawb gymaint ag y fynnent o 'dablen' ar yr Hen Ddydd Calan, gyda bwyd neu rhwng brydiau.
Yn Budloy, o leiaf, (a chredaf fod hyn yn lled gyffredin hefyd), y prif beth ydoedd cig eidion (yn llafar, cig eidon – ni ddefnyddid fyth 'biff' am 'beef'), a chig marem (cig maharen) ydoedd yr enw ar 'mutton', ond byddai ham wedi ei ferwi i'r rhai na fynnent gig eidion. Ar ôl y cig a'r tato, deuai plwm pwdin (na raid ei esbonio) a/neu boten reis (rice pudding) ac yr oedd hon yn wir wledd i bawb. Rhaid cofio yn y cysylltiad hwn, bod yr amseroedd yn ddrwg, ac mai cig mochyn – *home cured bacon* – ydoedd bron yr unig gig a welid ar fyrddau ffermydd yr ardal o'r naill ben o'r flwyddyn i'r llall, ac eithrio ambell ffowlyn neu hwyaden a hynny yn anghyffredin iawn.
Magem wyddau yn Budloy y pryd hynny – ryw bymtheg neu efallai bump ar hugain, yn ôl pa un a fyddai yr ŵydd yn un lwcus,

a pa un a fyddai ganddi ail lin neu beidio (Gwyddau ail-lin ydoedd y rhai diweddar, pan ddechreuai yr ŵydd ddodwy ac yna ori ar ôl dechreu magu y llin cyntaf). Ond er y magem wyddai, ni fwytaem yr un ohonynt – nis gallem fforddio, oblegid rhaid oedd eu gwerthu, ac yr oedd prynu cig eidion yn rhatach. Dylwn bwysleisio yn bendant nad cybyddod na dim yn ymylu ar hynny ydoedd hyn ond rheidrwydd oherwydd prinder arian i gwrdd â gofynion. Ie, blynyddoedd caled ydoedd, dyweder, 1890 hyd 1900 neu dipyn ym mhellach na hynny, o leiaf yn ardal fy nghartref i.

Un tro yn unig y gwelais i ŵydd ar fwrdd cinio Budloy, ac un a gafwyd yn rhodd gan ewythr fy mam, James Parsons Bushell, Park East, Plwyf y Mot ydoedd honno. Yr oedd ef yn ffermwr cefnog a'i ffarm yn un fawr a da, a'r telerau ynglŷn â'r rhodd ydoedd, ein bod yn ei bwyta ein hunain. O dro i dro yn ystod y flwyddyn, ar wahân i ambell ffowlyn neu hwyaden, caem hefyd ambell wningen, a daliem ambell frithyll yn afon Syfnau, ond os digwyddem ddal ysgyfarnog, neu saethu ambell ffesant (yr oedd hyn yn anfynych iawn) neu betrisen, rhaid oedd eu gwerthu hwy. Ac er fy mod yn crwydro oddiwrth fy mhennawd, cystal, efallai, ymhelaethu eto ar ein bwyd yn gyffredin. Gan y bydd rhai yn barod i amau fod yr hyn a ddywedaf yn wir ac felly cystal dweud yn bendant ei fod yn llythrennol wir.

Yn fy nghof cyntaf, cawn i frecwast yn y parlwr gyda'm rhieni ac ni chofiaf beth a fwytawn y pryd hynny. Fy nghof pendant cyntaf yw cael brecwast yn 'rhwmford' (ac yr oedd fy mrawd a'm ddwy chwaer yno gyda'r gwas a'r forwyn cyn hynny). Te, a hwnnw yn de heb fod yn rhy dda oedd y gwlybwr a chydag ef, yr unig beth ydoedd bara a chaws. Gallaf ddweud hyn am y caws, er mai o wneuthuriad cartref ydoedd, ei fod yn gaws da digamsyniol, ac y mae dŵr yn rhedeg o'm dannedd heddiw wrth gofio amdano – caws wedi ei wneud a'i aeddfedu yn berffaith. Am y bara, rhaid cydnabod nad oedd yn debyg o ddenu neb o archwaeth wan.

Bara barlys (haidd – barley) y gelwid ef ond mewn gwirionedd yr oedd ynddo rywfaint o flawd gwenith yn gymysg â'r blawd barlys, ond nid digon i'w wneud yn ddim ond bara brown a hwnnw mor dywyll fel yr haeddai yr enw bara du lawn cymaint ag a wna bara rhyg y Cyfandir. Ond ofnaf fy mod yn cofio'r bara barlys ar ei waethaf yn well nag y cofiaf ef ar ei orau. Nid gwahaniaeth yn y lliw oedd yn bwysig, ond a fyddai wedi codi yn dda a'i pheidio. Os na fyddai, yna bara gwir wael ydoedd, ond os byddai wedi codi yn dda, byddai yn fara gwerth dod at y bwrdd i'w fwyta.

Ar adegau o'r flwyddyn, caem ychydig o newid drwy gael ysgadan hallt (bloaters), ac ar y bore Sul cyntaf ar ôl i'r wyau ostwng yn eu pris i ddimai yr un, caem wy i frecwast. Rhywle tuag at ddiwedd mis Medi prynem flwch cyfan o bloaters (credaf fod tua 144 yn y bocs) a chaem yr ysgadan hyn yn gymharol fynych i ginio – fynychaf, hwyrach, gyda thato mân wedi eu berwi yn eu crwyn. Gallaf nodi yma hefyd rhag i mi anghofio y byddem yn saethu Adar y Ddrudwy (Drudwns – Starlings) pan ddeuant heibio yn heidiau yn y gaeaf. Nid peth anghyffredin a fyddai cael chwech neu ragor gydag un ergyd o'r dryll o ddefnyddio shot mân. Yr oedd eu cig ychydig yn chwerw, ond er hynny yn flasus.

Fe grwydrais ymhell. Sôn yr oeddwn am Hen Ddydd Calan. Yn y prynhawn, efallai yr ai rhai ohonom am dro gyda dryll, ond nid oedd llawer o ddim byd arbennig yn mynd ymlaen yn ystod y prynhawn ond siarad a segura hyd amser te pan y byddai digonedd o gace bach (rhyw fath o *buns*, ond eu bod yn gymharol lawn o ffrwythau – cwrens yn fwyaf arbennig). Yna, fel pob diwrnod arall, rhaid oedd godro, clymu a bwydo'r anifeiliaid ac ati. Yn yr hwyr gallai rhai o fechgyn ieuainc yr ardal alw am ysbaid a chaem y storiâu a thriciau fel yr oedd yr amser yn ddigon difyr. Neu, yn ein tro, aem ninnau i alw mewn ffermydd eraill, ond nid oedd hyn yn ôl gwahoddiad nac yn ôl rheol.[2]

Roedd torri mawn yn dal yn gyffredin. Ac oedd roedd cawl ar bob aelwyd ond nid yr un mor flasus ymhobman:

Nid oeddwn i yn gyfarwydd â bwyd wedi ei baratoi ar dân mawn, a thrwy hynny nid oeddwn ychwaith yn gyfarwydd â blas mawn ar fwyd. Ar wahân i hynny yr oeddwn yn hoffi mynd i Barnaswil Uchaf i weithio ar y gwair, ond yr oedd y cawl i ginio wedi ei ferwi ar dân mawn yn y gegin, a hwnnw drachefn yn gawl cig eidion a minnau yn fwy hoff o gawl cig mochyn, yn amharu cryn dipyn ar y pleser![3]

Ceir ei atgofion am yr arferion amaethyddol yn llawn yn Atodiad VI.

Dillad brethyn a wisgid wrth gwrs, gyda'r gwŷr yn gwisgo

trywsus penglin a sanau gwlân a'r gwragedd yn gwisgo gŵn bach a chapan gwyn o ran eu gwaith beunyddiol. Pan oedd angen bod yn swanc gwelid y gwŷr mewn cot bigfain, gwasgodydd a sanau amryliw, gydag esgidiau a byclau melynion arnynt a legins lledr a het uchel, a'r gwragedd mewn sioliau a ffedogau llydan. Dadlennol yw disgrifiad D. Tysul Evans o'r dull o amaethu:

... ac roedd yr offerynau amaethyddol yn ddiffygiol iawn. Er engraifft, yr hen aradr Gymreig a ddefnyddid i drin y tir... Pren ydoedd yr aradr i gyd ond y swch a'r cwlltwr, a thebyg i aing heb aden oedd y swch. Gwaith anhawdd iawn oedd aredig i'r anifeiliaid ac i'r gweithwyr. Yr oedd yn rhaid wrth bedwar anifail at un aradr, dau eidion a dau geffyl; ac i'w gyrru yr oedd eisieu dau fachgen yn ychwanegol at yr arddwr rhwng cyrn yr aradr. Gwaeth na'r cyfan, nid oedd y gwaith yn foddhaol wedi'r holl drafferth; dywed un fod cae wedi ei aredig yn edrych fel pe buasai cenfaint o foch wedi bod yn ei dwrio.

Yr oedd yr un mor helbulus gyda'r cynhauaf. Nid oedd neb wedi clywed am beiriant lladd gwair ond y bladur, ac ni freuddwydiai neb am beiriant i dori ŷd a'i rwymo. Medi a chrymanau oedd yr arferiad; ie, yr oedd llawer o ddwrn-fedi. A phan ddelai amser dyrnu a nithio, y gwiail ffyst a'r gograu dwylaw a ddefnyddid. Yn oriau boreuol y gaeaf, cyn i'r ceiliogod ganu bron, clywid swn y ffystiau dyfal trwy yr ardal.[4]

Mae'n crynhoi picil y trigolion wrth ddarlunio eu perthynas â'r perchnogion tir. Cyflwr sydd eisoes yn lled gyfarwydd inni. Roedden nhw mewn caethiwed economaidd:

Gwael yw y tir. Mae llawer o hono wrth natur yn fynydd-dir neu waendir corsiog; ac y mae yn rhaid wrth lafur mawr i wneyd hyn, nid oes gorphwysdra; o herwydd syrthia yn ol i'w sefyllfa gyntefig os na thrinir ef yn barhaus. Yr oedd yr ardrethi yn uchel a'r meistri tir yn wancus am arian. Nid oedd un anogaeth i'r amaethwr i wella y tir; os gwnai hyny, cosbid ef am ei lafur trwy godi y rhent. Am yr un rhesymau, gwael oedd y tai. Yr oedd yr anedd-dai yn fach a thywyll, isel ac anghysurus, a'r tai anifeiliaid yn fratiog ac anghyfleus. Gan fod y rhan fwyaf o'r arian yn myned i'r meistri tir, bach oedd y cyflogau.[5]

Brodor o Flaen-y-coed, ychydig dros y ffin yn Sir Gaerfyrddin, oedd y gweinidog, yr emynydd a'r Archdderwydd Elfed, D. Elvet Lewis (1860–1953). Tebyg yw ei atgofion llencyndod am y cynhaeaf ag eiddo eraill yn gynharach yn y ganrif am nad oedd yr arferion wedi newid a pheiriannau heb eu cyflwyno. Mae hiraeth yn gymysg â rhamant yn ei ddisgrifiad o brofiad a oedd yn gymaint o achlysur cymdeithasol ag oedd o lafurwaith angenrheidiol, ac yntau wedi ymgartrefu yn Llundain, lle bu'n weinidog ar gapel Cymraeg Kings Cross, yr Annibynwyr, am dros ddeugain mlynedd:

Dyna adeg hapusaf, fwyaf cyfeillgar y flwyddyn. Yr oedd popeth fel yn newid yn sŵn cyntaf y pladuriau yn lladd gwair. Dechreuid gyda thoriad y wawr, a'r gwlith yn ireiddio'r awyr, i osgoi caledwaith ym mhoethder y dydd. O hynny ymlaen hyd at gywain y llwyth olaf o "lafur" (ŷd) i'r ydlan, yr oedd yr holl gymdogaeth fel un frawdoliaeth dirion, a phawb yn cynorthwyo ei gilydd. Am gyrchu glo, neu ryw gymwynas gyffelyb yn y gaeaf, "dwarnod neu fwy o gynhaea" oedd y tâl gan lawer bythynnwr, a gwraig weddw; a'r ffermwyr yn trefnu dyddiadau medi, i fenthyca gweision a morwynion ei gilydd. Erys yr olygfa yn fy nghof fel rhyw ddarn o wlad yr hud, gan fod y peiriannau newydd wedi newid y cyfan erbyn heddiw, ac wedi tarfu cymdogaeth dda, yn y ffurf honno, bron yn llwyr o'r ardal.

Ar fore hafddydd "hirfelyn tesog" gwelid o ugain i ddeg ar hugain o'r ardalwyr yn cyrchu i'r maes, a'r tywysennau aeddfed fel yn eu croesawu wrth ymgrymu dan gyffyrddiad adain ysgafn yr awel gynnes. Llanciau a gwyryfon yn hoender gwanwyn oes, eraill a'u gwallt wedi gwynnu ond yn hen gynefin â'r cryman, ac yn fedrus ar ei drin. Os oedd yna chwŷs diferol cyn pen llai nag awr, yr oedd yno hefyd fân gellwair a "mocian" chwareus ac ambell dric bach diniwed, – ac weithiau ddechrau caru, – ac os oedd yno gariadon hysbys fwy neu lai yn y cwmni, treiai pob un ei law ar eu "plago" gydol y dydd heulog. Ac nid oedd hanner dydd yn dod eiliad yn rhy gynnar, i eistedd ar y sedrem a mwynhau cinio ar y cae yn un cwmni diddan heb fwrdd, heb serfiet, ond gyda mwy o flas nag yn y Torcadero unrhyw noson loddestgar.

Yr oedden ni blant, yno i "gario 'nghyd," – hynny yw, i gasglu'r ysgubau at ei gilydd, i'w taclu yn "swgwrn" neu "ddas dan llaw" neu "ddas pen lin" – yn ôl cyflwr ac argoelion y tywydd. Yr oedd y syched yn felys, ac hyd yn oed y lludded erbyn yr hwyr yn felys; am fod rhyw naws o gymdogaeth dda ac ewyllys i estyn cymorth, a chyfathrach fel cyfathrach aelwyd garuaidd, yn fantell ysgafn o hawddgar hud dros yr holl ardal. Y mae yn fy nghlust y funud hon chwibaniad croyw, iach rhyw lanc o bladurwr ar ei ffordd adref, a diwrnod da o waith eisoes yn rhag-felysu ei gwsg. Ac yn uchel yn yr awyr dyna chwibaniad arall, a'i sain megis yn gwynfanus. Y "whibanwr" (Gylfinir, *curlew*) ydyw, ar ddwy adain dawel, araf, yn mordwyo yng nglesni hwyrddydd haf – glesni yn dyfnhau i wyrdd tywyll, gorffwysgar.[6]

Mae Martha Morgan, yn ei dyddiadur dychmygol, â'i bys ar byls yr anawsterau economaidd a wynebai ffermwyr y fro, wrth gofnodi ei meddyliau ar 6 Mehefin 1837:

Ostensibly, the cause of the trouble is the high price of corn, but other food prices are higher than they have ever been before, which is good for the big gentry of the lowlands but a tragedy for the hill farmers and others who live in this area. They have only a little barley and oats to sell, and hardly any wheat; and for their livelihoods they depend on sales of animal products like beef, mutton, butter and cheese, at depressed prices…. There are still far too many people on the land, and there are too many men and boys seeking labouring work. Local people are having to compete with those fleeing into the West Wales countryside from hunger in Ireland and from a sudden decline in the fortunes of the mines and iron-works. That causes great trouble, especially in the ale-houses of Newport late at night. Havard Medical complains that he is having to deal with broken limbs and bloodied heads almost every night, and the lock-up in Long Street is in constant use.[7]

Yn ôl Cyfrifiad 1841 roedd 480 o bobl yn byw ym mhlwyf Mynachlog-ddu wedi'u rhannu yn 112 o aelwydydd a 38 o'r rheiny yn ffermydd. Byddai'r mwyafrif o'r gweision a'r morwynion a gyflogid gan y ffermwyr yn byw ar y ffarm. Y gweision yn cysgu yn y tai mas yn nowlad y sgubor neu'r storws efallai uwchben y stabl tra byddai'r morynion yn cysgu yn y ffermdy. Ond roedd penteuluoedd 41 o'r aelwydydd hefyd yn weision ac yn gweithio lle bynnag y byddai galw tra ceisient amaethu eu tyddynod hefyd er mwyn crafu byw. Un o'r rheiny oedd Tomos Rees, Carnabwth. Roedd ganddo yntau a'i wraig, Rachel, bedwar o blant erbyn hynny.

Ond does dim sôn am Wyddelod ym mhlwyf Mynachlog-ddu. Serch hynny, roedd gwaith yn brin a'r boblogaeth yn cynyddu. Gorfodid rhai i fyw ar dir diffaith nad oedd fawr o lewyrch arno o ran ei drin, fel Twm a'i deulu. Byddai'r tafarndai agosaf ym Maenclochog; wyth ohonyn nhw ar un adeg. A nifer o dai smwglyn yn eu plith ar adeg y ffair ddeuddydd a gynhelid yn ddeufisol ag eithrio misoedd Ionawr a Chwefror. Am nad oedden nhw'n dafarndai swyddogol arllwysid diod feddwol yn llythrennol trwy big y tebot i gwsmeriaid.

Roedd yr arferiad o gynnal *cwrw bach* – rhyw fath o neithior – hefyd yn ddigwyddiad cyson yn y fro pan ddisgwylid i westeion gyflwyno anrhegion i'r pâr priodasol, i roi cychwyn da iddyn nhw ar eu haelwyd. Rhaid fyddai iddyn nhw wedyn gydnabod y gymwynas yn y *cwrw bach* nesaf. Byddai Twm a Rachel yn gyfarwydd â'r arfer. Roedd yna duedd i briodi'n ifanc a phlanta'n drwm ac yna, ar adeg o gyni, byddid yn disgwyl cymorth gan y plwyf. Roedd yno 'garchar' hefyd ym Maenclochog a elwid yn La Bastille. Cartrefwyd rhai Ffrancwyr yno adeg y goresgyniad aflwyddiannus yn Abergwaun yn 1797.

Byddai Twm yn gyfarwydd â disgrifiadau byw Tom Evans a John Evans o ffeiriau'r cyfnod. Rhoddid enwau penodol iddynt; Ffair Gŵyl Ddewi ym mis Mawrth, Ffair Gynhaeaf Gwair ym mis Gorffennaf, Ffair Gŵyl Fihangel ym mis Medi pan fyddid yn cyflogi gweision a morwynion am y flwyddyn, a Ffair Gŵyl Luc ym mis Hydref. Roedden nhw'n denu porthmyn a phrynwyr o bell:

Ffair mis Mai a ffair 'gytuno' oedd y ddwy fwyaf enwog. Yn ffair mis Mai byddai'r meirch yn cael eu harddangos wedi eu haddurno â rhubanau o bob lliw. Yn y ffair 'gytuno' (ffair gyflogi) byddai yno rai cannoedd o ebolion sugno yn cael eu gwerthu. Yn y ffair hon hefyd yr oedd rhesi o fechgyn a merched yn sefyll yn stond gan ddisgwyl i'r ffermwyr a'u gwragedd ddod heibio i'w cyflogi yn weision a morwynion am flwyddyn. Byddai pob un ohonynt yn cario pecyn o'i ddillad ganddo neu flwch os byddai ganddo un at gadw'r ychydig ddillad oedd ganddo. Os byddai gwas yn 'plowman' yn y lle diwethaf fu ynddo fe gariai ffrewyll fel arwydd o hynny. Wedi cytuno cawsai'r gwas neu'r forwyn swllt gan y cyflogydd yn ern neu ernes. Hwn oedd yn selio'r cytundeb.

Deuai yno borthmyn o Ogledd a De Cymru ac o lawer iawn o siroedd Lloegr. Nid oedd llawer o gledrffyrdd yn y wlad yr adeg honno, ac roedd rhaid gyrru'r da a'r ceffylau ar hyd y ffyrdd i ryw leoedd neilltuol, wedi eu dewis gan y porthmyn. A chan fod y teithiau ymhell a'r ffyrdd yn eirwon yr oedd yn rhaid pedoli'r ebolion a'r da cyn cychwyn. Byddai gof pentref Maenclochog yn gofyn cymorth y gofied cymdogaethol cyn dydd y ffair, am fod pedoli'r da yn waith anhawdd iawn. Yr oedd yn rhaid cwympo'r anifail drwy osod rhaff am ei goesau, a'i ddal ar y llawr, yna byddai'r gof yn gosod llafn o haearn tenau ar bob carn wedi eu sicrhau â hoelion. A chan fod yr anifail yn fforchogi'r ewin yr oedd yn rhaid rhoi dau lafn o haearn ar bob troed.

Yr oedd y porthmyn yn cyflogi dynion yn y ffair at y gorchwyl o yrru, a chan fod lladron pen-ffordd i'w cael yr adeg honno, ymddiriedent eu haur a'u harian i'r dynion oedd yn gyrru'r da. Gan eu bod yn dlawd fel rheol yr oedd yn fwy annhebyg i'r lladron i ymosod arnynt nag ar y porthmyn, pa rai oedd yn marchogaeth ar geffylau. Yr oedd llociau defaid ar ochr bob clawdd o ben rhiw'r Felin i fyny hyd yr Efail. Defaid ac ŵyn o'r mynyddoedd oedd y rhain gan amlaf a ffermwyr o waelod Sir Benfro oedd yn eu prynu.

Cedwid hen ffeiriau Maenclochog am ddau ddiwrnod yn olynol. Cedwid ffair foch drannoeth i'r ffair dda a cheffylau. Yr oedd rhesi o geirt a pherchyll ar ochr y ddwy ffordd sydd yn mynd drwy'r pentref. Yr oedd y moch mwyaf neu'r 'porkers', ar y ddau gwmin (neu fanc), un ochr isaf a'r llall ochor uchaf wal fynwent yr Eglwys. Llanwent y ddau fanc, pob un ohonynt â rheffyn am ei goes ac yn bwyta ychydig o geirch neu farlys fuasai ei berchennog yn taflu iddo er mwyn ei gadw yn dawel, hyd nes byddai'r porthmon yn dod heibio i'w brynu. Nid wrth y pwysau fel yn awr yr oeddynt yn prynu adeg honno ond wrth y lwmp, a rhwng y bargeinio brwd a sgrechiadau'r moch, yr oedd y ffair fel bedlam fawr.

Deuent yno i brynu moch o bob rhan o Gymru. Yr un fwyaf enwog am brynu yn hen ffeiriau Maenclochog oedd Pheobe Nicholas o Gastell Nedd, oedd yn enedigol o Bernards Well Isaf. Yr oedd yn fenyw enfawr o gorff a gallasai godi mochyn chwe ugain pwys a'i daflu yn rhwydd dros yr olwyn i gist y cart. Cerddai drwy'r ffair fel brenhines ar holl hil Gadara.

Yr oedd bron bob tŷ yn y pentref ar adeg y ffeiriau yn troi'n dafarn smwglyn. Byddent yn macsi cwrw a'i werthu'n rhatach na'r tafarnau trwyddedig. Pobent hefyd gacau (buns) i'w gwerthu, a rhwng gwerthu cwrw a chacau yr oeddent yn gwneud masnach dda. Byddai tafarnau o'r ardaloedd cylchynol yn codi pebyll at werthu cwrw. Deuent yno o Crosswell, Tafarn Bwlch, Llandysilio a lleoedd eraill, a chan fod yna gymaint o gwrw yr oedd yno hefyd lawer o feddwi, a thrwy hynny lawer o ymladdfeydd. Codai plwyf yn erbyn plwyf a byddent yn ymladd â phastynau a byddai llawer yn mynd o'r ffair wedi eu hanafu'n dost. Ond pan oedd dirwest yn dechrau ymledu dros y wlad, fe gododd dyn o'r enw Alfred Howell babell yn y ffeiriau i werthu bwyd a the.[8]

Tebyg y cynhelid y ffair ar yr ail ddydd Mawrth a Mercher yn y mis. Tebyg mai da duon Castell Martin fyddai'r gwartheg bron yn ddieithriad. Tystia Tom Evans na fyddai'r un ffair yn gyflawn heb bresenoldeb Levi Gibbwn, y baledwr dall, a phawb yn prynu baled ganddo o ran tosturi. Tystia John Evans i'r un prysurdeb, gan ychwanegu fel y byddai cyfathrebu rhwng ambell ffermwr a phrynwr yn medru bod yn helbulus ac eto'n tanlinellu'r ymlad a welid wedi'r gwerthu. Ond doedd dim pall ar y sbri:

Roedd yr anifeiliaid a'r dynion mor dynn i'w gilydd fel nas gallech bron symud rhyngddynt. Deuai'r creaduriaid o ledled y tair sir a phellach. Roedd yma geffylau o bob math, ieuanc a hen, mawr a bach, a rhai ohonynt yn bleser i'w gweld, a phrynwyr yno o bob rhan o Gymru ac o Loegr hefyd. Diddorol oedd gweld ambell i

hen Gymro uniaith yn ceisio taro bargen â Sais rhonc a hwnnw
yn treio dangos â'i fysedd faint oedd yn fodlon dalu am geffyl. Yr
oedd diffyg iaith yn fwy o broblem gan wŷr y ceffylau na chan bobl
y da, y moch a'r defaid am fod cymaint o'r prynwyr ceffylau yno
o Loegr. Dywedir bod mwy o geffylau wedi eu danfon i Loegr yn y
blynyddoedd cynt o ffeiriau Maenclochog nag o unman arall yng
Nghymru.

Ar y banc uchaf ceid pebyll, rhai yn gwerthu bwyd a'r lleill
yn gwerthu cwrw. Roedd prysurdeb bwyd yn y pebyll hyn drwy'r
dydd, ac ambell i dro pan fyddai pabell yn orlawn, byddai rhywun
neu'i gilydd yn cael ei wasgu yn erbyn yr ochr nes gwelid ei ffurf
drwy'r canfas. Yna byddai rhyw grwt direidus o'r tu fas yn rhoi
ergyd iddo â'i bastwn a ffwrdd ag ef nerth ei draed.

Bryd hynny byddai pawb yn gwisgo 'brethyn mân y defaid
mân' ac ymhob ffair yr oedd ffartrioedd gwlân y cylch yn cael
eu cynrychioli, pob ffatri â'i stondin a phob stondin yn ganolfan
masnachu brwd. Roedd nifer fawr o stondinau losin, ac yn
fynych iawn ceid bocs neu ddau o sgadan ar yr un stondin, a'r un
dwylaw yn trin y sgadan a'r losin, ond pa wahaniaeth, roedd pawb
wedi ymgolli cymaint ym miri a sbri y ffair. Braidd yn wan oedd
masnach y rhai hyn efallai, hyd nes roedd dylanwad cwrw'r pebyll
yn cael ei effaith.

I'r ffair hon hefyd y deuai rhai oedd newydd briodi i brynu rhai
pethau angenrheidiol i'w rhoddi yn eu cartrefi newydd. Derbynient
hefyd lawer o anrhegion priodas gan eu cyfeillion am fod yna gyfle
i'w prynu. Llwythog iawn a hapus y buasai'r pâr ifanc yn mynd
adref y noson honno wedi treulio diwrnod wrth eu bodd.

Roedd yno hefyd 'cheap jacks' yn crochlefain ar draws y lle
yn gwerthu basgedi, pysgod, llestri pridd, teganau o bob math
a nwyddau o waith saer a hwper, ac yno roedd Shoni Winwns
hefyd yn ei dro yn gwthio ei raffau ar bawb yn ddiwahân. Mewn
rhyw gornel gerllaw safai 'Boxing Booth' Billy Samuel a golygfa
chwerthinllyd oedd gweld ambell un yn dod allan â'i drwyn fel
tomato neu un arall bron bod bob lliw bwa'r ach. Mae'n debyg bod
Billy Samuel wedi cadw draw o ffeiriau Maenclochog am gyfnod ar
ôl iddo gael ei drin drwy'r felin gan ryw of o'r ardal.

Arferiad rhyfedd gan bobl yr ardal oedd setlo pob ffrae yn ffair
Maenclochog. Yn fynych iawn roedd bechgyn un ardal yn codi yn
erbyn bechgyn ardal arall ac roedd llawer o baratoi ar gyfer y dydd
mawr. Aed i'r allt cyn y ffair i dorri pastwyni ac nid oedd arbed

ar eu defnyddio ddydd yr ornest. Am nad oedd llawer o goed yn tyfu yn ardal Maenclochog, gan fechgyn yr ardal honno oedd y pastwyni gorau am fod rhaid iddynt wastad ddefnyddio pren sych. Tra gwahanol oedd hi yn ardal Y Mot, Llan-y-cefn neu Gwmgwaun lle ceir llawer o elltydd. Yno aed mas y noson cynt ac felly pren glas a ddefnyddid yn y sgarmes a hwnnw'n mynd yn ddellt, a thrwy hynny mynych gollid y dydd.

Pe byddai rhywbeth wedi ei golli neu ryw hysbysiad i'w wneud ddydd y ffair, yr oedd hen gymeriad yn y pentref yn barod at y gwaith, sef y crïwr swyddogol. Swllt i'r hen gyhoeddwr, ac fe'i gwelech yn mynd trwy'r lle dan ganu ei gloch, ac yn dechrau bob tro fel hyn, 'Gwrandewch bawb holl wŷr', ac ymlaen â'r neges. Un tro yn Ffair Gŵyl Mihangel, a chwmni o fechgyn gyda'i gilydd, digwyddodd un o'r cwmni golli ar y lleill yn y dorf. Gwelodd y bechgyn gyfle am dipyn o sbri, a bant â nhw at yr hen grïwr. Swllt i'r hen frawd am gyhoeddi bod Wil ar goll, a disgrifiad digrif a chwerthinllyd ohono. Gyda hyn dyna'r gloch yn mynd: 'Gwrandewch bawb holl wŷr', a'r cyhoeddiad yn dilyn, gan roi disgrifiad digrif o Wil. Gellwch ddyfalu sut y bu hi pan ddaeth y cwmni yn ôl at ei gilydd.[9]

Diau bod cynnal y ffeiriau'n fodd o anghofio am undonedd a chaledi bywyd dros dro, hyd yn oed os oedd y prisiau'n isel a'r bargeinio'n hallt. Byddai'n fodd hefyd o gyfnewid newyddion a thrafod helyntion y dydd, yn enwedig gan fod y porthmyn a'r prynwyr yn teithio o bell ac yn rhannu gwybodaeth amgenach na dim ond clecs. Ac oes, mae yna faled wedi'i chyfansoddi i Ffair Maenclochog gan Ben Evans, Dan-garn. Cyhoeddodd gyfrol o'i gerddi yn *Cerddi'r Cerwyn*, dan yr enw Gordon. Fe'i ganed yn 1881. Ac er nad oedd y gân ar gael i'w chanu yn nyddiau Twm mae'r cynnwys yn dangos nad oedd natur y ffair wedi newid fawr ddim er ei ddyddiau. Yr un oedd dyheadau bechgyn ifanc. Mab Ben Dangarn oedd W. R. Evans (1910–1991), y diddanydd, sefydlydd ac arweinydd y parti Noson Lawen, Bois y Frenni, a gyfansoddodd llwyth o ganeuon ysgafn ar eu cyfer. Tebyg i ddyn fydd ei lwdwn yn hyn o beth.

Yn ôl cyfrifiad 1841 roedd 503 o drigolion ym mhlwyf

Maenclochog wedi'u rhannu'n 230 o wrywod a 273 o fenywod. Roedd hyn yn gynnydd o 323 er 1801. Roedd y boblogaeth wedi dyblu a rhagor. Ac eithrio 1881, pan oedd saith yn fwy o bobl yn yr ardal, dyma'r ffigwr uchaf gydol y ganrif. Golygai hyn fod mwy o bobl yn ddibynnol ar gynnyrch yr un darn o dir na chynt. Gorfodid meibion nad oedd modd iddyn nhw gael eu cyflogi fel gweision yn lleol, i ymuno â rhengoedd y tlodion gwledig neu chwilio am waith y tu hwnt i'r fro, a hynny yng nghanolfannau diwydiannol de Cymru, lle byddai'r cyflogau'n uwch. Hyn sydd i gyfrif fod nifer y gwragedd o fewn y boblogaeth wastad yn uwch gydol y ganrif. Disgrifid aml i ddynes fel 'gwraig colier'.

Wrth gwrs, y tirfeddianwyr cyfoethog oedd berchen holl diroedd y pentref a thu hwnt. Rhennid tiroedd y pentref rhwng Richard Le Hunte a Syr Richard Bulkely Philipps Philipps, y naill yn hanu o Iwerddon ac yn berchen ar ystadau yn Artramond, Swydd Wexford, a'r llall yn un o brif dirfeddianwyr gorllewin Cymru yn byw yng Nghastell Pictwn, Slebets. Yn union fel eu tebyg roedden nhw, yn ogystal â bod yn feistri tir, yn ynadon a gweinyddwyr ac i bob pwrpas yn rheoli'r wlad.

Yn 1841 dim ond chwech ffarm o fewn y plwyf oedd yn mesur dros 100 erw, dau ddaliad wedyn rhwng 70 a 100 erw a naw rhwng 50 a 60 cyfer. O'r cyfanswm o 58, roedd bron i hanner y 41 oedd yn weddill yn llai nag ugain erw. Roedd rhai hyd yn oed yn llai na naw erw ac felly roedd yn amlwg bod y teuluoedd hynny'n ddibynnol ar gyflogaeth ychwanegol i gynnal eu hunain. Roedd gan rai ffermwyr ddarnau o dir yn wasgaredig yma a thraw a hynny'n waddol arfer y canrifoedd cynt o drin stribedi o dir ar hyd caeau agored ers y cyfnod Normanaidd. Roedd gan y Normaniaid gastell pren bychan yn Maenclochog yr ymosodid arno gan y Cymry o bryd i'w gilydd yn y ddeuddegfed ganrif. Tebyg y byddai'r rhai a oedd yn rhentu darnau bychain yn grefftwyr hefyd, boed yn gryddion, yn deilwriaid, yn ofaint, yn gowperiaid, yn seiri neu yn fasiwniaid.

Fel arfer rhoddwyd tir ar rent dros gyfnod o dri bywyd, hynny yw hyd at farwolaeth y drydedd genhedlaeth o'r teulu. Byddai rhent y prydlesi yn cael ei dalu ar Ŵyl Fair ym mis Chwefror a Gŵyl Mihangel ym mis Medi, ynghyd â threthi eraill. Roedd yna amodau ychwanegol yn gysylltiedig â'r brydles yn aml. Roedd John Foley yn talu £168 y flwyddyn am brydles a roddwyd iddo am dri bywyd yn 1804. Ond roedd yn ofynnol iddo hefyd i gyfrannu bwysel o geirch a dau bâr o ieir i'r tirfeddiannwr, ac addo malu ei lafur ym melin Maenclochog. Ar ben hynny roedd wedi cytuno i gadw ci neu ast ar ran y perchennog. Yn nwylo'r perchennog y cedwid hawliau mwyna, cloddio am gerrig a thorri coed. Roedd y tirfeddianwyr yn sicr yn rheoli amodau byw'r ffermwyr a'u teuluoedd.

Parhau yn geidwadol os nad yn gyntefig wnai'r dull o amaethu yn siroedd y gorllewin. Doedd arloesi naill ai ddim yn bosib neu ddim yn cael ei chwennych. Doedd yna ddim abwyd i geisio gwella tir na gwella byd fel yr esbonia'r hanesydd John Davies (1938–2015):

Ym mroydd anghysbell Cymru, nid oedd yr amaethwyr ond wedi'u lled-gyffwrdd gan y grymoedd masnachol a drawsffurfiasai amaethyddiaeth gwastadeddau Lloegr. Hyd yn oed yn yr ardaloedd mwy ffafriol, roedd lliaws o'r amaethwyr yn gynhenid geidwadol ac yn brin o gyfalaf, ac felly ni fedrent – neu nid ewyllysient – gefnu ar arferion eu tadau.[10]

Dyma oedd y patrwm byw ers yn agos i ddau gan mlynedd a phrin oedd y bwyd maethlon; rhyw fath o gawl o ddŵr, blawd ceirch a thatws yn ddyddiol ynghyd â llaeth enwyn, bara barlys cras a chaws a chig dafad, mochyn neu eidion yn achlysurol a ffrwythau'r perthi yn eu tymor, ac unrhyw beth y gellid ei botsian o'r afonydd a thiroedd y plas. Byddai bwrdd bwyd y meistri tir yn dipyn brasach wrth gwrs, gyda'r morynion yn gweini gwin a gwirodydd. Cyn bwrw golwg drachefn ar y ffactorau a arweiniodd at yr ymosodiad ar iet Efail-wen prion yw rhannu atgofion Margaret Ward, o Lundain, pan ddeuai yn roces fach ar ei gwyliau at ei mam-gu, Marged Rees, ym Maenclochog ar ddechrau'r ugeinfed ganrif. Bu farw Marged Rees yn 93 oed yn 1919. A byddai wedi byw trwy gyfnod y Becca yn lleol:

> Doedd yna ddim dŵr pibell, dim carthffosiaeth go iawn, dim trydan, dim ond lampe a chanhwylle, dim ceir na bysus... Bydde'r rhan fwyaf o fenywod yn gwisgo clocs, y rhai trwm o ledr gyda gwaelodion dur, ac yn ymarferol iawn i'w gwisgo ar hyd feidiroedd mwdlyd ac yn y gerddi. Fy nhasg i bob bore wêdd moyn llaeth o Step Inn, yn dwym o deth y fuwch ac yn costio dwy geiniog y cwart. Wedyn i'r ffynnon, rhyw ddeg munud o siwrne, i lenwi dau fwced dur, mawr a thrwm, yn llawn i'r ymylon. I ymolchi bydden ni'n defnyddio'r dŵr yn y gasgen yn yr iard.
>   Gair neu ddau am fy mam-gu a oedd yn dipyn o gymeriad. Ei hunig fwyd am flynydde wêdd blawd ceirch a llaeth enwyn i frecwast a swper, a chawl wedi ei wneud o esgyrn dafad a thipyn o gennin ynddo i ginio. Bob nos bydde'n cydio yn y Beibl teuluol, ac yng ngole cannwyll, yn darllen ohono am awr neu fwy. Ni wnâi unrhyw waith ar y Sul a bydde hyd yn oed y cabets a'r tato yn cael eu berwi ar nos Sadwrn. Ddarllenodd hi erioed bapur newydd a nes ei bod yn 84 wêd prin iddi erioed adael y pentre. Ond y flwyddyn honno aeth gyda chriw o'r eglwys i Lunden... Doedd ganddi fowr o Saesneg a wêdd rhai o'i dywediade yn ein goglis ni'n imbed – 'Can you hear a smell?' fyddai'n gofyn. Bu farw'n 93 wêd ar ôl torri ei chlun wrth godi tato o'r ardd.[11]

Cyfeiriodd hefyd at un o gyfoedion ei mam-gu, Naomi, a fyddai wedi byw trwy gyfnod y ffeiriau ac yn cofio ffyrnigrwydd y Becca. Ar ryw olwg cynrychiola symlrwydd a diniweidrwydd bywyd y cyfnod, ac mae'r cyfeiriad at y cardotwyr yn cyfoethogi'r darlun o'r gymdeithas glos gynhenid a fodolai o bobl yn gofalu am ei gilydd:

> Wydden ni ddim beth wêdd ei henw teuluol a wêdd neb fel sen nhw gwybod os fuodd hi'n briod neu beidio. Wêdd hi'n byw mewn bwthyn carreg dwy ystafell wely ar bwys llyn y felin wêdd yn arllwys i nant y felin. Yn un ystafell oedd ei 'gwely mowr' a wêdd

y stafell arall bron yn llawn o gwêd tân a ddefnyddiai i gynhesu'r bwthyn ac i goginio. Gwisgai siôl Gymreig am ei hysgwydde a chrwydrai ar hyd y feidiroedd a thrwy'r pentre wastad yn gweu wrth iddi gerdded. Medrai weu'r patryme mwya cymhleth i'r sane fyddai'n eu gwneud a deuai'r rheiny â pheth arian iddi. Wêdd pobol yn garedig iawn tuag ati ac yn mynd a phryde bwyd iddi'n amal. Un diwrnod fe dorrodd ei bawd chwith yn grwn wrth dorri cwêd ar gyfer y tân. Rhoddodd gadach am y briw a hasti i'r ficerdy i ofyn caniatâd i gladdu'r bawd yn y fynwent, am na fedrai odde meddwl am fynd i'r nefoedd heb ei bawd. Fe wnaed hynny a dwi'n siwr os yw hi yn y nefoedd nawr ei bod yn dal i weu gered – falle sane ar gyfer yr angylion.

Bydde ambell drempyn yn ymweld â'r bythynnod yn gyson. Fe fydden nhw'n dechre galw ar waelod y pentre ac yn y tŷ cynta'n mofyn diferyn o de i'r can fydden nhw'n ei gario, dŵr twym yn y lle nesa, llaeth, siwgir, bara a chaws wedyn – un eitem ymhob tŷ – ac wedyn ishte ar y cilcyn glas i fwynhau'r pryd o fwyd am ddim. Wên nhw'n onest a byth yn cymryd mantes, yn cysgu yn y cloddie yn yr haf, ac yn mynd nôl i'r wyrcws yn y gaea.[12]

Ond gwnaed byw'n gytûn yn gynyddol anodd oherwydd ystrywiau'r landlordiaid a chyflwr economaidd y wlad yn gyffredinol yn dilyn ymchwydd yn y boblogaeth yn ystod hanner cyntaf y bedwaredd ganrif ar bymtheg. Gwêl yr hanesydd Muriel Bowen Evans (1928–2015) hynny'n glir wrth edrych ar y sefyllfa yn Sir Benfro yn benodol:

… the population of the county, like that of England and Wales in general, was increasing: there was a decline in the death rate, and the concomitant, a greater survival of potential parents from decade to decade, produced a rise in the birth rate. The effects of this natural growth of population can be seen in the Pembrokeshire Census figures from 1801 to 1861. The number of people living in the county increased from 56,280 to 96,278. This expansion was bound to have implications for work and sustenance. For the rural community it was particularly serious, creating problem circumstances. There was competition for farms and an over-supply of labour in a period when there was little increase of agricultural profits. Through the poor law systems, farmers and craftsmen found themselves reponsible for the sustenance of everyone who could not somehow eke out a living. The strain of an increasing population on limited resources was a decisive element in the circumstances which produced the pre-Rebecca unrest and the action in 1839 and in 1842–1843, the years of the Rebecca riots.[13]

Ategir y safbwynt gan yr hanesydd John Davies:

Dirwasgwyd safonau byw wrth i'r boblogaeth gael y blaen ar adnoddau, yn arbennig ymhlith y cymunedau'r hen dir comin lle nad oedd ffermio, ar y gorau, ond yn ymylol broffidiol. Dosbarth mwyaf amddifadedig y cefn gwlad oedd y llafurwyr. Serch hynny, mân ffermwyr a deimlai gryfaf y bygythiad i'w safon byw. Hwy, wrth gludo nwyddau i'r farchnad, neu wrth ymofyn calch o'r odynau, a dalai doll i'r cwmnïau tyrpeg; hwy a dalai rent a threth a degwm, tri o'r beichiau y bu Rebeca'n llafar iawn amdanynt; hwy hefyd, fe ddichon, a deimlai'r gwaradwydd mwyaf wrth ystyried y gallent ddiweddu eu heinioes yn y wyrcws – gwrthrych y mwyaf beiddgar o ymosodiadau merched Beca. Er i lawer llafurwr ymuno yn yr helyntion, adlewyrchu buddiannau ac ofnau'r mân ffermwyr a wnâi Terfysg Rebeca. Dwyseid eu digofaint gan wendidau'r drefn gyfreithiol – difrawder yr ynadon, er enghraifft, a ffioedd uchel y llysoedd – a chan draha aelodau'r dosbarth tiriog a oedd bellach wedi'u gwahanu oddi wrth eu tenantiaid gan grefydd yn ogystal â chan iaith.[14]

Tebyg oedd casgliad yr hanesydd Ivor Wilks (1928–2014) wrth fwrw golwg ar gyflwr y wlad gan bwysleisio bod y werin amaethyddol i bob pwrpas wedi'u tagu gan y landlordiaid gan gymaint oedd eu dyletswydd i gynnal safon byw y dosbarth uwch ar draul eu diddosrwydd eu hunain:

The mass of the Welsh people, whether tenant farmers or cottagers and labourers, was locked into a system of peasant production on upland pastures. They were beset by an indifferent climate, poor soils, bad communications and shortages of land made all the worse by an oppresive landlordism. They lived at a level of semi-subsistence, producing all that was necessary to sustain the family but obliged to send store animals and farm produce to the market in order to pay rents, tithes and taxes. The rhythm of life was punctuated by the great droves of livestok into England.[15]

Erbyn i Rhian E. Jones astudio'r cyfnod roedd yr elfen o fyth wedi cydio gyda phellter amser:

The 1840s agricultural unrest known as the Rebecca riots is remembered as having been an unqualified success and, most famously, as having been carried out on horseback at night by men dressed, for some reason, like our grandmothers. The Rebecca riots capture the retrospective imagination, much as they did at the time, by their colourful and spectacular qualities – not least the fantastical images of stout Welsh farmers sporting bonnets and petticoats – and by their appearing to be a textbook example of righteous community uprising against unfair financial penalties, a bit like a nineteenth-century incarnation of the Poll Tax Riots.[16]

# 5

# Cynhyrfer!

PAN DDAETH Y Rhyfeloedd Napoleonaidd i ben yn 1815
wedi deuddeng mlynedd o ymladd ar draws Ewrop gwelwyd
newid byd. Do, alltudiwyd yr arweinydd Ffrengig, Napoleon
Bonaparte (1769–1821) i Ynys Elba ym Môr y Canoldir a
gallai'r Ymerodraeth Brydeinig honni ei bod yn morio'n dalog
ar frig y don. Ond roedd yna bris i'w dalu. Collwyd dros 300,000
o fywydau o blith y 750,000 o filwyr oedd wedi ymrestru.
Ymunodd 250,000 â'r Llynges. Gwariwyd £831m ar y rhyfela
ac roedd y ddyled genedlaethol yn £679m. Cynhyrchwyd
mwy o arfau rhyfel gan Brydain na'r un wlad arall, a nawr
roedd llawer o'r ffatrïoedd hynny'n segur a nifer y diwaith yn
cynyddu. Gwelwyd dirwasgiad a barodd yn hir gan effeithio ar
brisiau cynnyrch yn y marchnadoedd. Doedd yna'r un rhan o'r
wlad heb ddioddef yr effaith.

Nid rhyfedd bod Twm Carnabwth yn medru fforddio taflu
twlpyn o fenyn i wyneb Benjamin Bullin pan fynnwyd iddo
dalu toll ar ei ffordd adref. Tebyg na lwyddodd i werthu fawr
ddim ymenyn yn y farchnad ac roedd eisoes wedi talu toll ar
ei ffordd yno. Byddai ambell i geidwad tollborth yn caniatáu
i ambell ffermwr beidio â thalu ar ei ffordd i'r farchnad ond i
dalu beth fedrai ar ei ffordd adref, yn dibynnu ar ei enillion.
Ond nid felly 'Y Tarw Bach'. Ac os oedd Twm wedi bod ym
marchnad Caerfyrddin y diwrnod hwnnw ceir disgrifiad gan
R. T. Jenkins ynghylch pa mor fain oedd hi yno:

Daeth blwyddyn ar ôl blwyddyn o wlybaniaeth a chynhaeaf drwg.
Cwymp mawr ym mhris gwartheg a gwlân ac ymenyn – gorfod

gwerthu ymenyn am chwech-a-dimai'r pwys ym marchnad
Caerfyrddin, a chaws am geiniog-a-dimai'r pwys. Sut yn y byd
oedd talu'r rhent? A'r rhent, cofier, wedi codi yn ystod "Rhyfel
Boni", a heb byth ddod i lawr.[1]

Roedd y tirfeddianwyr yn tynhau'r sgriw ac yn awyddus
i newid yr arferiad o ganiatáu prydles am dri bywyd ar
swm wedi'i bennu. Aed ati i gyfuno ffermydd yn unedau
mwy, a hwyrach gorfodi newid statws y tenant i fod yn was
gan ddefnyddio tir y ffermydd llai ar gyfer pori. Pan ddelai
tenantiaeth yn wag, gan wybod na fyddai prinder ymgeiswyr,
newidiwyd y telerau i brydles am 21 mlynedd, gyda hawl i
gynyddu'r rhent yn flynyddol. Bargen wael i'r ffermwr ond
dadleuai'r perchennog bod prisiau tir wedi codi o ganlyniad i'r
Rhyfeloedd Napoleanaidd, ac na fedrai ddibynnu ar bris rhent
wedi'i bennu am 99 mlynedd i bob pwrpas. Amrywiai'r rhent
yn ôl ansawdd y tir.

Yn 1833 roedd William Nicholas yn talu £9/1/- y flwyddyn
am 19 cyfer yng nghanol Maenclochog tra oedd John Reynolds
yn talu £4/12/8 am 11 cyfer yn Cornel Bach. Rhent Ann Foley
am 56 cyfer yn y Forlan ar gyrion y pentref yn 1834 wedyn
oedd £44 ac er bod gan Evan Harris 100 cyfer, dim ond £12 a
dalai mor hwyr ag 1867 tra bod amcangyfrif o werth blynyddol
y tir yn £20. George Le Hunte oedd y tirfeddiannwr yn y cyswllt
hwn.

O ran Castell Pictwn roedd Benjamin Howells yn talu £35/6/9
am 54 cyfer ond erbyn 1849 roedd ganddo ddyled o dros £10.
Dyblodd ei ddyled a bygythiwyd cymryd peth o'i dir oddi arno.
Ond ni wnaed hynny am na fyddai'r un cymydog am gymryd y
tir ychwanegol dan y fath amgylchiadau. Roedd y mwyafrif o
denantiaid yr ystâd yn yr ardal yn yr un sefyllfa.

Ar ben hynny defnyddiwyd Deddf (Cadarnhau) Cau Tir
Comin 1801 i feddiannu tiroedd, gan gymryd y tir pori gorau
a thrwy hynny amddifadu preswylwyr y mân ddyddynnod rhag
troi eu hanifeiliaid ar dir comin. Achosodd hyn gythrwfl ym
Maenclochog yn 1820. Tra byddai gwŷr wrthi liw dydd yn codi

cloddiau i gau'r tir deuai gwragedd heibio liw nos i ddymchwel y cloddiau. Meddai David J. V. Jones yn ei lyfr *Before Rebecca* wrth gyfeirio at derfysgoedd yn Sir Benfro:

> In 1820 a large mob also prevented people taking possession of allotments on Maenclochog common. Fences were torn down, and the rioters set fire to gates and to a new house owned by Morris Williams of Cwmgloyne. Two attempts to disperse the mob failed, so magistrate Anthony Innis Stokes sent for military aid. But the rioters had escaped and only one person, a woman aged thirty three, was committed to gaol.[2]

Y wraig honno a gafodd ei harestio a'i thywys i garchar Hwlffordd, pan gyhoeddwyd y Ddeddf Derfysg gan gwnstabliaid lleol, oedd Mary Thomas. Gwraig nad ofnai herio'r un cwnstabl. Cafodd ei rhyddhau'n ddiweddarach heb ei herlyn. Ystâd ger Felindre Farchog oedd Cwmgloyne.

Un o'r cwnstabliaid hynny oedd John Jenkins – Sheci Budloy – a oedd yn dioddef caledi ei hun. Priododd yn 1806, cyn ei fod yn 21 oed, a chodi aelwyd ar dir comin, ac erbyn 1815 roedd yn ddigon cefnog i rentu fferm o'r enw Cefneithin. Roedd y tir yn ysgafn a ffrwythlon, ac yn addas ar gyfer tyfu barlys a ddefnyddid i bobi bara. Ond gyda chwymp yn y farchnad wedi'r rhyfel, ac ynte heb fod yn denant yn ddigon hir i fagu cefn a thalu'r rhent uchel, bu rhaid iddo fynd i weithio i eraill i gael dau ben llinyn ynghyd. Dywedai ei bod mor denau arno fel nad oedd yn berchen ar ddim yng Nghefneithin ond yr ŵydd a'r clacwydd. Dywedwyd fod y prisiau mor wael yn 1815 nad oedd diben codi'r barlys o'r ddaear, a gadawyd iddo bydru. Erbyn 1820 roedd Sheci wedi cymryd llw i fod yn gwnstabl.

Penderfynodd y gwragedd a oedd yn dymchwel y cloddiau i'w wysio yntau a chwnstabl cyfagos Castell Henri, James James, Penrhiw, i fod yn dystion mai nhw oedd wrthi ac nid gwrywod y plwyf. Y gred oedd na fyddid yn arestio gwragedd. Ond y canlyniad fu i Sheci gael ei arestio a'i gyhuddo o gefnogi'r gwragedd a bu rhaid iddo ffoi a chuddio. Bu chwilio mawr amdano a phobol yn gwylied Cefneithin ddydd a nos. Pan aed yno liw nos ac yntau wedi cael achlust bod ei erlidwyr yn mynd i alw heibio aeth i guddio o dan gladd mawn lle bu'n gweithio yn ystod y dydd. Camodd ei erlidwyr dros ei ben heb wybod ei fod yno oddi tanynt. Profodd eu siwrne yn ofer. Yn ddiweddarach bu rhaid iddo ymddangos gerbron Llys Ynadon Cemaes yn Eglwyswrw i ddadlau ei achos a hynny'n llwyddiannus am na chollodd ei swydd o leiaf.

Ond ymddengys iddo orfod ildio ei swydd yn ddiweddarach oherwydd erbyn 1846 caiff ei ddilorni'n hallt, os nad ei enllibio, mewn erthygl pedair colofn a hanner yn *Seren Gomer*, yn dilyn helynt ynghylch dewis gweinidog i un o gapeli'r ardal. Ymddengys iddo geisio defnyddio ei awdurdod yn 'enw'r Frenhines' i atal rhywrai rhag dringo i bulpud capel, nad oedd yn aelod ynddo, cyn i'r cwnstabl go iawn ymaflyd ynddo a'i daflu "nes oedd ei faglau yn chwareu dros y pulpit seat". Fe'i diharebwyd fel gŵr a fu byw bron ymhobman heblaw am uffern gan 'Twm o Faenclochog' sef yr enw wrth gwt yr erthygl. Cymeriad lliwgar oedd Sheci Budloy.[3]

Rhaid nodi hefyd bod yna Derfysgoedd Bara wedi bod ym Maenclochog yn 1794, fel y bu mewn llawer o fannau yn Lloegr. Roedd bara yn brin ac yn ddrud. Roedd yr haf hwnnw yn arbennig o sych a'r cnydau grawn yn alaethus. Ar draws y wlad roedd y llywodraeth yn prynu grawn er mwyn bwydo'r milwyr hynny oedd yn brwydro yn erbyn Ffrainc. Roedd y prisiau'n uchel a newyn wrth y drws. Ceisiodd yr offeiriad ar y pryd, Morgan Price B.A., ymyrryd ar ran y plwyfolion wrth gyflwyno eu hachos gerbron yr ustusiaid.

Ar 4 Ionawr 1801 wedyn cafodd Maer Trefdraeth, John Ladd, ei gymryd i'r ddalfa wedi'i gyhuddo o achosi terfysg oherwydd prisiau uchel gwenith a barlys. Roedd y tirfeddianwyr lleol, gan gynnwys Boweniaid Llwyngwair, ar ôl cyfres o gynaeafau gwael, yn mynnu gwerthu eu hychydig gynnyrch i'r ardaloedd diwydiannol yn hytrach nag i'r trigolion lleol. Hynny arweiniodd at dorf o bobl yn ymgynnull wrth stordai grawn yn y Parrog, ar anogaeth John Ladd, a fynnai fod y grawn yn cael ei werthu'n lleol am brisiau teg.

Doedd hi o ddim cymorth yn lleol bod yna gyfyngiadau ar y tlodion rhag tyfu gwenith ar dir comin wrth i'r landlordiaid fynnu cau mwy a mwy o dir. Roedd perchnogion ystâd y Bronwydd, a oedd yn un o'r ystadau mwyaf yn y gorllewin, wedi ceisio diddymu hawliau torri mawn ar y comin. Erbyn yr 1830au roedd yn amlwg nad oedd tirfeddianwyr a phrydleswyr yn cydweithio er lles y gymdeithas gyfan. Er bod peth llaesu efallai ar dalu dyledion rhent, roedd gofynion y naill a'r llall yn wahanol, y naill am gynnal safon uwch o fyw trwy wneud elw a'r llall am wneud dim mwy na thalu ffordd er mwyn crafu byw. Y ni a nhw oedd hi o'r ddwy ochr.

Adroddir hanes am Mari Rees, Dolaeron, Llanfyrnach, mam-gu'r Prifathro Thomas Rees, Bala Bangor, yn talu rhent ei thyddyn un flwyddyn trwy gasglu aeron y gors a dyfai yn Nolaeron a'u gwerthu i Syr Marteine Lloyd, perchennog ystâd y Bronwydd, a pherchennog Dolaeron. Magodd wyth o blant. Dywedir na feddyliai ddwywaith am gerdded i Gaerfyrddin ac yn ôl yr un diwrnod yn cario basged ar ei phen yn llawn ymenyn, a'i gario adref eto'n llawn o nwyddau'r farchnad, a hynny'n tynnu at bymtheg milltir un ffordd. Tebyg mai ar sail grym ewyllys cyffelyb y gwnâi eraill gadw'r blaidd o'r drws. Hwyrach y byddai rhaid gwerthu anifail na fyddid fel arall yn ei werthu. Wedi'r cyfan roedd buwch yn werthfawr nid yn unig am ei llaeth ond er mwyn magu llo.

Rhaid nodi bod Thomas Rees, Dolaeron, fel academydd a heddychwr wedi arddangos yr un annibyniaeth barn, grym ewyllys a rhuddin â Thomas Rees, Carnabwth. Roedden nhw'n rhannu'r un llinach, er na wyddom sut. Dengys cofiant T. Eurig Davies (1892-1951), *Y Prifathro Thomas Rees Ei Fywyd a'i Waith*, a gyhoeddwyd yn 1939 gan Wasg Gomer, bod y ddau Dwm, pa mor agos bynnag a berthynent, yn rhannu'r un rhinweddau o ran penderfyniad a pharodrwydd i weithredu.

Ond roedd tirfeddianwraig ffuglennol Brian John, Martha

Morgan, yn llawn cydymdeimlad â'r tyddynwyr a'r ffermwyr tlawd a wrthwynebai bresenoldeb tollborth yn Efail-wen. Er mor annhebygol y byddai dynes yn rheoli ystâd, mynnai yn ei dyddiadur ei bod mewn cysylltiad â'r arweinwyr, a'i bod hyd yn oed wedi cael ei gwahodd i gyfarfod a gynhelid yn sgubor Glynsaithmaen ar odre Foel Cwm Cerwyn. Cyfarfu â Twm Carnabwth a phenboethiaid eraill a chynnig cyngor iddyn nhw. Fe'u rhybuddiodd i arddel cyfrinachedd ac i beidio â thrafod unrhyw gynllun gweithredu yn agored am na wyddys pwy allai fod yn ysbïo ar ran yr awdurdodau. Yn wir, fe'u siarsiodd i ystyried p'un a fedren nhw ymddiried ym mhwy bynnag oedd yn sefyll yn eu hymyl yn y sgubor orlawn. Mynnai nad oedd am ddim i'w wneud â'r Ddeddf Cau Tir Comin:

> So the Squires say that their enclosures of the best grazing areas are legal, even though the process has forced more and more animals onto the moorlands covered by rocks and bracken, and more and more small farmers into destitution. In the last six months, four well-established *tŷ unnos* hovels have been smashed down by the local squires, who have been perfectly impervious to the cries of those who have been made homeless and to the pleas which I have entered on their behalf. I will have nothing to do with these enclosures, since my animals need the common too, but the common grazing area on Carningli and Dinas mountain has been reduced by about thirty per cent since I first came to the Plas.[4]

Heblaw am y ffeiriau ac ar achlysuron oedfaon y capeli derbynnir mai sgubor Glynsaithmaen, ar odre Foel Cwm Cerwyn, oedd mangre y trafodaethau manwl a chyfrinachol ynghylch beth i'w wneud yn wyneb yr argyfwng. Roedd yn gyrchfan lled ddirgel ac yn hwylus i drigolion yr ochr arall i Fynydd y Preselau. O ran Twm Carnabwth prin y medrai fod yn fwy cyfleus. Roedd wedi codi ei fwthyn unnos tua'r adeg y priododd yntau a Rachel Owen yn Eglwys San Mihangel, Mynachlog-ddu ar 18 Hydref 1827 mae'n siŵr, dros ddeng mlynedd ynghynt, a hynny ar lan afon Wern, dim ond lled rhyw ddau gae o glos Glynsaithmaen.

Pwy fyddai'n 'cadeirio'r' trafodaethau? Oedd yna drefn wrth i'r ffermwyr fynegi eu digofaint a'u rhwystredigaeth? Oedd yna rai wedi danto ac yn methu gweld unrhyw ymwared? Tebyg y byddai'r mwyaf llugoer, o wrando ar daerineb y penboethiaid dros waredu iet Efail-wen, o dipyn i beth yn derbyn rhesymeg y ddadl. Yn sicr, doedd Thomas Bullin ddim yn ei anwylo ei hun i'r un ohonyn nhw. Byddai gan y mwyafrif ohonyn nhw gysylltiadau â chapeli'r fro. Oedden nhw'n gweld bod Anghydffurfiaeth wedi gwella eu byd? Ffermwyr fyddai arweinwyr y capeli a ffermwyr fyddai nifer o'r pregethwyr gan gynnwys David Michael, Iet-hen gerllaw, cyn iddo ymfudo i America yn 1831, a David Owen, Pantithel; y ddau yn gwasanaethu capel Bethel, Mynachlog-ddu. Bu farw David Owen ym mis Ebrill 1839 yn 29 oed.

Tebyg y medren nhw geisio lliniaru rhywfaint ar y dicter trwy ddweud bod Deddf Priodi'r Anghydffurfwyr wedi'i phasio yn 1836 yn caniatáu priodi mewn capeli yn hytrach na dim ond yn eglwys y plwyf, a'r Ddeddf Cofrestru Sifil wedi'i phasio flwyddyn yn ddiweddarach. Roedd yna statws cyfreithiol nawr i gofnodi genedigaethau, priodasau a marwolaethau, a thystysgrifau'n cael eu llofnodi i brofi hynny, heb ddibynnu ar gofnodion hap a damwain eglwysi'r plwyf fel roedd hi cynt. Ond manion fyddai'r gwelliannau rhain yng ngolwg y ffermwyr. Roedd y dreth eglwysig a'r orfodaeth a fodolai o hyd i fod yn wardeniaid eglwys, i gyflawni cyfrifoldebau'r plwyf fel endid weinyddol yn y cyfarfodydd Festri, yn dal i'w poeni fel cornwydon ar groen.

Ond taliadau'r degwm oedd yn eu cythruddo'n bennaf. Roedd Deddf Cymudo'r Degwm 1836 yn mynnu taliadau mewn arian yn hytrach nag mewn cynnyrch fel y bu cynt. Dadleuid mai 'treth ar eiddo' oedd y degwm ac mai cyfrifoldeb y tirfeddiannwr oedd ei thalu. Ond disgwylid i'r tenant ysgwyddo'r baich a hwyrach mai'r tirfeddiannwr ei hun oedd perchennog y degwm. Medrai flingo i'r eithaf, gan fynnu taliadau nid yn unig am yr erwau o dir ond trwy ddegymu manion megis lloi, ŵyn ac wyau yn ogystal ag ŷd a gwair. Byddai hynny'n codi'r pwysau gwaed yn fwy na dim yn y sgubor. Byddai'n cymryd blynyddoedd i baratoi holl fapiau'r degwm. Roedd hi'n 1846 ar Fap Degwm Mynachlog-ddu yn cael ei gwblhau a nodir mai pedair ceiniog oedd disgwyl i Thomas Rees ei dalu am ei ddwy erw a 13 perc o dir; roedd perc yn fesur o bum llathen a hanner. Roedd James Llewhellin yng Nghwmcerwyn gerllaw yn talu £1/12/3 am ei 227 o erwau, ac Elizabeth John yn Nolaumaen ym mhen arall y plwyf yn talu £5/10/6 am 655 o erwau oedd yn cynnwys cryn dipyn o dir mynydd.

Roedd Glynsaithmaen ei hun ym mhlwyf Llangolman. Dengys Map y Degwm 1841 a Chyfrifiad yr un flwyddyn mai gŵr 45 oed o'r enw Daniel John oedd yn amaethu 228 erw, 1 rhwd (chwarter erw) a 19 perc yno a'i fod yn talu £6/8/9 o ddegwm. Cyflogai tair morwyn a phedwar gwas ar y pryd. Roedd taliadau degwm y plwyf wedyn yn cael eu rhannu rhwng tri pherson: William Howell a dderbyniai £9; y ficer, James Propert Williams, a dderbyniai £33/13/4 a'r Amfeddwr (Impropriator), Charles Wheeler Townshend Webb Bowen a dderbyniai £67/6/8. Roedd y cyfanswm yma o £110 yn seiliedig ar 2,912 o erwau a 33 perc. Byddai Charles Bowen, perchennog Ystâd Camros, o leiaf am wneud yn siwr na fyddai ar ei golled ar sail ei fuddsoddiad yn prynu hawliau'r degwm. Roedd byd Mr Bowen yn fyd tra gwahanol i fyd Twm Carnabwth.

O ddychmygu'r cynnwrf cynyddol yn y sgubor yn ystod y cyfarfodydd hynny, a'r cynnwrf hwnnw yn cael ei gludo gan y rhai oedd yno i'w cymdogaethau unigol, hawdd deall dyfarniad yr hanesydd David W. Howell am Helyntion y Becca:

> The traditional community bonds had been loosened in the eighteenth century with the alienation of the native squirearchy from their native culture. In the absence of a middle class in the countryside the vacuum of leadership was increasingly filled in the early nineteenth century by the Nonconformist ministers.

Nonconformity – especially the Baptist and Independent
denominations – doubtless played an important part in shaping
the discontent of the tenant community. Thus dislike of tithes
and church rates stemmed as much from religious principle as
financial hardship. Welsh Nonconformity, strongly averse to state
interference of any kind, also accounted for some of the hostility
towards the Poor Law Amendment Act. On the other hand, it
is important to stress that the Riots were not an ideologically
inspired anti-landlord movement. They were rather an attack on
what the peasant farmers considered were particular injustices and
abuses of the old society.[5]

Teg dyfynnu arch-hanesydd y cyfnod, yr Athro David
Williams, drachefn, yn cynnig ei drosolwg yntau o'r cymhellion
oddi fewn i'r gymdeithas yn y fro arweiniodd at y gweithredu:

Economic depression always throws specific grievances into
high relief, and these grievances become formulated by the more
politically-minded members of a community. Although it will be
seen that there was no organised conspiracy in West Wales, no
clear leadership, above all no one man who personified Rebecca,
it is nevertheless necessary to examine the climate of opinion, the
welter of confused beliefs and emotions, in which the movement
grew.[6]

Ymddengys fod un o Gomisiynwyr Deddf y Tlodion yn gweld
y darlun ehangach hefyd. William Day, brodor o Bloomsbury,
Middlesex oedd yn gyfrifol am oruchwylio'r gwaith yng
Nghymru, ac mewn llythyr ddanfonwyd at y Swyddfa Gartref
yn 1843 doedd e ddim yn disytyru dylanwad y gweinidogion:

The landlords are most of them of the Old Church and King
School – the tenantry are almost all Dissenters, with a spice of the
fanaticism of the Covenanters about them. Still there is – or rather
has been – a sort of feudal deference existing between the parties
– but I suspect it to be the result of habit, rather than of feeling
resulting from conviction, and which may readily be put aside
on a change of circumstances. There is moreover another class

more powerful perhaps than even the Landlord – and this is the Preachers – and the great bulk of the population are as much in their hands as the Papists of Ireland in the hands of their priests.[7]

Prin bod yr un gweinidog Anghydffurfiol yn mynychu'r cyfarfodydd yn sgubor Glynsaithmaen. Ac os oedden nhw'n gefnogol i'r hyn a oedd ar y gweill mae'n rhaid mai o hirbell roedden nhw'n cefnogi. Ar yr un pryd doedd dim dwywaith bod aelodau a mynychwyr y capeli, hyd yn oed os nad oedd y blaenoriaid yn y Sedd Fawr ac ymhlith y swyddogion, yn bresennol yn y sgubor ac wrth iet Efail-wen pan gafodd ei dymchwel, yn gefnogol. Doedd dim prinder cefnogaeth gudd. Nid oes angen credu y byddai syniadau meddylwyr radical y dydd megis Voltaire (1694–1778) a Thomas Paine (1737–1809) yn cael eu dyfynnu yn y trafodaethau chwaith. Does dim angen credu bod copi o'r Beibl wrth law a'u bod, y rhai a oedd yn llythrennog, yn darllen adnodau o Bennod 24 o Lyfr Genesis am yn ail neu ar y cyd. Er rhaid cofio bod y Cymry'n cael eu hystyried ymhlith y gwerinoedd mwyaf llythrennog yn Ewrop o ganlyniad i waith yr ysgolion cylchynol. Ond teg credu y byddai nifer o'u plith yn ymwybodol o'r anesmwythyd a fu yn ne Cymru yn ystod y misoedd blaenorol.

Hwyrach y byddai rhywun wedi crybwyll enw Hugh Williams (1796–1874), er nid oherwydd ei gysylltiad ag Anghydffurfiaeth ond oherwydd ei gysylltiad â radicaliaeth. Hwyrach y byddai rhywun o'u plith wedi cyfarfod â'r cyfreithiwr o Gaerfyrddin ac wedi bod yn sgwrsio ag ef am yr hyn a'u blinent. Wedi'r cyfan roedd y brodor 43 oed o Fachynlleth, oddi ar 1836, yn ysgrifennydd cangen mudiad y Siartwyr oedd wedi'i sefydlu yng Nghaerfyrddin. Mynychai gyfarfodydd y brif gangen yn Llundain fel aelod anrhydeddus. Diwygio'r drefn etholiadol oedd prif fyrdwn y mudiad er mwyn ehangu'r hawl i bleidleisio y tu hwnt i'r sawl a berchnogai diroedd. Y nod oedd ennyn cefnogaeth y dosbarth gweithiol. I'r perwyl hwn trefnodd Hugh Williams rali fawr yng Nghaerfyrddin ar nos Fercher, 9 Ionawr 1839, ac yn ôl cyhoeddiad y *Silurian* roedd 4,000 yn bresennol yng ngolau lanternau a ffaglau oddi amgylch cofeb wreiddiol Syr Thomas Picton (1758–1815) a gwblhawyd yn 1828. Ac os oedd y dorf mor enfawr â hynny, oedd yno rhai o drigolion Bro'r Preseli'n bresennol?

Ond yn fwy arwyddocaol fyth roedd Williams wedi anfon cynrychiolydd o'r enw William Jenkins i genhadu ar hyd siroedd y gorllewin. Ceisiodd ynadon Arberth ei rwystro rhag cynnal cyfarfodydd torfol. Wedi'r cyfan fe fu yna ymgais i losgi'r tloty oedd yn cael ei adeiladu yn y dref ar nos Fercher, 16 Ionawr, union wythnos ers y cyfarfod torfol yng Nghaerfyrddin. Doedd yr ynadon ddim am annog trefnu'r un cyfarfod a allai arwain at weithredu cyffelyb. A doedd neb wedi'i arestio am y drosedd honno er cynnig abwyd ariannol wrth apelio am wybodaeth. Hwyrach fod rhywrai a oedd yn y sgubor yn gwybod mwy am y llosgi ac wedi bod yn rhan o'r drosedd.

Dengys cofnodion y cyfnod ym meddiant y Swyddfa Gartref iddyn nhw dderbyn adroddiadau am bresenoldeb Siartwyr yn ardaloedd cefn gwlad siroedd y gorllewin. Mewn un adroddiad honnir bod dau Siartydd o Birmingham wedi bod yng nghyffiniau Efail-wen yn ystod y gwanwyn. Os oedden nhw'n frodorion o'r dref honno mae'n rhaid bod William Jenkins yn eu hebrwng o ran eu cynorthwyo i gyfathrebu a chanfod eu ffordd o amgylch oni bai eu bod yn canolbwyntio ar genhadu yn ne Sir Benfro.

Byddai'r neges yn siŵr o daro tant am na fyddai'r werin bobl yn teimlo bod eu buddiannau yn cael eu cynrychioli yn y senedd. Y tirfeddianwyr oedd yr Aelodau Seneddol a nhw, yng ngolwg y werin bobl, oedd y bwganod oedd yn eu rhwystro rhag gwella eu byd ar y pryd. Syr John Owen (1776–1861) o Orielton ger Penfro oedd cynrychiolydd Sir Benfro rhwng 1812 ac 1841. Doedd y ffaith iddo bleidleisio yn erbyn y Ddeddf Diwygio yn 1831 ddim wedi ei anwylo. Wrth iddo deithio tua thre dangosodd trigolion Caerfyrddin eu dirmyg tuag ato:

… was received with hisses and hootings by an immense crowd, who followed him with the same demonstrations to the outskirts of the town.[8]

Crynhodd ei gyfoeth yn y diwydiant glo a bu rhaid iddo wario ei ffortiwn yn helaeth er mwyn dal gafael ar ei sedd mewn dau etholiad yn 1831. Roedd hi'n arferol yr adeg hynny i wario'n helaeth ar ddiodydd am ddim i ddarpar bleidleiswyr, a doedd Aelodau Seneddol ddim yn derbyn tâl. Ac nid pawb oedd yn cael bwrw pleidlais wrth gwrs; dim ond rhai dynion breintiedig. Fe'i gwnaed yn Arglwydd Lefftenant y Sir yn 1824. Yn 1836 dywedir iddo herian cyn-faer Dinbych-y-pysgod, William Richards, mewn gornest llawddrylliau; yr olaf o'i bath i'w chofnodi yng Nghymru. Yn 1838 cymrodd les ar dir yn Awstralia, er ni fu yno erioed.

Roedd ei fab, Syr Hugh Owen Owen (1803–1891) yn cynrychioli Bwrdeistref Penfro yn y senedd rhwng 1826 ac 1838 pan ymddiswyddodd. Yn ddiddorol roedd ganddo 125 erw, yn cynnwys 99 erw o dir mynydd, yn eiddo iddo yn ardal Rhos-y-bwlch gerllaw yn ogystal â chwarel Bellstone. Derbyniodd ei addysg yn Eton a Rhydychen. Roedd ganddo gartref yn y pentref ac oedd, roedd wedi rhoi defnydd o'i stablau i Fedyddwyr lleol i gynnal oedfaon yn ddi-dâl. Yn rhinwedd ei swydd fel Is-Raglaw Sir Benfro yn ddiweddarach yn 1843, ar ran yr ynadon, roedd wedi efelychu ei gymheiriaid yn Sir Aberteifi a Sir Gaerfyrddin, Arglwydd Raglaw W. E. Powell a'r Is-Raglaw George Rice Trevor, trwy rybuddio'r Becäod bod rhaid cynnal y ffyrdd naill ai trwy dollau neu drethi neu gyfuniad o'r ddau, gan wahodd pawb o bob dosbarth i barchu'r gyfraith a chadw heddwch a threfn.

Roedd y ffaith bod tad a mab o deulu breiniol yn cynrychioli dwy etholaeth Sir Benfro ynddo'i hun yn arwydd o nepotistiaeth, a chan mai dim ond tirfeddianwyr oedd â'r hawl i bleidleisio, doedden nhw ddim yn hidio am bicil y werin bobl ddibleidlais. Doedd arnyn nhw ddim angen eu cefnogaeth i'w cadw yn San Steffan. Mewn gwirionedd etifeddodd ystâd Orielton o ganlyniad i gyfeillgarwch ei fam, Charlotte Phillips, â'r Fonesig Anne Owen, mam Syr Hugh Owen. O'r herwydd newidiodd ei gyfenw i Owen. Roedd y teitl o farchog yn etifeddol fel rhan o farwniaeth.

Yn ddiweddarach yn 1889 cyhoeddodd y Cyrnol John Owen (1828–1890), mab Syr Hugh Owen Owen, lyfr yn dwyn y teitl *Memories of Above Half a Century* o dan yr enw Owen Square. Hynny am mai dyna ei lysenw ers dyddiau ysgol yn Rugby lle'r oedd, dan y drefn mewn ysgolion bonedd, yn 'was bach' i Thomas Hughes, awdur *Tom Brown's Schooldays* yn ddiweddarach. Mae'n debyg bod Hughes yn dipyn o focsiwr ac Owen wedyn yn gorfod ei ddilyn i'r sgwâr bocsio ac o'r herwydd bathwyd y llysenw. Mae'r llyfr yn sôn am ei helyntion yn Rhos-y-bwlch.

Ddeng mlynedd ynghynt cyhoeddwyd *Guide Book for the Use of Visitors to the Precelly Range* gan Joseph Babington Macaulay a oedd yn gysylltiedig â theulu Edward Cropper fu'n ceisio sefydlu Rhos-y-bwlch yn gyrchfan gwyliau ond yn aflwyddiannus. Ei gyfieithiad o Foel Cwm Cerwyn oedd "baldhollow of the wash-tub" gan awgrymu hefyd fod 'cerwyn' efallai yn hanu o'r Lladin 'cervus' sef y gair am 'garw' yn hytrach na thwba golchi. Roedd Macaulay yn lysfab i Cropper. Roedd Cropper, yr *entrepreneur* o Penshurst yng Nghaint, wedi cymryd fel ei ail wraig, chwaer Thomas Babington sef yr hanesydd Arglwydd Macaulay, a'i drydedd wraig yn 1848 oedd gweddw brawd Arglwydd Macaulay. Daeth hithau, Margaret, yn ei thro yn wraig i'r Cyrnol John Owen, mab Syr Hugh. Edward Cropper (1799–1877) fu'n gyfrifol am sefydlu rheilffordd o Glunderwen i'r pentref er mwyn cludo llechi o chwarel leol Rosebush a brynwyd ganddo yn 1869 pan oedd yn 70 oed. Dywedir iddo dalu £3,750 am ryddfraint y chwarel i Mary Williams o Arberth, gweddw'r perchennog blaenorol, a'r un pryd prynodd holl offer y chwarel segur wrth y derbynwyr.

Beth bynnag, does yna ddim yn yr un o'r ddau lyfr sy'n taflu goleuni ar fater y Becca gan nad yw'r enw yn cael ei grybwyll hyd yn oed. Ond ceir manylyn diddorol yn llyfr 'Owen Square' sy'n cyfeirio at gyswllt annisgwyl rhwng stad y teulu yn Rhos-y-bwlch a'u heiddo yn Tasmania:

> That a man who became our principal tenant, paying £400 a year for his farm at Orielton out there was transported for life for stealing one sheep. He had lived at Temperness on the hill side, near Rosebush in Pembrokeshire, where I see the Laburnums and the Sycamores that he planted still growing.
> Fancy my taking the governor, Col. Gore Brown and Sir Valentine Fleming, the Lord Chief Justice of the colony (lately dead), Quail shooting to his farm, and our having one of the grandest dinners in all my colonial experience at his house. Now and again I could see the tear trickling, but I changed the subject.
> His sons were the champion ploughmen of the colony, and indeed of the other colonies. They were fine tall handsome men, with drake tail curly moustaches, and were splendid specimens of British yeomen.[9]

Y lleidr hwnnw oedd David Phillips a gafodd ei alltudio am oes pan oedd yn 27 oed yn 1829, rhyw ddeunaw mis wedi iddo briodi Charlotte Rowland, merch Tafarn Newydd gerllaw, a phan oedd eu merch, Sarah Phillip, heb gyrraedd ei blwydd oed. Mewn gwirionedd, roedd yn un o denantiaid yr Oweniaid yn ei gynefin a'r un modd drachefn yn Nhasmania yn talu £400 o rent blynyddol, ac yn cael ei gydnabod fel David Phillips Esquire erbyn hynny. Hwyliodd ei wraig a'i groten i ymuno ag ef yn 'y wlad fawr' a bu hi fyw am ugain mlynedd wedi marwolaeth ei gŵr yn 64 oed yn 1865.

A doedd dwyn defaid ddim yn anghyffredin. Ym mis Mawrth 1840 cafodd gŵr arall o'r ardal, John Owen, ei garcharu am chwe mis ar ôl ei gael yn euog o ddwyn dwy ddafad ac oen o eiddo Hannah Thomas, Tymeini, Rhos-y-bwlch. Roedd wedi'u gwerthu yn Ffair Maenclochog gan ddweud ei fod yn llwgu. Erbyn hynny doedd y gosb am ddwyn defaid ddim mor llym ag oedd cynt.

Ond hawdd deall na fyddai'r un o'r Oweniaid na Macaulay

yn ddim mwy na thestun gwawd i fechgyn y sgubor. Ni fedrent ddisgwyl eu cefnogaeth mewn unrhyw fodd. Doedd y teuluoedd bonedd ddim yn medru dirnad yr iau oedd yn gwasgu ar warrau'r brodorion. Hwy oedd y gelyn; cwbl nodweddiadol o'r bonedd Cymreig oedd wedi ymseisnigo ers gollwng yr 'ap' o'u cyfenwau ar ddiwedd yr unfed ganrif ar bymtheg pan oedd gan yr Oweniaid gysylltiad â theulu Bodowen, Ynys Môn, ac yn hawlio eu bod yn llinach Hwfa ap Cynddelw y dywedir iddo fod yn stiward i Owain Gwynedd (1100–1170). Doedd hynny ddim yma nac acw i fechgyn y sgubor. Mae'r hanesydd David J. V. Jones yn ei gyfrol *Rebecca's Children* yn crynhoi natur y gwahanfur a fodolai rhwng gwerinwyr sgubor Glynsaithmaen a'r byddigions a reolai eu bywydau;

> ... a more permament grouse that the interest in the leisure of the wealthy diverted attention from the real problems of country living. The irony, during the Rebecca riots, of gentlefolk searching for the wonders of geographical and archaeological Wales on Preseli mountain being waited upon by sullen locals in European peasant dress was duly noted.[10]

Roedd llawer o'r tirfeddianwyr yn treulio cyfnodau hir yn byw yn fras yn Llundain ar draul arian eu tenantiaid. Gadawodd Syr Richard Philipps Gastell Pictwn am yr Eidal, os gwelwch yn dda, yn 1833 ac yno y bu am saith mlynedd. Cyflogwyd eraill i weinyddu'r ystadau yn ei absenoldeb a fyddai'r rheiny ddim wedi'u dewis o blith y boblogaeth leol. Oedd, roedd yna faterion eraill oedd yn gwasgu ar y 'sullen locals', yn uniongyrchol ac yn llythrennol, ac yn haeddu eu sylw.

Diau yng nghanol y berw byddai rhywun wedi crybwyll helyntion Ebenezer Morris, ficer yr Eglwys Wladol yn Llanelli, a fynnai ddod ag achosion llys yn erbyn Anghydffurfwyr. Pan gafodd John James, aelod yng Nghapel Als, yr Annibynwyr, yn y dref, ei ethol yn warden eglwysig yn 1838, buan y cafodd ei erlyn mewn llys eglwysig gan y ficer am esgeuluso ei ddyletswyddau, ac am wrthod darparu'r gwin angenrheidiol i weinyddu'r sacramentau. Gan iddo wrthod talu costau'r achos a pharhau i wrthod gweithredu ei ddyletswyddau fe gafodd ei garcharu. Yr un modd cafodd Undodwr, David Jones, a ddewiswyd yn warden Eglwys Llanon, ei erlyn gan Ebenezer Morris a'i garcharu am beidio â thalu £80 o gostau gan bledio tlodi. Er y lleiaf o'r enwadau crefyddol roedd yr Undodiaid yn sicr y mwyaf radical gan gyfrif yn eu plith yr arch-ddiwygiwr, Iolo Morganwg (1747–1826). Byddai'r gwaed yn berwi yn y sgubor.

Yn ddiddorol gweinidog Capel Als oedd gŵr o Dre-lech gerllaw, David Rees, (1801–1869) a oedd hefyd yn olygydd misolyn o'r enw *Y Diwygiwr* ers ei sefydlu yn 1835. Roedd yn gyhoeddiad radical a rhoddwyd i'r golygydd y llysenw 'Y Cynhyrfwr' am mai dyna'r geiriau a osodwyd deirgwaith yn olynol ar bennawd ei gyhoeddiad. Roedd hynny'n adleisio anogaeth y gwleidydd a'r cenedlaetholwr Gwyddelig, Daniel O'Connell (1775–1847), 'Agitate, Agitate, Agitate'. Roedd O'Connell wedi arwain y frwydr i ddileu'r orfodaeth ar ffermwyr Pabyddol i dalu degwm i Eglwys Loegr. Diau y byddai'r llythrennog ymhlith y ffermwyr a'r gweision yn gyfarwydd â llithiau *Y Diwygiwr* o blaid Anghydffurfiaeth, wrth iddo feirniadu'r wladwriaeth ac Eglwys Loegr yn hallt, fel rhan o'i ymgyrch dros ddiwygiadau cymdeithasol a chrefyddol. Roedd yn ddylanwadol ac yn annog ei ddarllenwyr i feddwl yn wleidyddol a chymryd cyfrifoldeb dros newid y drefn.

Tebyg y byddai rhai yn ymwybodol o ysgrifau gwenwynllyd a dychanol arch-elyn newyddiadurol David Rees hefyd. Brodor o Sir Gâr, o Lanpumsaint, oedd David Owen (1795– 1886), golygydd *Yr Haul*, misolyn Cymraeg Eglwys Loegr. Adwaenid ef yn ôl yr enw 'Brutus' a fflangellu'r gwannaf o blith y gweinidogion Anghydffurfiol oedd ei hoffter, gan gofio iddo gael ei ddiarddel gan y Bedyddwyr yn gynnar yn ei yrfa. A does dim dwywaith y byddai cynnwys *The Welshman* wythnosol yn cael ei rannu ymysg trigolion y fro fel na bod prinder deunydd cnoi cil o ran trafod eu picil.

Hwyrach y byddai rhywun wedi crybwyll yr helynt fu lawr yn Slebets yn ystod haf 1830 pan gafodd pedwar aelod o deulu lleol Llewellyn eu herlyn, am achosi terfysg ac ymosod, mewn anghydfod gydag ystâd de Rutzen ynghylch perchnogaeth pysgodfa. Er eu cael yn euog mewn achos brawdlys fe'u rhyddhawyd a'u gorchymyn i gadw'r heddwch ar sail ymrwymiad o 20/- yr un. Gwelid hynny fel gwrthdaro rhwng y dyn bach a'r gwŷr mawr ynghylch adnodd naturiol yr afonydd.

Bydden nhw'n fawr eu cleber a'u cynddaredd bid siŵr am eu profiadau yn cyrchu calch o'r Eglwys-lwyd, a'r rheidrwydd i geisio gwneud hynny o fewn terfynau diwrnod rhag talu ail doll. Byddent yn gresynu bod rhaid gyrru'r cesyg mor galed a wynebu difrodi echelion y ceirt. Atseiniai'r sgubor o regfeydd yn dilorni'r 'Bawlin'.

Roedd hyn i gyd yn rhan o'r pair trafod a arweiniodd at y penderfyniad i ymosod ar tollborth Efail-wen. Pan oedd hynny'n gytûn a'r holl fytheirio am fuchedd Thomas Bullin wedi chwythu'i blwc roedd rhaid penderfynu ar ddyddiad. 'Gorau byd po gyntaf' fyddai'r waedd mae'n siŵr, a chytunwyd ar nos Lun, Mai 13.

Disgwylid i bawb wisgo fel gwragedd yn null y ceffyl pren ac i dduo eu hwynebau rhag iddyn nhw gael eu hadnabod. Byddid wedi defnyddio parddu neu lo cwlwm wedi'i wlychu, ac hwyrach wedi'i gymysgu ag ychydig o sudd cwrens du os oedd y ffrwyth wedi aeddfedu ar y llwyni. Credir bod yr arfer hwnnw o ddisgyblu troseddwyr o fewn y fro trwy eu cywilyddio yn dal o fewn cof os nad mewn grym. Mae Martha Morgan, yn nofel Brian John, o leiaf yn cyfeirio at aml i weithred y ceffyl pren yn ystod y cyfnod hwn. Mae hynny, wrth gwrs, yn creu effaith dramatig mewn nofel hanesyddol.

Mae yna dystiolaeth gref bod yr arfer yn dal i fodoli yn y

cyffiniau ac yn wir yn cael ei weld fel sylfaen i ddulliau'r Becca, yn ôl Rosemary A. N. Jones:

> Both the *ceffyl pren* and Rebecca were animated and legitimized by a deep sense of popular justice and conviction that violent sanctions were condoned by customary morality. By drawing on existing repertoires, networks and conventions – particulary in the use of the female persona as the anonymous mouthpiece of communal justice, and the adoption of swift, and sometimes violent, direct action to redress immediate grievances – Rebecca was well-placed to deride the authorities and remind them, often in threatening tones, of their customary duties.
>
> Moreover, there are other similarities between the two traditions: in particular, many of Rebecca's nocturnal attacks on special constables and other 'informers' bear a marked resemblance to the *ceffyl pren* proper, although the intensified military presence and the severity of official reprisals led to the temporary abandonment of the public processional element. Conversely, *ceffyl pren* sanctions against 'moral' offenders such as adulterers and wife-beaters resumed under the pseudonym 'Rebecca'.
>
> The *ceffyl pren* was undoubtedly the 'role-model' which inspired and groomed Rebecca and, as such, was probably the most important defence mechanism, *vis-i-vis* the rich, which the unfranchised poorer classes could implement. It was often mobilised in times of acute social and economic dislocation, or when the cohesion of the community was threatened... .
>
> Furthermore, it was animated by a deep sense of ancient, prescriprive 'rights', based on the widely-held belief that Hywel Dda had sanctioned its usage, a myth which had become so firmly cemented in popular consciousness that it was often reiterated by members of the gentry. Many evinced a strong determination that these 'time-honoured' liberties should not be curtailed...
>
> To a certain extent, ritual disguise protected the main protagonists from reprisals and punishment, either at the instigation of the victim or, as was often the case, the local constabulary. But it also served to reinforce the communal nature of the punishment imposed; it presented the main participants as the anonymous and objective custodians of community morality.

The chosen form of ritual disguise – female attire, coats turned inside out or back to front, or decorative masks – often extended well beyond the bounds of what was required to avoid detection.

There are clear links with the festive repertoire. In a sense it could be argued that the main aim was to capitalise on the considerable social licence to deride which was afforded to the holiday season – or 'carnival', as it may be loosely termed. The symbolic 'reversal' of accepted social norms – implicit in sexual transvestism or the turning of coats – suggested a temporary inversion or suspension of established conventions and relationships, which, in turn, was believed to confer a certain immunity from the everyday processes of law.[11]

Ategir yr uchod gan Gwylon Phillips a fu'n astudio'r cyfnod yn drylwyr wrth baratoi ei lyfr am lofruddiaeth hynod yn ardal Bwlch-y-groes, Sir Benfro, yn 1840 a arweiniodd at alltudio'r troseddwr honedig:

Mynegwyd anobaith trigolion cefn gwlad yn gyffredinol yng ngorymdeithiau'r ceffyl pren a oedd, o ran nodweddion, yn hynod o debyg i weithgareddau Beca. Ym mherfeddion nos, ai'r dynion mewn gwisgoedd merched â'u hwynebau wedi'u pardduo, gorymdeithient y tu ôl i'r ceffyl pren drwy gefn gwlad cyn cynnal ffug-brawf ar berson a oedd, yn eu golwg hwy, yn euog o drosedd yn erbyn cymdeithas ac yn enwedig am anfoesoldeb. Bu digwyddiad o'r math ym mhlwyf Bridell ym Mehefin 1839. Y person a erlidiwyd y noson honno oedd David Morris, ffermwr lleol a ddrwgdybid o fod yn anffyddlon i'w wraig. Daeth y terfysg yno i sylw'r ynadon a chymerwyd William Garnon, gŵr ifanc parchus, llythrennog i'r ddalfa. Dirwywyd ef ym Mrawdlys Sir Benfro ym mis Mawrth 1840.[12]

Does dim dwywaith y byddai criw'r sgubor wedi clywed am aml i achos o weithredu'r 'ceffyl pren' ac yn arbennig yr hyn a ddigwyddodd yng Nghilgerran ym mis Mai 1837 gan arwain at achos brawdlys. Mae'n debyg bod Albanwr oedd yn gweithio fel peintiwr ar ystâd yn y cyffiniau wedi rhannu gwybodaeth am unigolyn oedd wedi torri a chymryd pystion

ynn o allt ei gyflogwr. Ar ôl i'r unigolyn gael ei ddedfrydu am
ddwyn bygythiwyd yr Albanwr â chosb y 'ceffyl pren'. Dyna
ddigwyddodd ar ddau achlysur, 11 ac 18 Mai. Arweiniodd
hynny at gyhuddiadau o ymosod ac achosi terfysg yn erbyn
Thomas Hazelby a John Williams. Roedd yna enghreifftiau
eraill o weithredu'r ceffyl pren yn erbyn y rhai oedd yn cael eu
gweld fel 'bradwyr'. Mae'r wythnosolyn *The Cambrian* ym mis
Mawrth 1840 yn cofnodi bod gŵr ifanc o'r enw William Garnon
a nodir uchod wedi cael dirwy o dri swllt am ei ran yn erlid gŵr
o'r enw David Morris, ym mhlwyf Bridell, a ddrwgdybid o fod
yn anffyddlon i'w wraig.

O ystyried yr uchod mae'n rhaid bod criw'r sgubor yn
ddarbodus wrth ddewis 'arweinwyr' i dywys y fintai tuag at
Efail-wen o wahanol gyfeiriadau, a gosod cyfarwyddyd i
weithredu'n sydyn ac effeithiol cyn diflannu i ddüwch y nos.
Disgwylid i rai ddod â'u ceirt a chadwyni er mwyn tynnu a
llusgo'r iet o'i cholynnau cyn ei malu'n rhacs jibidêrs. Mae'n
rhaid bod Twm Carnabwth yn ysu i fynd ynghyd â'r weithred ac
yn annog ei gyfoedion, os oedden nhw'n bryderus, i sylweddoli
nad oedd dewis ond gweithredu os oedden nhw am well byd
iddyn nhw eu hunain. Doedd Twm ddim am fod yn daeog.
Roedd gwrando ar y dadleuon yn y sgubor wedi'i argyhoeddi
bod rhaid gweithredu. Doedd taeogrwydd ddim yn gydnaws â'i
gymeriad. Roedd y ffaith iddo godi cartref iddo'i hun a'i deulu
yn ddyn ifanc yn brawf o'i wytnwch. Dioddefodd ei hun o dan
y drefn a weinyddwyd gan y byddigions. Dyna fyddai ei neges
yn Ffair Henfeddau ar y nos Sadwrn, 11 Mai.

Cyn mentro ar y cyrch ar y nos Lun, hwyrach y byddai Twm,
a nifer o'r lleill, wedi llyncu dau neu dri o wyau'n amrwd a'r
rheiny'n dal yn dwym o'r nyth. Dyna ei arfer wrth fynychu
ffeiriau. Hynny ynddo'i hun yn tanlinellu maint tlodi'r cyfnod
ac fel un o'r bwydydd iachus mwyaf naturiol posib yn gyfrwng
nerth i gyflawni'r dasg. Byddai hefyd wedi eillio ei farf gorau
medrai i'w gwneud yn anos iddo gael ei adnabod. Nawr neu
ddim oedd hi os am fynegi anniddigrwydd trigolion cefn gwlad

ynghylch deddfau'r tlodion a'r degwm, y gofynion eglwysig, landlordiaeth a'r sefyllfa economaidd yn gyffredinol, ac yn gopsi ar y cwbl, prisiau'r tollbyrth. Rhaid oedd gweithredu doed a ddelo, a disgwyl yr hyn a ddelo. Roedd ymneilltuaeth grefyddol y tu cefn iddyn nhw a rhaid peidio â dibrisio ei ddylanwad. Roedd yn gefnlen gymdeithasol amlwg yn sicr, yng ngolwg J. Dyfnallt Owen rhwng 1840 a 1890:

Canolfan y bywyd cymdeithasol a chrefyddol drwy holl dreigl yr hanner can mlynedd oedd y capel. Nid oedd a gystadleuai ag ef. Yno y casglai ac y cartrefai bywyd cymdogaeth. Cydnabyddid sefydliadau capel yn brif gyfryngau diwylliant y bywyd crefyddol a ystyrid yn hanfod y bywyd cenedlaethol. Swcrid hwn gan yr Ysgol Sul, y Cwrdd Gweddi, y Seiat, y Cyfarfod Darllen a'r Ysgol Gân. Y capel oedd nawdd a nerth a symbylydd yr ymwybod newydd.

Y capel oedd meithrinydd y bywyd cymdeithasol gwerinol. Ni chydnabyddid dosbarth na thras. Teulu crefyddol oedd y capel. Eisteddai perchennog gwaith ochr yn ochr â'i weithiwr yn y Sêt Fawr, a chyfarch ei gilydd fel "ti" a "thithau". Âi'r pechadur yn syml at ei Dad nefol yn y Cwrdd Gweddi, a'i weddi'n rhan o gynhysgaeth ysbrydol y teulu. Codai ar ei draed i adrodd ei brofiad yn y Seiat neu i draethu ei farn ar adnod neu bwnc o athroniaeth. O'r fan hon y tarddodd ei syniad am ryddid. Drwy'r capel yr ymweithia crefydd i holl diriogaeth bywyd, cymdogaeth a gwlad.[13]

Hwyrach bod yna elfen o or-ddweud a chyffredinoli yn yr uchod o safbwynt buchedd y criw yn sgubor Glynsaithmaen yn ystod gwanwyn 1839. Ond yn sicr fe fydden nhw'n fwy cartrefol yn awyrgylch y capel nac yn yr eglwys a'r arfer o dalu gwrogaeth i'r byddigions, a chyfeirio atyn nhw yn ôl ffurfioldeb y 'chi'. Yr un pryd roedden nhw'n ymglywed â'r sŵn ym mrig y morwydd o gyfeiriad Siartaeth.

Gwelwyd gweithredu yn erbyn y tlotai yn Llanidloes ym mis Ebrill. Cafodd nifer o'r Siartwyr eu harestio a'u cynrychiolydd yn yr achosion llys dilynol oedd neb llai na Hugh Williams. Mae'n rhaid hefyd y byddid wedi galw i gof y gwrthryfel ym Merthyr yn 1831 a arweiniodd at grogi Dic Penderyn (Richard Lewis) ar gam ac yntau ddim ond yn 23 oed. Cododd y gweithwyr mewn gwrthryfel yn erbyn yr amodau byw a orfodwyd arnynt gan y meistri haearn. Yr un modd arweiniwyd Edward Morgan at y grocbren yn Nhrefynwy yn 1834, yn 32 oed, am ei ran yng ngwrthryfel y Scotch Cattle pan drechwyd, dros dro, yr ymdrech i sefydlu undebau llafur. Nid amhriodol chwaith fyddai nodi fod diddymu cyfundrefn gyfreithiol Gymreig y Sesiwn Fawr a'r siawnsrïau yn 1830 yn cwblhau'r hyn a ddechreuwyd gan Harri VIII o lwyr gymathu Cymru a Lloegr yn lywodraethol a chyfreithiol.

Byddai yna gryn dynnu coes pan benderfynwyd y dylid gwisgo yn rhith gwragedd yn ogystal â duo eu hwynebau yn null y ceffyl pren. Byddai'r mwyafrif yn medru benthyca gwisgoedd eu gwragedd eu hunain neu aelod o'r teulu. Ond fe wydden nhw na fyddai Twm fyth yn medru gwisgo pais ei wraig ei hun ac yntau'n gymaint mwy o gorffolaeth na Rachel. Byddai hynny'n chwerthinllyd. Ond doedd hynny ddim yn mynd i rwystro Twm rhag arwain y fintai. Byddai un neu ddau mae'n siŵr wedi crybwyll enw Rebecca Mynydd Bach gerllaw a oedd yn nodedig o ran ei maint. Dyna hynny felly wedi'i setlo.

Roedd yna gyffro yn y fro wrth chwythu'r cyrn i alw pawb ynghyd, a hithau'n noson olau leuad, yn ôl y traddodiad, ac wrth iddyn nhw ddynesu at yr Efail-wen yn glindarddach o sŵn, gorfodwyd Benjamin Bullin a'i deulu i godi o'u gwelyau a ffoi am eu bywydau. Gosodwyd y tolldy ar dân. Buwyd fawr o dro yn cyflawni'r dasg a chilio i'w cartrefi'n fuddugoliaethus. Byddid yn cludo calch o'r Eglwys-lwyd heb orfod talu toll o hynny ymlaen meddylid. Ond troes y fuddugoliaeth ychydig yn chwerw o ddeall bod Thomas Bullin yn bwriadu ailosod y glwyd ac ailgodi'r tolldy. Siom oedd deall bod seiri a chrefftwyr lleol wedi cytuno i lunio clwyd ac ailgodi'r tolldy. Ar ben hynny roedd pâr lleol, Thomas a Rebecca Davies, wedi cytuno i fod yn geidwaid. Gyrru'r goets fawr a wnâi Twm Bec tra byddai ei wraig yn casglu'r doll. Roedd yna ymdeimlad ymhlith y ffermwyr eu bod wedi'u bradychu a hwythau nawr mewn cyfyng gyngor ynghylch pa gamau i'w cymryd nesaf pan gyfarfuwyd drachefn yn sgubor Glynsaithmaen.

Tebyg na chymrwyd yn hir i benderfynu ei bod yn bosib gwneud yr hyn a wnaed unwaith yr eilwaith. Roedd Thomas Bullin wedi gosod her. Roedd cyfiawnder o'u plaid. Roedd llais y wlad wedi gwneud ei hun yn hysbys ar un achlysur eisioes. Roedd rhaid taro eto. Serch hynny, roedd rhaid aros nes bod yr ailgodi wedi'i gwblhau. Mae'n amlwg mai tipyn o sleibin oedd Thomas Bullin yn eu golwg un ac oll. Wedi'r cyfan roedd yn mynnu codi toll ar gludo calch a honno'r doll ddrutaf tra bo angenrheidiau a nwyddau eraill y ffermwyr megis gwellt, tatws a dom yn ddi-doll. Doedd ei feddwl ar ddim ond gwneud elw a hynny cyn gynted ag y medrai heb hidio'r un daten am anawsterau'r ffermwyr. Dyna fyddai'r dadansoddiad.

Doedd Bullin ddim yn hidio am gyflwr gwleidyddol y wlad. Dieithr iddo oedd yr ymdrechion i ddiwygio a llacio rhywfaint ar ormes y werin. Rhaid bod tipyn o swae wedi bod yn Ffair Maenclochog ar Fai'r 21ain a lle bynnag arall fyddai pobl yn ymgynnull. Cytunwyd mai nos Iau, 6 Mehefin fyddai'r cyrch nesaf. Gosodwyd rhybuddion ar ddrysau capeli yn dynodi cyfarfod ar y dyddiad hwnnw 'i drafod p'un a oedd angen tollborth yn Efail-wen'. Ni nodwyd amser na man cyfarfod. Ond gwyddai'r cyfarwydd mai dim ond mewn un lle y gellid cynnal cyfarfod o'r fath.

Cafodd yr ynadon abwth o glywed am y trefniadau a chan ofni y byddai yna ymosodiad arall ar y tollborth aed ati ar frys i orfodi saith cwnstabl arbennig i dyngu llw. Roedden nhw wrth yr iet ar 6 Mehefin, hwyrach yn anfoddog. Wedi'r cyfan doedd neb yn ysu i wirfoddoli i fod yn gwnstabl dan amgylchiadau o'r fath. Byddai unigolion a wahoddwyd i weithredu fel cwnstabliaid yn y cyfnod hwnnw yn aml yn anwybyddu'r gwahoddiad, yn gwrthod ymddangos gerbron yr ynadon, ac o'r ychydig fyddai'n fodlon gwneud hynny, rhyw dyngu llw

yn anfoddog fyddai hi. Roedd amharodrwydd dinasyddion i
wirfoddoli yn gwnstabliaid yn unol â gofynion y gyfraith yn
sicr yn wir erbyn 1843, pan oedd yr helyntion ar eu hanterth yn
Sir Gâr fel y nodwyd ym mhapur *The Welshman*:

> Nearly all the inhabitants of the County of Carmarthen have
> refused to be sworn in as Special Constables. On Wednesday,
> the inhabitants of several parishes were summoned to attend at
> Carmarthen to be sworn in, but out of 300 summoned only three
> were sworn in. The others either did not appear or refused to
> serve unless the magistrates would guarantee that their houses
> and property would not be destroyed by Rebecca. In the district of
> Llandissil, the same scene took place, many of the farmers there
> declaring that they would rather pay the fine of £5, which the
> magistrates might enforce in a legal way if they thought proper,
> but they would not subject their property to the risk of being
> destroyed. Whether the fear expressed be real or not, we cannot
> say but the fact is as stated.[14]

Am 10.30 yr hwyr, felly, nos Iau, 6 Mehefin 1839 cyrhaeddodd
mintai o tua 300 o bobl sgwâr Efail-wen, y mwyafrif ar gefn
ceffylau, ac wedi'u gwisgo yn rhith gwragedd a'u hwynebau
wedi'u duo drachefn. Tebyg eu bod wedi cyflawni holwyddoreg
y ceffyl pren er mwyn cyfiawnhau'r hysbysebu a fu mai cyfarfod
i drafod priodoldeb cadw'r tollborth oedd hwn. Byddai Twm,
gan ffugio dallineb, yn hysbysu ei 'ferched' fod yna rwystr
o'i flaen a'i fod am eu cyngor ynghylch beth i'w wneud. Gan
wneud pantomeim ohoni byddai'r merched yn cynghori eu
'mam' droeon mai symud y rhwystr fyddai orau.

Dihangodd Twm Bec a'i deulu a'r cwnstabliaid ar draws y
perci wrth weld y fath ffyrnigrwydd; ffyrnigrwydd y gwydden
nhw na fedren nhw mo'i atal. Doedd presenoldeb cwnstabl
ddim yn mynd i beri ofn ar Twm a'i gymdeithion. A doedd gan
y cwnstabliaid ddim cyfarwyddyd pendant nac adnoddau i
ddelio â sefyllfa o'r fath. Doedd hi fawr o dro cyn bod y glwyd
yn yfflon eto wrth i'r bwyelli, y gyrdd a'r morthwylion adael
eu hôl. Dinistriwyd y tolldy o fewn llathen i'w sail. Ar y nos

Sadwrn yr wythnos ganlynol, 15 Mehefin, dinistriwyd tollborth Maesgwynne, Llanboidy, yn yr un modd, a hwyrach gan rai o'r terfysgwyr oedd yn bresennol yn yr Efail-wen.

Roedd hyn yn bryder pellach i'r ynadon. Cysylltwyd â'r Swyddfa Gartref yn gofyn am gymorth milwyr ac am gyfarwyddyd p'un a fydden nhw'n medru ergydio, cyn darllen y Ddeddf Derfysg fel rhybudd, am y gallai hynny fod yn rhy hwyr, a phrin y byddai'r gwrthryfelwyr yn oedi i wrando. Cydymffurfiwyd â'r cais. Martsiodd 25 o filwyr traed o Aberhonddu i Arberth gan gyrraedd fore Sul, 7 Gorffennaf, yn arddangos eu bidogau er mawr gonsýrn i addolwyr oedd ar hyd y strydoedd. Roedd Marchoglu Iwmyn Castellmartin eisoes wedi eu galw oherwydd y pryder na chyrhaeddai'r milwyr mewn pryd, yn dilyn sibrydion y byddai tollborth Tafarn-speit yn cael ei chwalu. Ond nid felly y bu. A doedd Thomas Bullin ddim wedi ildio chwaith, gan iddo osod cadwyn ar draws y ffordd yn lle'r iet yn Efail-wen gan ddisgwyl i ddefnyddwyr barhau i dalu'r tollau. Pwy oedd yno i gasglu'r doll erbyn hynny ni wyddom.

Gwelai Twm a'i gyfeillion hynny'n wahoddiad i ymweld â'r fangre am y trydydd tro heb hidio am fygythiad presenoldeb milwyr a'r ffaith fod rhai eisoes wedi'u harestio a'u herlyn am wrthod talu. Y tro hwn amgylchynwyd y gadwyn cefn dydd golau brynhawn Mercher, 17 Gorffennaf. Yr un oedd y drefn eto. Heglodd y cwnstabliaid hi oddi yno nerth eu traed heblaw am un a oedd yn gloff a gafodd ei gamdrin ym môn clawdd. Hwyrach nad oedd y cwnstabliaid yn rhy awyddus i fod yno beth bynnag, ac yn ddigon bodlon caniatáu i Becca wneud ei gwaith. Ar yr achlysur hwnnw y clywid yr enw Becca am y tro cyntaf wrth i'r 'merched' gyfarch eu harweinydd fel 'Becca'. Mae'n debyg eu bod yn cyfarch ei gilydd yn ôl enwau'r gwragedd oedd wedi benthyca eu dillad iddyn nhw. Yn ôl traddodiad roedd Twm yn marchogaeth caseg wen a hynny ynddo'i hun yn cael ei weld fel symbol o burdeb a chyfiawnder.

Aed â'r gadwyn oddi yno. Roedd y gwaith wedi'i gyflawni.

Am flynyddoedd wedyn deuid o hyd i ddarnau o bren oedd yn rhan o'r ddwy iet a falwyd ym môn cloddiau yn y cyffiniau. Roedd Twm Carnabwth yn dipyn o arwr â chefnogaeth gudd gadarn iddo o fewn y fro. Ni fu sôn am helyntion y Becca yn chwalu tollbyrth wedyn tan 1842 a hynny pan godwyd tollborth newydd yn Sanclêr a'i chwalu ar 18 Tachwedd. Fe ddinistriwyd honno i'r dwyrain o'r dref am y trydydd tro yn ogystal â dwy arall yn y cyffiniau erbyn canol mis Rhagfyr. Hyd y gwyddom doedd Twm Carnabwth yn rhan o'r ymosodiadau hynny, a thebyg mai ffermwyr cyffiniau Sanclêr a Hendy-gwyn fyddai wedi cymryd y gyfraith i'w dwylo eu hunain. Er i'r helyntion barhau am flwyddyn arall ar draws siroedd y gorllewin does dim tystiolaeth gadarn fod Thomas Rees, y Becca gwreiddiol, wedi chwarae rhan bellach yn y gweithgareddau.

Ond ar ôl dweud hynny caiff E. T. Lewis hi'n anodd derbyn na fu gan Twm o leiaf ran yn rhai o'r digwyddiadau ar hyd y ffin rhwng Sir Gâr a Sir Benfro. "There is no absolute certainty that he took part in the Rebecca Riots after 1839 but the probabilities are that he did so..." meddai.[15]

# 6

# Twm Carnabwth

PAN FU FARW Thomas Rees ymddangosodd y marwgoffa canlynol iddo yn *Seren Cymru*, cyhoeddiad y Bedyddwyr, ar 17 Tachwedd 1876, o dan y pennawd bras 'Marwolaeth Arweinydd Rebecca a'i Merched'. Dyma'r cyfeiriad cyhoeddus cyntaf tuag at breswylydd Carnabwth fel 'Rebecca'. Pwy bynnag oedd yr awdur, a arddelai'r enw 'Ioan Cleddau', roedd yn amlwg yn adnabod yr hen Dwm yn dda. Mae'n rhaid ei fod yn un o drigolion ardal Mynachlog-ddu.

Yn y cyhoeddiad o dan yr erthygl roedd yna farwgoffa i'r Parch Samuel Williams, a fu'n weinidog ar Hermon, Nant-y-glo ers 35 mlynedd, yn ogystal ag adroddiad am gyflwyno tysteb i'r Parch W. Roberts, Penycae, Ruabon, gan awgrymu fod ymadawiad Twm, y 'terfysgwr', yn haeddu blaenoriaeth dros ymadawiad gweinidog a fu'n pregethu ers 50 mlynedd ac anrhegu gweinidog arall:

Yr oedd Thomas Rees yn ddyn hynaws a charedig; yn fwy na'r cyffredin o ran maintioli, ac yn feddiannol ar nerth mawr pan ym mlodau ei ddyddiau. Profodd ei fod yn nerthol pan y gwnaeth efe, yng nghyd ag amryw o'i gyfoedion, ddechrau dryllio y tollbyrth a osodid i fyny mor aml ac anghyfiawn ar brif-ffyrdd Cymru yr amser hynny.

Rhwng 1833 a 1843, ceisiodd y ffermwyr lawer gwaith gan y crach-foneddwyr a feddent hawl yn y tollbyrth i symud rhai o honynt, ond ni wnawd un sylw o'u cais.

Am hynny, cymmerodd y bobl eu ffordd eu hunain, a phenderfynasant i ymosod ar y tollbyrth yn y nos. Yn Mynachlog-ddu, swydd Benfro, y cynlluniwyd y ffordd hon i ymosod ar y

Trigolion lleol yn ail-greu chwalu'r iet yn 1964 ar achlysur dathlu 125 mlynedd ers y digwyddiad gwreiddiol yn Efail-wen.

Ffermwr anfoddog (Owen Jenkins) a'i geffyle gwedd yn dal pen rheswm â cheidwad y tollborth (Hefin Parri-Roberts) ac yntau ar ei ffordd i gyrchu calch o'r Eglwys-lwyd adeg y dathlu yn 1964.

Y dorf adeg yr ail-greu yn 1964. Yn y rhes flaen: Jac Gilfach (John Owens); Wil Alltygog (Wil Owens y baledwr); Hughie Cwm Isaf (Hughie James gyda'r pastwn); Myfanwy Phillips (Trellan) a Tonwen Adams.

Rhai o wragedd y fro yn eu sioliau wedi gosod blodau ar fedd Twm ym mynwent Capel Bethel, Mynachlog-ddu yn 1989, ar achlysur 150 mlynedd ers dryllio'r iet. O'r chwith; Llinos John, Megan John, Nia Owens, Glenys Owens a Tonwen Adams.

Becca Fawr (Kelly Morris) yn ildio ei dillad isaf i Twm (Gareth Edwards) yn y sioe awyr agored *Sbadda Fe Twm* ar gilcyn glas Maenclochog yn 2003.

Yr iet wedi'i chwalu a cheidwad y tollborth yn dianc ac yntau ar dân. Roedd Adrian Cox yn ddyn styntiau ac wedi gweithio ar ffilmiau James Bond.

Tystiolaeth o briodas Stephen a Sarah, rhieni Twm, yn 1811. Roedd brawd y priodfab, Daniel, yn un o'r tystion. Ai'r dyddiad hwn sydd wedi peri dryswch ynghylch union oed Twm?

Tystiolaeth mai Rebecca Phillips oedd y 'Becca Fawr' roes fenthyg ei dillad i Twm.

Tystiolaeth o briodas gyntaf Twm Carnabwth – Thomas Rees – yn Eglwys Mynachlog-ddu yn 1827. Ni wyddom pwy oedd William Jenkins na pham na fyddai un o'r Reesiaid yn dyst. Ei hewythr oedd y tyst ar ran Rachel.

CERTIFIED COPY OF AN ENTRY    COPI DILYS O GOFNOD PRIODAS
Pursuant to the   Marriage Act 1949

| No. Rhif 21 | Marriage solemnized at Priodas a weinyddwyd yn Rhydwilym Chapel Llandisilio | in the district of yn nosbarth Narberth | in the Counties of Pembroke & Caurmarthen |
|---|---|---|---|

| 1. When married Pryd y priodwyd | 2. Name and surname Enw a chyfenw | 3. Age Oed | 4. Condition Cyflwr | 5. Rank or profession Safle neu broffeswn | 6. Residence at the time of marriage Preswylfa adeg priodi | 7. Father - name and surname Enw a chyfenw 'r tad | 8. Rank or profession of father Safle neu broffeswn y tad |
|---|---|---|---|---|---|---|---|
| Thirteenth March | Thomas Rees | 63 years | Widower | Farmer | Trisal Monachlogddu | Stephen Rees | Farmer. |
| 1873 | Elizabeth Davies | 46 years | Spinster | — | Kay Llangolman | David Davies | Farmer |

Married in the Rhydwilym Chapel
Priodwyd yn
This marriage was solemnized between us. Thomas Rees X The mark of Elizabeth Davies according to the Rites and Ceremonies of the Baptists
in the presence of us, Eran Rees Martha Davies
drwy certificate by me, Henry Price Minister
Edward Davies Registrar 11th September 2014
Registration District Pembrokeshire / Sir B

WARNING: A CERTIFICATE IS NOT EVIDENCE OF IDENTITY
RHYBUDD: NID YW TYSTYSGRIF YN PROFI PWY YDYCH CHI.

Tystiolaeth o ail briodas Twm Carnabwth yn 1873 pan nododd ei fod yn iau na'i oed adeg y Cyfrifiad ddwy flynedd ynghynt!

Carnabwth, ganol yr ugeinfed ganrif.

Carnabwth yn y 1960au.

Carnabwth yn y 1990au. Merch yr awdur, Eurgain, yn galw heibio.

Rhaid diolch i John Penn, ceidwad Carnabwth, am fod mor groesawgar pan ddaw pererinion heibio'r drws, ar yr amod na fyddan nhw'n damshel ar ei lawnt yw ei rybudd!

Y garreg ar ben feidr
bwthyn Carnabwth
sydd yn dal ar ei draed
ac yn annedd byw.

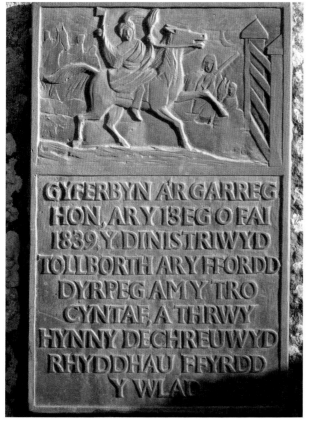

GYFERBYN AR GARREG
HON, AR Y 13EG O FAI
1839, Y DINISTRIWYD
TOLLBORTH AR Y FFORDD
DYRPEG AM Y TRO
CYNTAF, A THRWY
HYNNY DECHREUWYD
RHYDDHAU FFYRDD
Y WLAD

Y garreg sy'n nodi
lleoliad y dollborth yn
Efail-wen.

Gwaith celf y crefftwr lleol David Llewellyn sydd eisoes yn hongian ar ambell bared. Uwch ei ben mae llun cast y cyflwyniad *Sbadda fe Twm* yn 2003.

Y garreg fedd gyda'r pennill smala ym mynwent Capel Bethel, Mynachlog-ddu. Bu'n rhaid ychwanegu un lythyren.

Carreg fedd Rachel, gwraig Twm, ym mynwent Capel Bethel, Mynachlog-ddu.

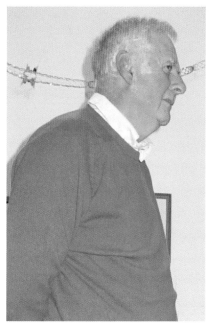

Yr Athro David Williams, brodor o'r fro ac awdur y gyfrol *The Rebecca Riots*.

David Rees o Faglan, Port Talbot, un o ddisgynyddion uniongyrchol Twm Carnabwth.

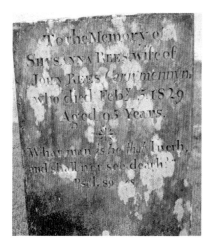

Tybed ai dyma garreg fedd mam-gu Twm wedi'i chladdu ar ei phen ei hun ym mynwent Bethel? Shusanna Rees, yn sicr oedd mam-gu 'Thoms' Felin-dyrch a ystyrid yn gefnder i Twm. Ai Saesneg oedd ei hiaith gyntaf?

Carreg fedd Daniel Rees, ewythr Twm, ym mynwent Capel Bethel, Mynachlog-ddu. A yw'r pennill smala ar fedd Twm yn adleisio'r adnod hon o Lyfr y Diarhebion?

# Twm Rees The Rebecca Riot Leader

## Chapel Conductor Who Lost An Eye In A Fair Fight!

**T**HOMAS REES, Carnabwth, the leader of the Rebecca Riots in North Pembrokeshire was a man of many parts.

Of great physique, he was a beer drinker, a pugilist (he lost an eye fighting at a fair); and a vocalist who sometimes conducted the singing at the Bethel Chapel, Mynachlogddu.

Recently a writer wrote to the "Telegraph" for the history of Twm Rees Here it is, as told by his grandson. Mr S. Rosser, Pork Street, Fishguard:

"Thomas Rees was 6' 2" in height, a very good singer and a great pugilist. His blow was fatal. He was very fond of his beer, and his favourite meal was "cawl." He had shoulders like Hercules, and his waist was like a mountain. He was my great-grandfather.

"I well remember his daughter Ann staying with us at High Street. She used to reside at Robeston Wathen. My father, who was brought up at Gelli, Clynderwen, used to relate to me of his trips to Mynachlogddu to visit his grandfather Twm, who built a "tŷ un nos" (a house built in one night). When nearing the cottage father would hear Twm singing his favourite song, "Morfa Rhuddlan."

### PIGS IN BLACK LION YARD.

His house was named Carnabwth, and what better name for such a house. You hear the term "abwth" often used amongst the local people, which meant "fear." One day while at Cardigan Fair he purchased a lot of pigs, and instructed the owners to turn them all into the Black Lion yard, and leave them there.

### AFTER THE FAIR.

"Later, the giant went to drink lots of home-brewed beer until dusk. An expert on beer-drinking he was, too After the fair Twm was seen homeward bound singing happily. He lost an eye while fighting at the fair.

"He would dress as a woman for the meetings which were held at Efail Wen. The clothes he borrowed from a woman named Becca, and would then ride away on a white horse.

### DIED IN HIS GARDEN.

"He died in his garden while fetching leeks to make dinner on May 17th, 1876, aged 70. He is buried at Bethel Chapel, Mynachlogddu, where he some-

times used to conduct the singing. Written on his tombstone is the following:—

"Nid oes neb ond Duw yn gwybod
Beth all ddigwydd mewn diwrnod
Wrth gasglu bresych at fy nghinio
Angau ddaeth i fy ngardd i'm taro."

Un o'r tylwyth, Sidney Rosser, yn sôn am y tad-cu yn y *Western Telegraph* ym mis bach 1958.

Sarah, wyres i Twm, a'i mab, Henry, yn byw yng Ngorseinon.

Henry Tobit Evans, y newyddiadurwr ac awdur *Rebecca and his Daughters*.

John Davies, Rhydgaled, yn dal portread ohono'i hun a wnaed gan Towyn Jones. Cofiai ei dad yn adrodd hanes angladd Twm Carnabwth.

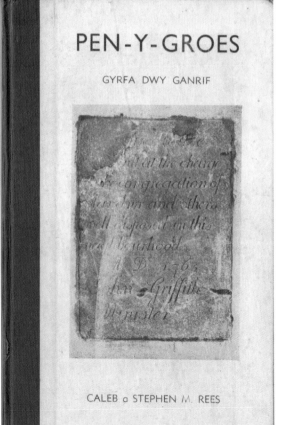

PEN-Y-GROES

GYRFA DWY GANRIF

CALEB a STEPHEN M. REES

Cyfrol y brodyr Caleb a Stephen Rees, oedd yn rhannu'r un ach â Twm, yn datgan yn bendifaddau nad oedd gan yr un adnod o'r Beibl ddim oll i'w wneud ag enwi Mudiad Becca.

'Thoms' Felin-dyrch, cefnder cyflawn i Twm, a fyddai'n ceisio ei ddisgyblu a'i ddenu at y canu yng Nghapel Bethel.

Wil Glynsaithmaen – W. R. Evans – a hawliai ei fod yn y llinach gan fod ei fam-gu, Sarah Glynsaithmaen, yn ail gyfnither i Twm.

Sarah Glynsaithmaen, cyfnither i Twm, gan fod ei thad Thomas 'Thoms' Rees, Felin-dyrch, yn gefnder cyntaf iddo.

Pererinion ar glos Glynsaithmaen am weld y sgubor hanesyddol, yn cael eu croesawu gan Mair Davies sydd yn llinach Twm.

Nofio yn afon Wern wedi'i chronni, lai na thafliad carreg o fwthyn Carnabwth.

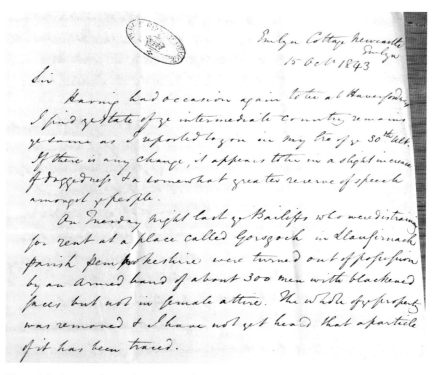

Rhan o'r llythyr a anfonwyd at y Swyddfa Gartref gan y cyfreithiwr o Gastell Newydd Emlyn, Lloyd Hall, ym mis Hydref 1843, yn nodi gweithgarwch y Becca ar fferm Gorsgoch ger Glandŵr.

Un o'r digrifluniau hynny a gyhoeddwyd ym mhapurau Llundain adeg 'Helynt y Becca'. Mae hwn o waith W. J. Linton yn y London Illustrated News yn 1843.

Capel Bethel, Mynachlog-ddu, fel yr oedd yn y dyddiau cynnar.

Ail-greu'r cyffro yn 1989 ar achlysur 150 mlynedd ers chwalu tollborth Efail-wen.

tollbyrth; yno hefyd y cafodd ei rhoddi mewn gweithrediad gyntaf pryd y dewiswyd Thomas Rees yn arweinydd.

Benthyciasant ŵnau amryw fynywod yn y gymmydogaeth, er gwneud eu hunain yn fwy anadnabyddus drwy eu gwisgo amdanynt. Gwaith anhawdd oedd cael gŵn digon mawr i Thomas Rees, ond cafwyd un o'r diwedd gan hen ferch weddw o'r enw Rebecca.

Oddiwrth hynny y cafwyd yr enw 'Becca', ac nid oddiwrth Gen. xxiv 60 fel y dywedai rhai. Ffugiau 'Twm' ei fod yn fam, a'r lleill eu bod yn ferched a chyfarchent eu gilydd fel y cyfryw pan yn ymosod ar y tollbyrth. Galwent eu gilydd yn 'Nelly', 'Mary' neu 'Peggy' yn ôl enw yr hon y cawsant fenthyg y gŵn ganddi.

Yn y dull hwn y cychwynasant yn un llaw ar gefnau ceffylau, rhai o honynt a gymmerwyd o gaeau cymmdogion heb ganiatad ac ymosodasant ar dollborth yr Efelwen, plwyf Llandissilio a drylliasant hi yn chwilfriw. Hwn oedd y cynnyg cyntaf o eiddo 'Becca a'i Merched' i ryddhau y trigolion oddiwrth dreth anghyfiawn y tollbyrth.

Llysenw yw 'Carnabwth', a osodwyd ar Thomas Rees oddiwrth y tŷ a breswyliai, yr hwn a adeiladwyd mewn 'un nos'. Edrychai fel 'carn' o gerryg a matau, wedi eu taflu at ei gilydd mor ddidrefn nes peri 'abwth', neu braw, ar y neb a'i gwelsai; ac yr oedd yn enw lled drawiadol ar drigfan yr hwn a fu yn achos o ddychryn i gynnifer yn ei fywyd mewn cysylltiad â'r tollbyrth. Heblaw bod yn hynod fel 'Becca' yr holl 'Feccaod' yr oedd Thomas Rees yn enwog ar gyfrif llawer o bethau eraill, megys canu, &c.

Mae'n dda gennyf allu dweud wrth derfynu ei fod yn aelod ffyddlon gyda'r Bedyddwyr yn Bethel, Mynachlogddu, ers blynyddau bellach. Clywais ef yn annerch gorsedd gras boreu dydd Mercher y 18fed heb feddwl fawr y buasai o flaen gorsedd barn cyn hanner dydd drannoeth. Gwasnaethodd ei Dduw mor ffyddlon ar ol ei droedigaeth ag y gwasanaethodd y diafol cyn hyny. Canlynwyd ei weddillion marwol i fynwent Bethel, boreu dydd Sul, y 22ain, gan dorf luosog iawn o'i berthynasai a'i gyfeillion.[1]

Gwerthfawrogwyd ei fawredd ac yn amlwg doedd ei weithred yn arwain y cyrch ar iet Efail-wen ddim yn cael ei hystyried yn drosedd. Cydnabuwyd fod yna ddaioni wedi deillio o hynny. Tebyg na ddatgelwyd cynt chwaith bod yna geffylau wedi eu 'benthyg' heb yn wybod i'w perchnogion ar gyfer y daith at y tollborth, ac efallai, yn bwysicach, ar gyfer y daith oddi yno ar fyrder wedi cyflawni'r dinistr. Ceir tystiolaeth hefyd fod yna rinweddau eraill heblaw am ei wrhydri yn perthyn i Tomos Rees yn ogystal ag awgrym na fu mor lân â hynny ei fuchedd ar un adeg.

Ni wyddys i sicrwydd hyd y dydd heddiw pwy oedd Ioan Cleddau. Nid oedd yn enw barddol a arddelid gan neb yn y cylch. Hyd y gwyddom ni chyhoeddodd ddim arall o dan yr enw. Ond os oedd John Davies wedi dewis Ioan Taf yn enw barddol iddo'i hun teg tybied mai John fyddai enw cyntaf Ioan Cleddau. Cawn weld yn y man mai John Davies arall oedd yr awdur anhysbys mwyaf tebygol. O leiaf roedd o'r farn fod Thomas Rees yn haeddu cael ei goffáu ym mhapur ei enwad a hynny yn gymaint am ei ran fel Becca ag am ei dduwioldeb ar derfyn oes. Tybed a oedd ganddo ran mewn gosod y pennill smala hwnnw ar garreg fedd Twm? Ai fe oedd yr awdur yn ceisio adlewyrchu synnwyr digrifwch ei gyfaill? Fe welir ar y garreg ei hun mai ychwanegiad diweddarach ar ôl ei gosod yn ei lle oedd yr 'r' yn y gair 'ngardd'.

> Nid oes neb ond Duw yn gwybod
> Beth a ddigwydd mewn diwornod.
> Wrth gasglu bresych at fy nghinio,
> Daeth Angau i fy ngardd i'm taro.

Oedd yna drefniant rhyngddyn nhw mai dyna sut oedd Twm am gael ei gofio wedi iddo gael ei daro'n wael? Oedden nhw wedi llunio'r pennill ar y cyd pan oedd Twm ar ei wely angau? Dim cyfeiriad ato ar y garreg fel 'Becca'. Ond yn cyfeirio ato yn ôl ei enw ar dafod leferydd cefn gwlad sef 'Twm Carnabwth' ac yn nodi ei gartref fel Trial yn hytrach na Charnabwth. Ac roedd Ioan yn ei gwmni ddiwrnod cyn ei farwolaeth mewn oedfa ym Methel ac yn tystio iddo fod ar ei liniau. Ni nodir ei ddyddiad geni chwaith. Erys peth dirgelwch ynghylch union fanylion amgylchiadau marwolaeth Thomas

Rees, Trial. Gellir derbyn fod dyddiad y flwyddyn – 1876 – o leiaf yn ddigwestiwn.

Cyfeiria Ioan Cleddau at ddydd Mercher y deunawfed yn ei lith uchod; ym mis Hydref fyddai hynny ac i Twm farw trannoeth ar ddydd Iau, Hydref 19, ac iddo gael ei gladdu ar fore Sul, Hydref 22. Arall yw'r wybodaeth ar ei garreg fedd sy'n nodi mai Medi 17 oedd dyddiad ei farwolaeth. Dydd Mawrth fyddai hynny. Noda'r garreg ei oed yn 70. Dywed ei dystysgrif marwolaeth, yn ogystal â llith Ioan Cleddau, ei fod yn 72 oed ac mai Hydref 19 oedd dyddiad ei farwolaeth. Hwyrach bod y dryswch wedi codi am na chafodd y garreg fedd ei gosod am gryn amser wedyn a'r ffeithiau erbyn hynny'n ansicr a'r plant hwyrach ar wasgar. Dywedir mai ychwanegiad diweddarach wedyn yw'r enw "Twm Carnabwth" ar y garreg ddiaddurn, heblaw am y ddelwedd o'r Beibl yn ei phen.

Ond i ychwanegu at y dryswch mae'r *Bywgraffiadur Cymreig Ar-lein* ynghyd â Henry Tobit Evans yn ei lyfr *Rebecca and his Daughters* yn nodi 17 Tachwedd fel dyddiad ei farwolaeth. Gellir diystyru hynny am mai dyna ddyddiad yr ysgrif a gyhoeddwyd yn *Seren Cymru*. Tebyg mai tystiolaeth Ioan Cleddau sydd fwyaf dibynadwy yn hyn o beth ac iddo weithredu yn go gyflym i sicrhau bod y marwgoffa yn cael ei gyhoeddi yn o fuan ymhen llai na mis. Noda fod yr angladd wedi'i chynnal am 9.30 ar 'boreu dydd Sul, y 22ain gan dorf luosog o'i berthynasai a'i gyfeillion'.

Roedd y capel yn cael ei ailadeiladu ar y pryd ac er bod talcen y capel yn nodi fod yr adnewyddu wedi'i gwblhau yn 1875, dywed llyfryn a gyhoeddwyd yn 1994, sy'n olrhain hanes yr achos, mai yn 1877 yr agorwyd y capel ar ei newydd wedd.

Arferai John Davies, Rhydgaled, ger Efail-wen, adrodd yr hanes am yr angladd fel y clywsai gan ei dad. Cariwyd yr elor heibio Atsol Wen, cartref ei dad oedd o'r un enw, ar y tir comin, o Garnabwth i Fethel gyda'r galarwyr yn ei ddilyn ar fore Sul. Tasg ei dad, meddai, oedd gwneud yn siŵr bod y llwybr yn glir o ddefaid y bore hwnnw.

Ymddengys nad oedd cywirdeb ffeithiau yn poeni rhyw lawer ar Twm. Os oedd yn 70 oed pan fu farw yna byddid yn disgwyl mai 1806 oedd blwyddyn ei enedigaeth. Ond ni ellir cadarnhau hynny am fod Twm ei hun yn amrywio ei oed adeg Cyfrifiadau'r ganrif. Yn y Cyfrifiad cyflawn cyntaf a drefnwyd yn 1841 disgrifir Twm fel 'llafurwr amaethyddol 30 oed' yn byw yn 'Tryal'. Yn y Cyfrifiadau dilynol nodir oed Twm yn 43 (1851), 54 (1861) a 64 (1871) ac enw'r cartref yn Carnabwth.

Dengys cofnodion eglwysig fod Twm wedi priodi Rachel Owen yn Eglwys Sant Dogmael, Mynachlog-ddu ar ddydd Iau, 18 Hydref 1827. Y tystion oedd David Owen, ewythr Rachel, a William Jenkins na wyddom ddim amdano. Rhyfedd na fyddai un o'r Reesiaid yn dyst ac mae hynny ynddo'i hun yn ychwanegu at y dryswch ynghylch dyddiau cynnar y priodfab. Os oedd cofnod oed Twm yn gywir yn 1841 oedd e felly wedi priodi yn 16/17 oed neu o dderbyn ei oed ar y garreg fedd oedd e'n nes at 21? O leiaf roedd gostegion y briodas, sef y rhagrybudd, wedi'u cyhoeddi gan brofi bod y ddau deulu wedi rhoi sêl bendith ar yr uniad.

Mae'r sawl sy'n astudio'r Cyfrifiad cyntaf i gynnwys manylion o'r fath wastad yn caniatáu rhyw ddwy neu dair blynedd o wall y naill ffordd neu'r llall. Ond wedyn pan ailbriododd Twm ym mis Mawrth 1873, ac yntau'n ŵr gweddw ers y mis Awst blaenorol, noda'r dystysgrif ei fod yn 63 oed, sef blwyddyn yn iau na'i oed ar ffurflen y Cyfrifiad ddwy flynedd ynghynt! Ac enw ei gartref ar y dystysgrif briodas yw Trial. Dylid nodi ei bod yn hen arfer ym mhlwyf Mynachlog-ddu i aml i annedd arddel dau enw. Mae'r fferm fynydd i'r gogledd o Garnabwth yn cael ei hadnabod fel Cwmgarw, a dyna sydd i'w weld ar ben y feidir, ond mae'r hen bobl, o bryd i'w gilydd, yn dal i gyfeirio ati fel Y Dre neu Tre-rap sef talfyriad o Dre'r Abad, am mai'r mynachod du Sistersaidd o Abaty Llandudoch oedd yn amaethu'r tir yn y Canol Oesoedd.

Beth bynnag oedd union oed Twm yn 1841 pwy arall oedd ar yr aelwyd yng Ngharnabwth/Tryal pan gofrestrwyd ar gyfer y Cyfrifiad y flwyddyn honno? Nodir bod pedwar o blant ar yr aelwyd – Elizabeth (13), Daniel (10), John (5) a merch pythefnos oed nad oedd mae'n debyg wedi'i henwi ar y pryd. Anne fyddai hi. Byddai gan y ddau hynaf mae'n siŵr, os nad John hefyd, gof byw iawn o gyfnod yr ymosod ar iet Efail-wen ddwy flynedd ynghynt. Pum mlynedd yn ddiweddarach yn 1846 derbyniodd Rachel £20 trwy ewyllys ei thad, John Owen, Maes-yr-ŵyn. Ni fu erioed yn briod. Doedd ganddo ddim plant heblaw am Rachel.

Yn gynharach yn 1834 roedd Simon Owen, brawd John, wedi gadael £10 yr un i Elizabeth a Daniel dan ofal Daniel Rees, Carnmenyn a Daniel Griffith, Blaencleddau nes byddai'r ddau yn dod i oedran, a'r llog o'r £20 i'w dalu i'w mam, Rachel, tan yr amser hynny er mwyn cyfrannu tuag at eu magwraeth. Gwelwyd cofnod mai Rachel yn 1826, flwyddyn cyn priodi, oedd wedi talu treth tir Maes-yr-ŵyn. Tybed felly oedd Rachel wedi'i magu ar aelwyd gefnog Maes-yr-ŵyn? Roedd David Owen, y tyst yn y briodas, yn frawd i John a Simon.

Tybed oedd ei mam wedi marw ar achlysur ei genedigaeth? Gwelwyd wedyn bod yna Rebecca Rees yn talu treth tir ar fferm Dyffryn Ffilbro ar draws y waun o Garnabwth yn 1828. Ai teg tybio mai hi oedd mam Twm a'i bod yn weddw? Ond gwendid y ddamcaniaeth honno yw'r ffaith mai Sarah Thomas oedd gwraig y Stephen Rees, y credwn yn lled sicr oedd yn dad i Twm, pan briodon nhw yn 1811. Daniel Rees, brawd Stephen, oedd un o'r tystion ac ynte'n dad i Thoms Felindyrch a ystyrid yn gefnder i Twm. Mae'n gymhleth. Mae'r chwilota'n parhau.

Beth am y defnydd o ddau enw, felly, i ddynodi'r cartref a godwyd fel tŷ unnos? Fe'i codwyd ar dir comin dros nos i'r graddau bod yna fwg i'w weld yn y simdde erbyn toriad gwawr a'r tir oddi amgylch wedi'i berchnogi cyn belled ag y gellid taflu bwyell. Pam yr angen i godi tŷ liw nos sy'n ddirgelwch. Mewn golau ddydd y gwneir gwaith adeiladu. Does dim mantais i wneud hynny mewn tywyllwch. Mae'n rhaid bod Twm wedi gwneud hynny ar noson olau leuad o leiaf, a hynny tua'r adeg y priododd yntau a Rachel oddeutu 1827. Ceir disgrifiad o'r arfer gan Clwydwenfro ond rhaid amau pa mor orffenedig fyddai'r annedd erbyn ben bore:

> Yn y rhan hon o'r wlad yr oedd hen arferiad gwerth ei chofnodi, sef codi tai un-nos ar y mynydd-dir, perthynol i'r *Lord of the Manor*. Os byddai rhywun am dŷ a gardd, penderfynai ar fan ar dir yr arglwyddiaeth, a threfnai a'i gyfeillion i wneyd pob paratoadau yn mlaen llaw yn ddirgelaidd. Penderfynid ar noswaith, adeiledid tŷ o briddellau (clods), a cheryg, gosodid to ar ei ben, gosodid drws a ffenestri yn eu lle, cyneuid tân ar yr aelwyd, symudid y dodrefn, codid clawdd gardd, gorphenid yr oll, elai y teulu i fyw ynddo, a'r oll mewn un noswaith, o'r hwyr i'r boreu; a thyna paham y gelwid ef yn dŷ un-nos, fel cicaion Jonah, gyda'r eithriad, nad oedd fel hwnnw yn darfod mewn un noswaith. Os gadewid ef i sefyll am un dydd a blwyddyn, nis gallai arglwydd y tir namyn codi rhyw ychydig o dâl ardreth tir arno.[2]

Byddai gwaith pellach yn cael ei wneud wedyn i godi'r waliau a gosod to o dyweirch ac ychydig o wellt i'w wneud yn ddiddos. Ond roedd yr arferiad yn brawf o'r cynnydd sydyn a fu yn y boblogaeth a chartrefi yn brin. Roedd yn rheidrwydd i'r mwyaf mentrus fynd ati i godi aelwyd ar dir anffafriol er mwyn ei hawlio fel eu heiddo os am barhau i fyw yn y gymdogaeth. Roedd hynny yn fodd o sicrhau peth rhyddid ac osgoi talu rhent uchel i dirfeddiannwr – dim ond pedair ceiniog yn achos Twm.

Naill ai hynny neu ymfudo i'r gweithfeydd, a Merthyr yn benodol, i sicrhau cyflogau bras yn y gweithfeydd haearn llawn perygl neu hyd yn oed hwylio i America fel roedd David Michael, Iet-hen, gerllaw, eisoes wedi gwneud yn 1831 ac fel y gwnaeth David Thomas James, Tynewydd, yn ddiweddarach yn 1852, yntau hefyd yn weinidog. Yn ddiweddarach eto ymfudodd dau o'r nythaid o ddeg o blant ar aelwyd ffarm Cwm Cerwyn gerllaw, un i America ac un arall i Awstralia.

Corsiog a brwynog oedd y tir ar lannau afon Wern nepell o'i tharddiant yng nghesail Foel Cwm Cerwyn. Yn ôl y cof gwerin doedd yr annedd yn ddim mwy na chrugyn o gerrig – carn – pan dorrodd y wawr ac mae'r elfen 'bwth' yn dynodi 'bwthyn'. Esboniad arall yw bod y garn o gerrig wedi achosi 'abwth' h.y. braw i'r sawl a'i welodd trannoeth. Hwyrach bod 'Treial' wedyn, sut bynnag y'i sillefir, yn ffurf ar y gair Saesneg yn awgrymu mai 'ar brawf' oedd yr annedd ac na fyddai o reidrwydd yn goroesi. Gellir yn hawdd ddychmygu rhywun yn cyfarch Twm gan ddweud, 'Dwi'n deall dy fod ti'n mynd i fyw draw ar y weun 'na, Twm,' ac ynte'n ateb, 'O, dwi'n mynd i threial hi beth bynnag', a dyna'r enw wedi'i fathu. Byddai'n gydnaws â'i synnwyr digrifwch.

Ac un ffaith na ellir ei gwadu yw fod y weithred honno o godi tŷ unnos ynddo'i hun yn brawf o'r rhuddin a berthynai i gymeriad Twm, a'i awydd i fyw ei fywyd yn ei gynefin – cyn gymaint â phosib – yn rhydd o grafangau a llinynnau mesur y tirfeddianwyr. Roedd annibyniaeth barn a phenderfyniad yn rhan o'i gyfansoddiad.

Doedd y bwthyn yn ddim mwy na hofel un ystafell yn mesur ugain troedfedd wrth ddeuddeg gyda hanner dowlad uwchben, ar gyfer cysgu, a'r lle tân o dan y simne fawr yn mesur naw troedfedd ar draws. Diau y byddai'r crochan cawl yn ffrwtian yn ddi-baid pan fyddai ffowlyn neu gwnigen ar gael i'w taflu i'w grombil. Bonws fyddai'r brithyllod ac ambell samwn o'r afon o fewn ychydig lathenni o'r drws. Hwyrach y byddai Rachel yn cerdded yn droednoeth y rhan fwyaf o'r amser am nad oedd gwisgo clocs yn gyson yn gyffredin ar y pryd. Tebyg y byddai'r ffowls ac unrhyw greadur arall yn chwannog o groesi'r rhiniog yn ôl eu hanian. Dan amgylchiadau o'r fath y cynhyrfwyd Twm i gymryd rhan yn nherfysg y Becca a chynnig ei hun fel arweinydd.

Ond dychwelwn at Twm yr hynafgwr. Nid Ioan Cleddau yn unig edmygai ei rinweddau. Roedd William Gibby yn chwe blwydd oed pan oedd yn ei bresenoldeb mewn oedfa ym Methel ym mis Tachwedd 1875. Cyfansoddodd draethawd yn ddiweddarach yn cofnodi ei amryfal atgofion am yr ardal:

Yn fy ymyl safai dyn mawr, ysgyrnog, yn fwy ei faintioli na neb yno, tebig i un o feibion Anac. Yr oedd iddo ymddangosiad tywysogaidd ymhlith y brodyr, a chanai'n ardderchog. Holais yn fuan pwy oedd y dyn hynod hwn, a chefais wybod mai Thomas Rees oedd ei enw, ond fel Twm Carnabwth yr adnabyddid ymhell ac agos. Cafodd Twm dröedigaeth, ac yn y man pwysig hwn ar ei fywyd dywedai y ddwy linell ganlynol:

'Rwy'n synnu wrth edrych yn ôl
Fel treuliais fy nyddiau mor ffôl.'

Bu'n ffyddlon iawn yn neillduol gyda'r canu. Meddai ar lais bas da, a chyfrifid ef yn un o'r datganwyr goreu yn y cylch. Hoffid ef yn fawr gan yr hen bobol, a mynych y sonient am dano gyda geiriau tyner a pharchus.[3]

Teuliodd William Gibby ei oes yn yr ardal ar ffarm Glandy Mawr. Bu'n flaenor ac athro Ysgol Sul ym Methel.

Roedd E. T. Lewis yn barod i nodi rhinweddau Thomas Rees hefyd:

Yet he had some cultural interests for traditions of his knowledge of old notation remain and his tenor voice was in demand at the local Sunday school festivals. During the later decades he was apparently genial and more devout. Traditions of his love of practical jokes have survived. His instinct for fair play was also pronounced.[4]

Y stori a adroddir amlaf ar lafar am ei ddireidi yw helynt y perchyll a'r hychod yn ffair Aberteifi. Dywedir iddo 'ffug' brynu haid o foch a gorchymyn y gwerthwr i'w gosod mewn llocau yng nghefn gwesty'r Llew Du. Wedi iddo fod yn llymeitian yno am getyn, y peth nesaf a welwyd oedd y genfaint yn rhedeg yn rhydd trwy'r dref. Twm wedi'u gollwng yn rhydd heb hidio taten amdanyn nhw'n gwichian rhwng y stondinau er difyrrwch i bawb ond y stondinwyr, cyn iddo droi sha thre. Ond mae'n rhaid bod mwy iddi na dim ond hynny. Elfen o dalu'r pwyth yn ôl hwyrach, yn hytrach na dim ond blagardiaeth pur. Rhyw ddigofaint.

O ran ei synnwyr o chwarae teg dywedir iddo ddatrys cynnen rhwng Daniel Dre neu Daniel Cwmgarw – y ddau enw yna eto – a'i gymydog trwy osod defaid y cymydog yn ffald y defaid stra', a hynny am mai dyna a wnaeth y cymydog droeon â defaid Daniel. Rhyw elfen o gyfiawnder a chosbedigaeth y ceffyl pren yn perthyn i hynny hwyrach. Byddai'n rhaid i'r perchennog dalu i gael y defaid yn rhydd o'r ffald. Ac os taw pwy bynnag oedd yn byw yn Iet-hen Isaf gerllaw oedd y cymydog, doedd hi ddim yn anodd cymysgu rhwng defaid y naill a'r llall am fod y nodau yn gymharol debyg a derbyn bod dull adnabod defaid wedi'i ffurfioli yn y cyfnod hwnnw, fel sy'n debyg. Nod Cwmgarw fyddai cilhollt dan y glust dde, bwlch plyg arno, torri blaen yr aswy a bach dano a nod Yet-hen oedd cilhollt ar y dde, bwlch tri thoriad arno, torri blaen yr aswy a twll ynddo.

Ac ymhell ar ôl ei ddyddiau gwelwyd defnydd cyson o enw Twm mewn materion o sicrhau cyfiawnder yn yr ardal. Pan aed ati i rwystro'r Swyddfa Ryfel rhag meddiannu llethrau'r Preselau fel meysydd ymarfer milwrol parhaol ar ddiwedd y 1940au, cyfeiriwyd at yr angen i feddiannu ysbryd Twm a'r Becca, os nad eu dulliau, mewn areithiau, llythyrau a cholofnau. Ym mis Tachwedd 1947 yn ei golofn ddylanwadol 'Cwrs y Byd' yn yr wythnosolyn *Y Faner*, galwodd Saunders Lewis (1893–1985), yr ysgolhaig a'r cenedlaetholwr, ar i'r trigolion feddiannu ysbryd arwyr y genedl:

> Y mae'n bryd i'r Cymru ddangos eu bod yn wŷr, a bod eto beth o leiaf o waed Owain Glyndŵr a phlant Rebecca yn rhedeg yng ngwythiennau Cymry'r ugeinfed ganrif. A ydyw'r Cymry o ddifrif yn eu gwrthdystiad yn erbyn militariaeth Philistiaid y Llywodraeth a swyddfeydd y lluoedd arfog? Od ydynt o ddifrif, od yw eu gweinidogion o ddifrif, boed iddynt ar bob cyfrif gynnal eu cyfarfodydd protest, boed iddynt ddeffro'n cydwladwyr a rhybuddio'r Llywodraeth. Ond nid digon mo hynny.[5]

Yn wir, saith mlynedd ynghynt, roedd yna lythyrwr yn y

*Western Telegraph*, yn galw ei hun yn Carnabwth, wedi ymuno yn y ffrae ynghylch penodi clerc i'r Cyngor Sir. Ofnai na fyddai'r penodiad yn gwneud cyfiawnder â gofynion y sir gyfan. Doedd dim sôn yn y swydd ddisgrifiad y byddai gwybodaeth o'r Gymraeg yn angenrheidiol, yn fanteisiol neu yn ddymunol. Ar y pryd 'clerc' oedd teitl prif weithredwr yr awdurdod:

> If nothing more than efficiency, accuracy and honesty as a good clerk is demanded of him, then any person with the neccessary qualifications and experience would do for the post. Provided he knows his job and speaks the King's English with a fair accuracy, he may well be a native of any part of the British Empire – Baffin Bay, Piccadilly, or the Outer Hebrides.
>
> If, however, one is justified in expecting to find in the County Clerk something in addition to a well-oiled robot – something in the nature of a guide, philosopher, and friend, then, one must look for certain particular qualities in the person appointed. And can one conceive of any such person who does not already possess some knowledge of the life, the social conditions, and the mentality of a bilingual people like the Pembrokeshire folk whose joint interests he is supposed to serve?
>
> It is one of the first principles of British policy every time to study the natives. But one wonders whether the status and the mental calibre of the Pembrokeshire native is so humble in his own opinion as not to demand any reasonable, human consideration. Such utter humility and wilful denial of all sense of natural rights seem to be quite unknown elsewhere in the vast British Empire, and may well become proverbial. Here, in North Pembrokeshire, is a group of people whose ancestors, according to history books at least produced marvellous things in the way of literature. Are they today to be as dumb as animals in defence of the claims of that language in which the finest laws and the finest literature in the Middle Ages were produced?[6]

Pwy tybed oedd yn llechu y tu ôl i'r enw 'Carnabwth'? Ni ellir ond dyfalu. Ond o gofio'r llythyrau'r un mor ddiflewyn ar dafod a gyhoeddwyd gan E. T. Lewis yn ddiweddarach adeg 'Brwydr y Preselau' (gweler Atodiad VII) gellir o leiaf nodi ei fod wedi symud i Fynachlog-ddu chwe blynedd ynghynt yn 1933. Fel prifathro, hwyrach na theimlai fel ysgrifennu o dan ei enw ei hun. Ymhellach, Saesneg oedd ei gyfrwng cyhoeddi arferol fel y tystia ei lyfrau hanes lleol.

Cyfeirir at Frwydr y Preselau wedyn wrth i'r ddau bartner, Wil Glynsaithmaen (W. R. Evans) ac Ernie Lan (E. Llwyd Williams) ddringo i ben Foel Cwm Cerwyn, neu'r Fwêl, chwedl pobol Mynachlog-ddu, yn y 1950au ac awdur *Crwydro Sir Benfro* yn atgoffa ei gyfaill am y modd y trechwyd bwriadau'r Swyddfa Ryfel. Roedd Wil newydd ddychwelyd o Takoradi ar ôl cyfnod o wasanaeth milwrol.

Clywais gryndod crindir Affrica yn ei lais pan atebodd gan ddywedyd,'ie, nes i Twm Carnabwth a'i barti ailgodi ac i'r cerrig lefaru dros eu crefydd ac i'r ddaear godi unwaith eto dan draed Dewi a rhoi cyfle iddo ail-bregethu ei bregeth fawr.[7]

Dengys cofnodion Pwyllgor Diogelu'r Preselau bod Caleb Rees, y cyn-arolygwr ysgolion, a ddisgrifiai ei hun fel un yn yr ach, wedi tynnu sylw at rinweddau Twm mewn araith danbaid yng nghyfarfod agored cyntaf y Pwyllgor ar ddydd Sadwrn, 30 Tachwedd 1946 ym Maenclochog. Soniodd fel yr oedd y gŵr o Garnabwth wedi gosod seiliau democratiaeth fodern wrth ymgyrchu yn erbyn annhegwch y tollbyrth. O ganiatáu dymuniad y Swyddfa Ryfel, meddai, ni fyddai'n bosib ymweld â hen gartref Twm, ac y byddai'n anodd taro heibio ei garreg fedd wrth dalcen capel Bethel. Byddai yr un mor anodd, ychwanegodd, i ymweld â hen gartref Caleb Morris, Parc-ŷd, yr ochr arall i'r mynydd, ac yntau wedi bod yn un o gewri'r pulpud fel gweinidog Fetter Lane yn Llundain.

Wrth gloi ei araith maentumiodd na fyddai'r Saeson yn ystyried gwneud defnydd cyffelyb o diroedd lle gorweddai eu henwogion nhw ac o'r herwydd mynnodd y dylid gadael llonydd i'r Preselau am fod miloedd o erwau o diroedd diffaith ar gael mewn ardaloedd eraill. Gofynnodd pa les oedd hyfforddi ar gyfer amddiffyn gwareiddiad os oedden nhw'n mynd i halogi union grud gwareiddiad ym Mhrydain. Ar lethrau'r Preselau roedd yna wareiddiad cynharach a brofodd o werth amhrisiadwy i Saeson, yn ogystal â Chymry, am fod meini o'r ardal wedi eu defnyddio i godi Côr y Cewri yng Nghaersallog, gan brofi mai o'r fan hon y tarddodd gwareiddiad ym Mhrydain.

Tebyg oedd sylwadau cadeirydd y Pwyllgor, y Parch Mathias Davies (1897–1977), gweinidog Gelly, Llawhaden, a Horeb, Maenclochog, a oedd hefyd yn gadeirydd y Cyngor Sir, pan gafodd gyfle i annerch y cyngor llawn. Pwysleisiodd fod y mynydd cyfan yn un o henebion gorau ac amlycaf Prydain, ac y dylid ei ddiogelu rhag cael ei feddiannu gan filitariaeth. Cafodd gefnogaeth unfrydol heb i'r mater fynd i bleidlais.

Nid aeth Twm Carnabwth yn angof ac fe elwir ar y cof amdano o bryd i'w gilydd o hyd. Ni ddathlwyd can mlynedd ers chwalu'r tollborth am ei bod yn gyfnod rhyfel, ond yn 1964 ar achlysur 125 mlynedd aed ati gydag afiaith i drefnu pasiant o ddathliad trwy ail-greu'r olygfa o chwalu'r iet, a chodi plac ar garreg ar fangre'r tollborth. Roedd gan Ysgol Mynachlog-ddu enw am greu caneuon actol a phasiantau ar y pryd a defnyddiwyd sgiliau 'Mishtir' – E. T. Lewis – a Tonwen Adams, athrawes y plant iau, i wisgo a threfnu'r oedolion. Roedd yr Athro David Williams yn bresennol i ddadorchuddio'r gofeb. Roedd yna bwyllgor wedi'i drefnu at y diben.

Yn 1989 trefnwyd cyfres o ddigwyddiadau ar achlysur 150 mlynedd gyda dwy ddarlith, y naill gan yr ysgolhaig Hywel Teifi Edwards (1934–2010), a'r llall gan y cyn-blisman, Pat Molloy. Y naill yn Gymraeg a'r llall yn Saesneg. Er mai'r un oedd y testun roedd gogwydd a thriniaeth y ddau yn wahanol. Hywel Teifi yn dyrchafu Twm Carnabwth i'r entrychion fel arwr gwerin ac arweinydd y dylai pawb yn y gymuned fod yn falch ohono hyd y dydd heddiw a thu hwnt.

Pat Molloy wedyn, fel gŵr cyfraith a threfn, yn gresynu nad oedd gwell trefn ar blismona yng nghanol y bedwaredd ganrif ar bymtheg, ac y dylid fod wedi delio â'r anghydfod mewn dull mwy effeithiol er mwyn osgoi difrod. Rhyfeddai nad oedd neb yn barod i ddatgelu cyfrinachau er mwyn dwyn troseddwyr i gyfrif yn gyfnewid am yr arian a gynigid. Cafwyd Cymanfa Ganu a Thaith Gerdded hefyd. Y cyfan wedi'i drefnu gan Graham Gibby a chriw o gyfeillion.

Do, cafwyd dathliad yn 2014 hefyd ar achlysur 175 mlynedd ers chwalu'r tollborth a'r tro hwn y tu fas i Gaffi Beca yn Efail-wen. Canwyd cyfansoddiad Tecwyn Ifan 'Ysbryd Rebeca' gan ddisgyblion Ysgol Beca gerllaw. Ailgrewyd y digwyddiad a chofnodwyd y digwyddiad fel eitem ar y rhaglen deledu *Heno* ar S4C. Tebyg na cheir dathliad arall tan 2039, a thra pery Cymry yn yr ardal does dim rheswm pam na fydd yn ddathliad teilwng arall. Ar ben hynny, yn 2004 llwyfanwyd cynhyrchiad awyr agored ar gilcyn glas pentref Maenclochog, 'Sbadda fe Twm!' wedi'i drefnu gan Clychau Clochog a'i gynhyrchu gan Deryk Williams.

Mae ein dyled yn fawr i Ewart Thomas Lewis, brodor o bentref cyfagos Login yn Nyffryn Taf. Ar ôl cymhwyso ei hun i fod yn athro a dysgu am chwe blynedd yng nghyffiniau Llundain fe'i penodwyd yn brifathro Ysgol Gynradd Mynachlog-ddu yn 1933. Bu'r gŵr byr o gorff, ac ychydig yn grwca, yn sgwlyn yno tan ei ymddeoliad yn 1963. Hyd ei farwolaeth yn 1978 ymddiddorodd yn hanes y cylch, gan ymchwilio'n ddyfal a chyhoeddi'n helaeth. Byddai ganddo stor o wybodaeth lafar am Twm. Parod oedd i gydnabod hoffter Twm o'r dablen a chledro. Roedd 'Lewis Bach' yn gwbl gytbwys yn ei bortread o Twm.

He had a deserved reputation as a pugilist and on one occasion lost an eye, as his antagonist, a hawker called Gabriel Davies was more wary in the consumption of intoxicants.[8]

Yr hyn sy'n rhyfedd yw fod gennym adroddiad llawn o'r ymrafael a fu rhwng Twm a Gabriel, a hwnnw'r un mor fyw â'r adroddiad hwnnw am yr ymosodiad ar tollborth Efail-wen yn y *Carmarthen Journal*, gan rywun a allai'n hawdd fod yn llygad dyst drachefn. Y tro hwn y ffynhonnell yw llyfr Henry Tobit Evans, *Rebecca and His Daughters*, a gyhoeddwyd yn

1910. Roedd yn newyddiadurwr ei hun. Sefydlodd a golygodd
*Y Brython Cymreig* o'i gartref yn Llanarth, Sir Aberteifi, rhwng
1892 a 1902. Roedd hefyd yn olygydd y *Carmarthen Journal* yn
ystod y cyfnod hwn ac yn cyflenwi deunydd i bapurau Llundain.
Rhy ddisgrifiad byw o'r cyfarfyddiad tymhestlog rhwng Twm a
Gabriel ym Mhentregalar ym mis Tachwedd 1847:

In November 1847, a hawker, named Gabriel Davies, twenty-two
years of age, who lived at Carmarthen, came to the district. He
took up his abode at Pentregalar public-house, which was on the
main road between Crymych and Narberth. He was very strong,
and his reputation as a pugilist had reached the district long before
him. After having been at Pentregalar for several nights, a quarrel
arose between him and his landlord, in consequence of which he
removed to a public-house called "The Scamber Inn," situated
about a mile nearer Llandyssilio. The landlord of Pentregalar was
much annoyed at this, and declared he would have his revenge on
him. There also existed considerable feeling in the district as to the
superiority of Gabriel and Twm Carnabwth in the pugilistic world.
In order to decide which was really entitled to the coveted honour
of being champion, it was arranged to bring about a rupture
between the two men if possible.

The landlord of Pentregalar Inn was deputed to wait on Twm;
the following day he went in search of him, and brought him to
his own house, where, after giving him some alcholic drink, he
offered Twm a gallon of beer if he would give Gabriel Davies a
sound thrashing. Being thirsty, and believing himself to be the
better man, Twm at once accepted the offer, and proceeded to the
Scamber Inn. Gabriel was kept in total darkness as to what was
going on; though an occasional fight was more delicious to his
palate than a good breakfast, yet, as the fighting capabilities of
Twm were well known, it was more probable had the hawker been
informed of Twm's object, he would have beaten a hasty retreat
to some secluded spot, so as to obviate the necessity of coming in
contact with the Welsh 'lion'.

Such intimation, however, was not given, and early in the
afternoon of that day, Twm Carnabwth entered the Scamber
Inn and called for a pint of beer. Gabriel, who happened to be
sitting down near the fireplace, wished him "Good afternoon"

and endeavoured to carry on a conversation with him, but Twm's repulsive demenaour soon made it clear that he was not of the same sociable turn of mind. The latter next tried to pick a quarrel, but Gabriel was too old a bird to be drawn into his net, and instead of retaliating, sang his praises as a leader and a fighter, and wound up with an appeal to drink beer and be happy. Quart after quart was called for by Gabriel, but instead of indulging in it too freely himself, he quietly disposed of his share by pouring it into a corner close by.

Twm on the other hand continued to drink, and instead of exercising the necessary precaution against over indulgence, imbibed too freely of the beverage, and eventually got intoxicated. When St. Peter's boy observed the state of his antagonist, he thought that the time had come when he could take a more active part, and at once threw down the gauntlet. A fierce fight ensued, and owing to Twm's drunken condition, he was soon thrown to the ground, one of his eyes having been gouged out by Gabriel.

The combatants were then separated, and the fallen warrior was taken home. He suffered great pain for some time afterwards, and as inflammation set in his life for a time was despaired of. Gradually he recovered, after which he joined the Baptist Church at Bethel, Mynachlog-ddu, where he remained a zealous member till his death. It will therefore be seen that Gabriel Davies, though unwittingly, was the means of converting one sinner from being a terror and drunkard, to be a decent member of society. After his conversion he became a very genial and benevolent person, highly respected by all his acquaintances.[9]

Nawr, ni fyddai wedi bod yn bosib i Henry Tobit fod yn y cyffiniau ei hun yn 1847 am nad oedd ond tair oed. Ond o sylwi mai 22 oed oedd Gabriel ar y pryd, a derbyn ei fod wedi byw tan ei 70au, mae'n ddigon posib y byddai'r newyddiadurwr, yn rhinwedd ei waith gyda'r *Carmarthen Journal*, wedi'i gyfarfod rhywbryd yn y 1890au. O ran hynny byddai'n stori gyfarwydd ar lafar gwlad ac mewn tafarndai ar hyd y gorllewin mae'n siŵr. Mae'n hysbys hefyd fod yr awdur wedi elwa'n sylweddol o blith deunydd yr hynafiaethydd, Alcwyn C. Evans (1828–1902), Caerfyrddin, wrth baratoi ei lyfr. Roedd gan Alcwyn gasgliad helaeth o ddeunydd am helyntion y Becca, ac fel llanc ifanc roedd yn dyst i'r ymosodiad ar dloty'r dref ym mis Mehefin 1843. Roedd yn ffynhonnell ddihysbydd o wybodaeth. Ond o holi Gabriel ei hun roedd gan Henry Tobit gyfle i gyfleu naws yr achlysur, fel pe bai yno yn nhafarn y Stambar, fel y'i hadwaenid yn lleol, ac sy'n annedd erbyn heddiw.

A pham oedd Henry Tobit am gofnodi'r digwyddiad, sydd mewn gwrthgyferbyniad i sylwadau Ioan Cleddau am yr hen Dwm? Greddf y newyddiadurwr mae'n siŵr, a'r ffaith fod y straeon am Twm a'i ddyrnau yn lleng a'r stori hon o enau Gabriel ei hun yn un rhy dda i'w gollwng. O leiaf rhy inni dystiolaeth diymwad o fuchedd Twm pan oedd yn ei breim yn gorfforol neu yn dechrau colli gafael ar ei gyneddfau greddfol.

Dywed Pat Molloy wrthym fod Gabriel yn fab i Beni Hat Wen, a ystyrid ei hun yn ymladdwr dansheris yn y ffeiriau. Dywed ymhellach fod Gabriel ei hun wedi torri blaen bys yr uwd yn fwriadol rhag ei fod yn cael ei gonsgriptio yn ei fedd-dod. Heb y bys cyflawn ni fedrai wasgu clicied gwn ac, felly, ni fyddai'n abl i fod yn filwr. Dywed E. T. Lewis wrthym wedyn yn ei gyfrol *Mynachlog-ddu: A Historical Survey of the Past Thousand Years* (1969) fod y Twm clwyfedig wedi cael ei gario gan ei gefnder i Fwlchstop neu Dolauisaf – un arall o'r trigfannau lleol sy'n arddel dau enw – i gael ymgeledd. Byddai hynny y tu hwnt i Gapel Bethel ar hyd y ffordd fynydd dros Crugiau Dwy sy'n arwain i Bentregalar.

Mae'n debyg bod Twm, er gwaethaf ei anafiadau, yn hawlio buddugoliaeth pe bai dim ond i hawlio'r galwyn o gwrw. Ymddengys fod Gabriel yn gymharol ddianaf. Ebenezer Davies oedd tafarnwr Tŷ Mawr neu'r Union ym Mhentregalar ar y pryd. Ond pe bai wedi galw heibio tair neu bedair blynedd ynghynt fyddai'r tafarnwr y pryd hwnnw, Jams Dafi (1758–1844), yn sicr ddim wedi trefnu ymladdfa rhyngddo a Twm. Roedd yn ddyn syber a'i olygon ar faterion gwahanol yn ôl *Hanes Eglwysi Annibynnol Cymru 1873*.

Roedd Siams Dafi yn ddyn o alluoedd cryfion iawn ac yn berchen ar wybodaeth gwleidyddol a chyfreithiol yn ogystal ag ysgrythurol, ac roedd ganddo ddawn arbennig i weddïo, gyda gweddi bwrpasol ar bob achlysur.[10]

Gadewch i E. Llwyd Williams ein goleuo ymhellach ynghylch natur ei gymeriad:

Ysgrifennai i *Seren Cymru* a chasglodd ddetholiad bychan o emynau at ei iws ei hun. Ef oedd arolygydd y gwaith o lunio ffordd o'r Bridell i'r Efail-wen, ac yr oedd yn awdurdod ar weithgareddau'r plwyf a llyfrau'r dreth, yn lluniwr ewyllysiau ac yn dipyn o gyfreithiwr, yn gasglwr rhenti i'r Arglwydd Kensington a Lloyd Bronwydd, yn fancwr lleol, yn Rhyddfrydwr ac yn hoff o fwdram a chwrw cartref. Lletyai gwŷr mawr fel Caleb Morris, 'Brutus', yr Arglwydd Kensington a'r Arglwydd Bosanquet yn ei gartref ym Mhentregalar.[11]

Roedd wedi defnyddio ei ddylanwad i sicrhau ffordd dyrpeg o Aberteifi i Arberth wrth gwrs ac wedi cadw dyddiaduron yn gyson ar hyd ei oes. Yn anffodus ni wyddom beth oedd ei ymateb i'r tollbyrth a gweithredu'r Becca yn ystod ei flynyddoedd olaf. Tebyg o ddarllen yr uchod y byddai'n condemnio torcyfraith a thrais.

Yr hyn sy'n hynod ddiddorol am adroddiad H. Tobit Evans yw'r awgrym cryf yn y cynffon fod a wnelo'r ymladdfa yn 1847 â thröedigaeth Twm. Nawr, does dim amau fod Twm yn anterth ei ddyddiau pan 'wasanaethau'r diafol' yn gledrwr heb ei ail. Mewn erthygl a gyhoeddwyd yng nghylchgrawn *Y Llenor* yn 1933 cyfeiria Caleb Rees at yr hyn a ddisgrifiwyd fel 'ergyd slecht' o eiddo Twm, a'i fod yn llinach porthmon ac ymladdwr ffeiriau adnabyddus a adwaenid fel Joe Mawr y Deheudir. Mewn erthygl a gyhoeddwyd yn y *Western Telegraph*, ym mis Chwefror 1958 wedyn, sonia Sidney Rosser, o Abergwaun, am rinweddau nerthol ei hen dad-cu:

His blow was fatal. He had shoulders like Hercules, and his waist was like a mountain.[12]

Mae'n rhaid ei fod yn ddyn poblogaidd ymhlith rhai haenau o gymdeithas nid yn unig ar gownt ei gwmni yn y tafarnau ond ar sail ei allu i ffusto gwrthwynebwyr yn sgwâr bocsio'r ffeiriau. Byddai'n gyfarwydd â chlywed Lefi Gibbwn yn cyfeirio ato'n anuniongyrchol wrth ganu ei faled am y Becca yn y ffeiriau. Ond roedd wedi colli ei lygad neu ei ddolurio'n ddifrifol o leiaf yn y sgarmes yn Stambar yn 1847. Does yr un o'r adroddiadau amdano yn ei henaint chwaith yn nodi mai dim ond un llygad oedd ganddo. Oedd yna ddigwyddiad penodol, felly, oedd wedi ei arwain i gefnu ar 'y diafol'? Beth a wyddom am ei berthynas â'r byd crefyddol a chapel Bethel?

Ym mis Tachwedd 1845, chwe blynedd wedi gwaredu iet Efail-wen, penderfynodd y Parch Walter Davies a'i ddiaconiaid fod rhaid diarddel Thomas Rees, a hynny mae'n debyg ar sail ei fynych fedd-dod. Byddai hynny yn dipyn o warth yn y cyfnod pan nad ystyrid fod ei ffordd o fyw yn cydymffurfio â gofynion bod yn aelod eglwysig. Tybed ai cyd-ddigwyddiad oedd y ffaith fod nifer o brif ffeiriau'r cylch wedi'u cynnal yn ystod yr wythnosau cynt. Hwyrach iddo gael ei rybuddio droeon cynt. Tybed a oedd Twm wedi ymddangos gerbon llys barn tua'r cyfnod hwnnw a'r gwarth ychwanegol hwnnw wedi gwneud ei ddiarddeliad yn anorfod? Ceisia'r Athro T. J. Jenkin daflu goleuni ar y mater er nad yw'n cynnig ffeithiau diymwad a dyddiadau penodol:

Y syniad gefais gan fy nhad ydoedd mai dyn da oedd Twm yn ei berthynas â'r Beca yn hytrach nag un i'r hwn yr oedd bywyd ei gyd-ddyn yn ddibwys. Fe wn, erbyn hyn, ei ddiaelodi yn Bethel – yn ôl pob tebyg oherwydd ei gysylltiad â'r Beca ac ofn 'pobl dda' Bethel y byddai hynny yn adlewyrchu yn ddrwg ar aelodau yr Eglwys gyfan. Hyd yn oed o fewn fy nghof i, diaelodid un a gafwyd yn euog mewn llys barn o feddwi, ond ni ddiaelodid neb arall am feddwi. Y mae yn amlwg bod Twm yn aelod yn Bethel cyn hynny (neu nis gellid ei ddiarddel) ac os wyf yn iawn mai am ei ran ynglŷn â'r Beca y diaelodwyd ef, rhaid ei fod wedi gadael buchedd ofer ei ieuenctid cyn i'r Beca ddechrau ar ei gwaith ac nad rhan o'i fywyd ofer cynnar ydoedd ei ran yn y Beca, ond rhan dyn a oedd eisoes wedi cael tröedigaeth ac yn aelod crefyddol.[13]

Anodd credu iddo gael ei ddiarddel am ei ran yng ngweithgarwch y Becca neu fe fyddai crugyn o aelodau eraill wedi'u diarddel ym Methel hefyd, mae'n siŵr, yn ogystal ag ar hyd capeli'r fro – oni bai ei bod yn amhosib gwybod pwy oedd pwy yn y gwisgoedd benywaidd a'r wynebau wedi'u duo. Ac roedd gwaredu'r iet er lles y gymdeithas gyfan, gan gynnwys gwŷr y Set Fawr a fyddai'n cynnwys ffermwyr. Nid yw dogfennau'r eglwys yn nodi pryd y cafodd ei dderbyn yn aelod a hynny trwy fedydd trochiad na chwaith p'un a chafodd ei ddiarddel ar fwy nag un achlysur. Gan amlaf, dan amgylchiadau o'r fath byddai 'troseddwr' yn cael ei dderbyn yn ôl, pe dymunai, o fewn Sul cymundeb neu ddau.

Ond y tro hwn gwyddom na chymerodd Twm ei le yn ôl tan 1867 – 22 mlynedd yn ddiweddarach – pan oedd yn ei drigeiniau a phan oedd un o blant yr eglwys, William Griffith, 23 oed, ar fin cael ei ordeinio'n weinidog ar yr achos. Er i'w fab, W. D. Griffith, gyhoeddi cofiant i'w dad yn 1908, does dim cyfeiriad ynddo tuag at Twm na helynt y Becca. Yn 1844 y ganwyd y gweinidog ifanc. Walter Davies oedd y gweinidog yn 1845 ac fe'i olynwyd yntau gan ddau arall cyn i William Griffith gydio yn y llyw. Mae'n anodd derbyn fod y grasfa yn Stambar wedi bod yn drobwynt sydyn ym mywyd Twm felly.

Eto doedd ei ddiaelodi ddim o reidrwydd yn golygu fod Twm yn cadw draw o'r oedfaon. Dywed traddodiad ei fod yn selog yn y Gymanfa Bwnc. Dyna a ddysgodd W. R. Evans gan ei fam-gu, Sarah Davies, Glynsaithmaen, a fyddai'n cofio am Twm yn bur dda am y byddai'n 20 oed pan fu farw yn 1876 ac yntau wrth gwrs yn gymydog ar draws y waun. Fel addysgwr ei hun roedd W. R. yn ddiolchgar iddi am y wers hanes:

Roedd Clive of India a Captain Cook yn enwau mawr ond Mam-gu, yn unig, a soniodd wrthyf am Twm Carnabwth a ddaeth yn arweinydd Rhyfel Beca. Dim sôn amdano yn yr ysgol. Roedd ei garreg fedd ym mynwent Bethel Mynachlog-ddu, ond ni ddangoswyd honno erioed i'r plant ysgol... A meddwl fod tyddyn bach Carnabwth ar waelod tir Glynsaithmaen, ac mae tŷ unnos, ar ganol y gors, oedd hwnnw ar y dechrau! Roedd gan Mam-gu lawer o storïau am Twm. Mae'n debyg y byddai'n meddwi'n drwm ar adegau, a rhaid oedd ei dorri ma's o Eglwys Bethel lle'r oedd yn arwain y gân. Ond pan ddeuai'r Gymanfa Bwnc heibio, rhaid oedd ei dderbyn yn ôl at y canu.[14]

Roedd yna draddodiad o 'wrandawyr', nad oedden nhw'n aelodau, yn mynychu oedfaon ac yn eistedd ar y llofft, a phe baen nhw yno mewn oedfa gymun fydden nhw ddim yn cael cymryd rhan yn y ddefod, ac o bosib yn cael eu gorchymyn i adael cyn gweinyddu'r ordinhad. Bedyddiwyd Anne, merch ieuengaf Twm a Rachel, yn 14 oed yn 1855, a thebyg bod Twm yn bresennol ar yr achlysur. Roedd y plentyn hynaf, Elizabeth, wedi'i bedyddio yn 1842, a hithau tua'r un oed. Ac o dderbyn awgrym W. R. ei fod yn 'godwr canu' mae'n rhaid bod yna groeso iddo gymryd rhan p'un a oedd yn aelod neu beidio. Does dim dwywaith ei fod yn gantor. Tystiolaeth ei ŵyr, John Rosser, wrth ymweld â Charnabwth pan oedd yn grwt, oedd clywed ei dad-cu, o hirbell, yn canu'r alargan 'Morfa Rhuddlan'. Roedd caneuon gwerin yr un mor gyfarwydd iddo ag emynau.

Anodd credu iddo roi'r gorau i'r ddiod ar amrant. Byddai'n colli cwmnïaeth y tafarnau a'r ffeiriau. Adroddai Teifryn Rees y stori deuluol am gefnder Twm, a oedd yn byw yn Felindyrch, bob amser yn siarsio Twm, pan ddeuai trwy'r clos ar ei ffordd i ffair, i 'slaco ar y peth ifed'. Ond ni fyddai'n gwrando. Adwaenid hen dad-cu Teifryn, Thomas Rees arall, fel 'Thoms'. Roedd yn godwr canu ac yn uchel ei barch yng nghapel Bethel. Yn 1888 cyflwynwyd tysteb yn y swm o £26.02 iddo fel cydnabyddiaeth o'i ddeugain mlynedd yn arwain y gân. Byddai'n ceisio cael trefn ar Twm bob hyn a hyn a cheisio ei berswadio i gynorthwyo gyda'r ganiadaeth ar adeg Cymanfa am fod ganddo lais tenor da.

Ond un stori sydd wedi goroesi o fewn y teulu ac sy'n darlunio natur personoliaeth Twm i'r dim yw stori'r fasged wyau.

Cafodd Twm fenthyg basged Glynsaithmaen er mwyn cario wyau i farchnad Aberteifi. Gwerthwyd yr wyau a phenderfynodd Twm alw yn y Saddlers Arms yn y brif stryd am hoe cyn troi sha thre. Mae'r Saddlers yn dal i weini cwrw. Pan ddaeth mas penderfynodd fod y fasged wag ar ei fraich yn fwrn arno ac yn rhwystr wrth iddo farchogaeth. Penderfynodd ei hyrddio dros ben to'r adeilad gyferbyn. Trannoeth roedd pobl Glynsaithmaen am wybod beth oedd hynt y fasged ac am ei chael yn ôl. Gorfu i Twm ddychwelyd i Aberteifi a chnocio wrth ddrws yr adeilad gyferbyn i'r Saddlers gan ofyn am ganiatâd i fynd i'r ardd i chwilio am ei fasged.

Dywed Teifryn bod y traddodiad teuluol yn adrodd mai i Felindyrch y daethpwyd â Twm i'w ymgeleddu wedi'r ymladdfa yn y Stambar yn 1847. Er bod E. T. Lewis yn nodi Dolau Isaf lle'r oedd yna gefnder arall yn byw mae'n gwneud synnwyr ei fod wedi galw yn Felindyrch hefyd am y byddai hynny ar ei ffordd adref i gyfeiriad Carnabwth. Ond does gan Teifryn ddim cof o glywed dim sôn am dylwyth Twm yn rieni nac yn frodyr na chwiorydd. Er y dybiaeth yw os oedd Twm a Thoms yn ddau gefnder cyntaf roedden nhw'n rhannu'r un tad-cu a mam-gu ar ochr naill ai'r tad neu'r fam.

Serch hynny, daethpwyd o hyd i gofnod priodas yn Eglwys Llangolman ar ddydd Sul, 5 Mai 1811 rhwng Stephen Rees a Sarah Thomas. Roedden nhw wedi priodi trwy drwydded gyda chaniatâd rhieni, h.y. talu am briodi yn hytrach na chyhoeddi'r gostegion neu'r rhybudd o fwriad arferol. Nodir Daniel a Joseph Rees fel dau dyst. Mae llofnod Daniel Rees yn union yr un fath â llofnod Daniel Rees, Caermenyn Isha, ar achlysur ei briodas yntau ag Elizabeth David. Priodwyd y ddau yn Eglwys Llangolman ym mis Tachwedd 1814 ond nid yw'r cofnod yn nodi enwau'r ddau dad. Doedd hynny ddim yn ofynnol yn y cyfnod hwnnw. Ni ddaeth hynny'n arfer tan 1837. Bu Daniel farw yn 1851.

Daniel oedd tad Thoms ac felly yn ewythr i Twm os oedd ei dad, Stephen, yn frawd iddo. Golygai hynny bod Twm, o bosib, yn ŵyr i John a Shusanna Rees, Caermenyn. Bu farw'r 'fam-gu' yn 1829 yn 95 oed ac roedd ei gŵr wedi'i blaenori ers tro. Ond ni welwyd tystiolaeth i nodi i sicrwydd hyd yma union le Stephen Rees o fewn yr ach. Tybir ei fod yn frawd i Daniel. Nid yw wedi'i gladdu ym mynwent Mynachlog-ddu lle mae crugyn o aelodau teulu Daniel Rees wedi'u claddu. Fe allai Twm a Thoms fod yn gefnderwyr cyntaf wrth gwrs, ar sail ach Elizabeth neu Bet, gwraig Daniel. Mae'r chwilota'n parhau.

Beth bynnag, mae'n rhaid bod Teifryn ei hun wedi etifeddu peth o'r ddawn deuluol a amlygwyd gan Thoms a Twm. Wel, fe enillodd y gystadleuaeth Rhuban Glas yn Eisteddfod Genedlaethol Rhosllannerchrugog yn 1961 a phrif wobr yn Eisteddfod Llangollen yn ei dro. Yn Felindyrch y magwyd yntau.

Mae E. Llwyd Williams yntau'n ceisio cyflwyno darlun cytbwys o bersonoliaeth Twm:

Fe'i disgrifir fel 'paffiwr' yn y Bywgraffiadur, ond ym marn ei hen gymdogion, ni olygai hynny fwy na'i fod yn ŵr peryglus i'w bryfocio ar ôl iddo gael tri pheint. Collodd un o'i lygaid wrth ymladd, ac ar ôl hynny bu'n gapelwr selog am gyfnod ym Methel, ac yr oedd yn ganwr da.[15]

Yn wir, deallwn mai hoff emyn Thomas Rees erbyn dyddiau olaf ei sobrwydd oedd eiddo Pantycelyn:

Iesu, difyrrwch f'enaid drud
  yw edrych ar dy wedd,
ac mae llythrennau d'enw pur
  yn fywyd ac yn hedd.

A than dy adain dawel, bur
  yr wy'n dymuno byw
heb ymbleseru fyth mewn dim
  ond cariad at fy Nuw.

Melysach nag yw'r diliau mêl
yw munud o'th fwynhau,
ac nid oes gennyf bleser sydd,
ond hynny, yn parhau.

O cau fy llygaid rhag im weld
pleserau gwag y byd
ac imi wyro byth oddi ar
dy lwybrau gwerthfawr, drud.

Does gennyf ond dy allu mawr
I'm nerthu i fynd ymlaen;
dy iachawdwriaeth yw fy ngrym
a'm concwest i a'm cân.

William Williams, Pantycelyn

Credir ei bod yn seiliedig ar gyfansoddiad o'r ddeuddegfed ganrif gan Bernard o Clairvaux sy'n dechrau fel a ganlyn:

Jesus, the very thought of Thee
With sweetness fills my breast;
But sweeter far Thy face to see
And in Thy presence rest.

# 7

# Twm Carnabwth Drachefn

YN FYNYCH IAWN gofynnir y cwestiwn pam nad oedd Twm Carnabwth wedi cymryd rhan drachefn yn helyntion y Becca pan gydiodd y gwrthryfel ar draws de Cymru tair blynedd wedi gwaredu iet Efail-wen? Wel, yr ateb syml yw am nad oedd angen iddo. Roedd ei waith wedi'i wneud. Roedd e wedi gwaredu tramgwydd lleol. Ymwneud â diffygion lleol oedd yr helyntion ac roedd yna arweinwyr ac ymgyrchwyr parod ymhob ardal yn teimlo'r gwasgfeydd oedd arnyn nhw i'r byw. Doedd dim angen tywys bechgyn Mynachlog-ddu a'r cyffiniau i lle bynnag roedd y tollbyrth yn symbolau yn dynodi gormes.

Mae'n anodd deall paham y bu yna oedi. Roedd Becca 'Nachlogddu wedi llwyddo yn ei gwaith ac roedd unigolion fel Hugh Williams a David Rees gyda'r geiriau 'Cynhyrfer, Cynhyrfer, Cynhyrfer' ar faner ei bapur, *Y Diwygiwr*, yn dal i gorddi. Hwyrach y gellir dweud bod yna well cynaeafau wedi bod yn y blynyddoedd dilynol. Roedd hynny'n wir am 1842 ond, ar yr un pryd, roedd cwymp mewn prisiau, a llai o alw am gynnyrch amaethyddol oherwydd anghydfod yn y glofeydd, a streic aflwyddiannus yng ngwaith dur Cyfarthfa yn erbyn gostwng cyflogau.

Gwelwyd yr arwydd cyntaf o anniddigrwydd yng nghefn gwlad pan losgwyd teisi llafur rhai o blasdai Dyffryn Teifi ym mis Hydref 1842, fel rhan o'r brotest yn erbyn y Deddfau Ŷd. Roedden nhw'n ddeddfau oedd wedi'u llunio i ddiogelu prisiau i'r tyfwyr grawn ac yn gosod toll ar ei fewnforio, gan olygu prisiau uchel ar un o hanfodion bywyd sef bara. Cynigiwyd £100 am wybodaeth er mwyn erlyn y llosgwyr. Ond ni chafodd yr un o'r tenantiaid a oedd yn gyfrifol am y troseddu eu herlyn.

Yn fuan ar ôl hynny penderfynodd Thomas Bullin bod angen codi tollborth arall yn Sanclêr. Fe'i dinistriwyd cyn gynted ag y gafodd ei godi. O fewn dim o dro aeth yn dân gwyllt a phrin fod yr un o dollbyrth 'Bowlin' ar eu traed. Bu helyntion pellach yn Arberth, Pwlltrap, Llangwathen, Prendergast ac Abergwaun ond does dim awgrym pendant fod Twm wedi bod ynghlwm â nhw, yn sicr nid fel arweinydd.

Hanfod y llyfrau sy'n delio â gwrthryfel y Becca yw cofnodi'r helyntion ddigwyddodd wedyn ar draws siroedd Dyfed a rhannau o Forgannwg dros y ddwy flynedd nesaf. Gwnaed arwyr o Shoni Sgubor Fawr (John Jones 1811–1858) a Dai'r Cantwr (David Davies 1812–1874) y naill yn gledrwr o Ferthyr a'r llall yn weithiwr crwydrol o Lancarfan, Bro Morgannwg. Cafodd y ddau eu halltudio am eu rhan yng ngweithgareddau'r Becca wrth i'r gweithredu droi'n gynyddol dreisgar.

Anfonid llythyrau bygythiol di-rif at bwy bynnag oedd yn darged y mudiad a phwy bynnag na fodlonai gydymffurfio â bwriadau'r mudiad. Enghraifft o hynny yw'r nodyn canlynol gan gyfrannwr anhysbys yn rhannu ei atgofion ar dudalennau *Tarian y Gweithiwr*:

> Yr oeddwn i'n gwasanaethu yn grwt bach yn Gilfach----, plwyf Cilrhedyn, ac at ben boreu dyma lythyr yn dyfod yn gorchymyn meistr a'r ddau was mwyaf am fod erbyn 11eg y noson hono yn y fan y lle yr oedd Becca a'i merched i'w cyfarfod. Yr oedd meistr yn crynu fel deilen wrth ddarllen y llythyr, a'r penderfyniad wnaed oedd i'r ddau was i fyned, ac i Mr Davies ysgrifennu nodyn i hysbysu Becca ei fod ef yn glaf, ac yn wir meddai meistr "yr wyf yn dost iawn hefyd." Er nad oedd y cyfan ond ffug, gorfu arnaf fyned i ymofyn Doctor Blaenddewifawr at y meistr y diwrnod hwnnw; ond erbyn hyn y mae y Dr. wedi marw tra y mae Mr Davies yn fyw.[1]

Hwyrach mai uchafbwynt y gweithredu oedd yr ymosodiad ar wyrcws Caerfyrddin ar 19 Mehefin 1843 dan arweiniad Meic Bowen, 26 oed, o Dre-lech, pan amcangyfrifid fod 3,000 o Fecäod yn bresennol. Meic Bowen oedd yr unig un o blith y 300 a mwy ar gefn ceffylau oedd wedi'i wisgo yn rhith y Becca, a hynny er mwyn dynodi symboliaeth efallai. Ar nos Wener 23 Mehefin, wedyn, dinistriwyd dau dollborth ar gyrion Aberteifi, ac yn ôl gohebydd y misolyn *Seren Gomer* roedd yna orfoledd yn y dref ar ddiwrnod marchnad trannoeth. Doedd neb yn gwrthwynebu peidio â thalu tollau y diwrnod hwnnw. Ymddengys bod T. ab Ieuan yn dyst i'r cyfan:

> Drannoeth, sef dydd Sadwrn, yr oedd marchnad yn y dref, ac yr oedd pawb wedi cael arbediad rhag talu y doll arferol trwy y toll-byrth, ond a ddaeth trwy doll-borth y cerbyd (h.y. y goets fawr); ac wrth weled pethau felly, yr oedd yr ysbryd Beccayddawl yn gorlenwi y gwersylloedd, a gwae neb a ddywedai yn erbyn yr hen *lady* y diwrnod hwnnw. Ni chlywid yn y tafarndai ym mhlith y rhai oedd yn *potio*, ond iechyd da i Becca, hir oes i Becca, &[2]

Ac oes, mae yna un cofnod bod Becca wedi anfon llythyr o Fynachlog-ddu at William Peel, Taliaris, uchel-siryf Sir Gâr ar 19 Mehefin 1843 yn ei rybuddio i ostwng ei delerau rhent neu fe fyddai Becca yn galw heibio ac yn bwydo ei gorff a'i gnawd i gŵn hela Glansefin. Odi'r bygythiad lliwgar yn nodweddiadol o hiwmor Twm? Oedd e'n ddigon llythrennog i gyfansoddi llythyr o'r fath? Doedd ei enw ddim wedi'i grybwyll. Mwy na thebyg mai rhywun o gyffiniau Llandeilo yn Nyffryn Tywi oedd yr awdur ond ei fod am gydnabod cysylltiad hanesyddol Mynachlog-ddu gyda dechreuad y Becca.[3]

Yr un pryd doedd helyntion y Becca ddim yn angof ar hyd llethrau'r Preselau. Cafwyd adroddiad lled ddoniol yn *Seren Gomer* ym mis Rhagfyr 1843 am ddau blisman o Lundain yn arestio ffarmwr ym Maenclochog am danio dryll gan gredu bod hynny'n arwydd i alw Becäod ynghyd. Bu'n rhaid i Thomas Phillips, ac yntau'n gapelwr parchus, ymddangos gerbron Brawdlys. Os taw 'Twm o Faenclochog' fyddai'n anfon adroddiad i'r un cyhoeddiad am 'Sheci Budloy', ymhen tair blynedd, y gohebydd y tro hwn oedd 'Penylan Quintin', er yr un oedd yr arddull, gyda phinsied go helaeth o goegni. (Gweler Atodiad IX.)

Gwyddom hefyd fod tua 300 o ddynion, wedi duo eu hwynebau, wedi ymweld â ffarm ym mhlwyf Llanfyrnach ar 10 Hydref 1843 a gyrru dau feili oddi yno. Roedd Benjamin Richard, 60 oed, deilydd ffarm 28 erw Gorsgoch, ar lan afon Gafel, rhwng Glandŵr a Phentregalar, mewn dyled rhent i David Howell, y perchennog. Aeth y Becäod â'r holl eiddo y ceisiwyd ei atafaelu oddi yno a'i ddiogelu ar gyfer y tenant. Anodd credu nad oedd Twm Carnabwth ymhlith mintai mor fawr â thri chant gan fod yr ardal o fewn ei gynefin. Waeth beth fu canlyniad yr helynt roedd Benjamin Richard a'i deulu yn dal yng Ngorsgoch adeg Cyfrifiad 1851. Ymddengys na chafodd neb ei arestio ac ni chafwyd achos llys na chwaith sylw yn un o bapurau'r cyfnod. Yn wir, yr unig gyfeiriad at y digwyddiad fu mewn llythyr o eiddo'r bargyfreithiwr 36 oed o Gastellnewydd Emlyn, Edward Crompton Lloyd Hall (1807–1880), anfonwyd at y Swyddfa Gartref ar y pymthegfed o Hydref – pum niwrnod wedi'r digwyddiad.[4]

Ar ben hynny, ac i danlinellu bod y Becca wedi hen ymestyn ei thargedau y tu hwnt i'r tollbyrth, ymosodwyd ar ored Felingigfran yn afon Nyfer ar 26 Gorffennaf 1843. Roedd y goredau hyn yn rhwystro pysgod rhag teithio ymhellach i gyfeiriad tarddleoedd yr afonydd ac yn eiddo i uchelwyr lleol. Cyfarfu tua 150 o ddynion ar Gomin Eglwyswrw cyn martsio i ddinistrio'r hyn a ystyrient yn rhwystr anghyfiawn. Cofnododd Stephen Rees ei fersiwn ef o'r digwyddiad, gan ddatgelu sut y canfuwyd ar hap pwy oedd y 'Becca' lleol:

> Y lle nesaf yr ymddangosodd Becca a'i merched ar ôl hyn ydoedd
> ym mhlwyf Meline. Yr oedd Jack Felingigfran wedi rhoddi
> rhywbeth ar glawdd ei lyn, yr hon oedd yn groes i afon Nevern, i
> rwystro yr eogiaid (salmons) i ddyfod i'r lan ymhellach na chlawdd

ei lyn. Daliai efe hwynt yno, ond nid oedd yn foddlawn i neb
arall i gael cyfle arnynt. Yr oedd meibion a gweision y ffermydd
cylchynol, pa rai oeddynt yn hoffi'r gwaith o bysgota "salmons"
yn y nos, yn teimlo yn ddig iawn wrth Jack am hyn, ond yn methu
gwybod pa fodd i'w orchfygu heb osod eu hunain yn ngafael y
gyfraith, oblegid nid oedd yn gyfreithlawn dal y "salmon" o gwbl.

Pan glywyd am orchestion Becca a'i merched yn yr Efailwen,
ni fuwyd yn hir cyn taro ar gynllun i orchfygu Jack. Daeth dwy
Becca allan gyda'u gilydd, a thyrfa fawr o ferched wedi ymwisgo yn
hardd, ac aethant at y llyn. Ond gan fod y tywydd yn wlawog, a'r
afon wedi codi yn uchel, methodd y cwmni a gwneud dim y noson
honno. Cyn i'r dwfr leihau fel y gellid myned at y gwaith anfonodd
Jack lythyr at yr awdurdodau, ac yr oedd nifer fechan o filwyr wedi
dyfod yno i wylied yr afon. Nid oedd y ddwy Becca na'u merched
yn awyddus iawn i wynebu milwyr, ac nid oeddynt am niweidio un
o filwyr y Brenin, a gwelwyd fod yn rhaid treio cynllun arall.

Un noson aeth un o'r ddwy Becca yn ei ddillad cyffredin a dryll
llwythog ganddo i hen gastell Penbenglog, yr ochr arall i'r afon,
bron gyferbyn â'r llyn, a saethodd bump neu chwech o ergydion
nes yr oedd y cwm yn diaspedain. Yna ar redeg croesodd yr afon
a daeth i lawr at y Felin drwy y ffordd arferol, mewn dychryn
mawr at y milwyr, a dywedodd ei fod fel hwythau wedi clywed
sŵn saethu rhyfedd yn y castell, a'i fod yn sicr mai y ddwy Becca
a'u merched oedd yno, yn dyrfa fawr iawn, ag arfau tân ganddynt,
a dywedai ei fod wedi clywed eu bod yn bwriadu rhuthro i dorri
clawdd y llyn, a saethu pawb a'u rhwystrai. Dywedai hefyd ei fod
ef fel ffermwr tawel wedi rhedeg atynt i'w perswadio i ymguddio, y
noson honno, a theulu y Felin hefyd, ac yr arhosai efe gyda hwynt i
weled pa fodd yr elai pethau ymlaen.

Cytunodd y teulu a'r milwyr i ymguddio mewn lle unig, a
chlöwyd y tŷ a'r Felin, a gadawyd clawdd y llyn at drugaredd
Becca. Rhoddodd y ffermwr arwydd, a daeth Becca a'i merched
yno a thorrwyd clawdd y llyn a gadawyd lle agored i'r pysgod i
ddod fyny fel y mynnent, a deuant i fyny yn eu tymor hyd y dydd
hwn. Bu distawrwydd am gryn amser ar ôl hyn. Ni wyddai neb
o'r ardalwyr na'r bechgyn a dyngid yn ferched pwy oedd yr un
o'r ddwy Becca ym mhlwyf Meline. Credai llawer mai rhai o bell
oeddynt. Yr oedd bachgen mewn fferm ym mhlwyf Meline, wrth
fod yn ddiofal gyda'i ddryll, wedi saethu un a hanner o fysedd ei
law ddehau ymaith. Yr oedd ei law wedi gwella ers cryn amser, eto

llaw ddehau tri bys a hanner oedd ganddo o hyd. Arferai y llanc fynychu tafarn Crosswell, ac y roedd ei law yn adnabyddus iawn i wraig y tŷ tafarn.

Ymhen tipyn ar ôl torri clawdd Felingigfran, torrwyd ar dawelwch yr ardal gan y si fod Becca a'i merched yn myned at eu gwaith eto. Yr oedd chwaer i Jack Felingigfran yn byw mewn lle cwmins bychan ar ochr y mynydd, ac yr oedd ei gŵr newydd gau darn helaeth o'r mynydd ym mhlwyf Meline yn gae bychan, heb fod pawb yn foddlon iddo. Er mai gwaith da ydoedd, ac ydyw, cau y mynydd a'i drin, eto hyd heddyw edrych braidd yn gilwg a wneir ar neb a wna hynny, gan y credir eu bod wrth wneuthur hynny yn cyfyngu hawliau y ffermwyr i'r mynydd. Eto yn yr amgylchiad hwn, tipyn o ddialedd at Jack oedd yr achos i Becca fyned ynghyd a thynnu y clawdd yn llawr gwastad. Cafwyd hwyl ar Becca i ddod allan.

Ryw noson, lawn lloer clywid y cyrn yn galw ar y merched ynghyd. Yr oedd cytundeb dirgelaidd pa le i gwrdd. Daeth torf fawr ynghyd ar gefnau ceffylau, wedi ymwisgo yn nillad merched, ac yr oedd "veils" dros wynebau y ddwy Becca; ac nid oedd neb yn gwybod pwy oeddynt, nac o ba le y daethent. Cychwynwyd yn dyrfa fawr, a'r ddwy Becca o'u blaen, nes eu dyfod i gwr plwyf Meline, pryd y daethant wyneb yn wyneb ag un o'r milwyr oedd eto yn gwylio yr afon. Safodd un o'r ddwy Becca o'i flaen a gofynnodd iddo, "Do you want to fight?" Atebodd yntau, "No, ma'm". Yna gorchymynnwyd iddo ddyfod wrth sgil Becca ar y ceffyl. Marchogwyd ymlaen felly hyd at dafarndy Crosswell, gan yr erchwyd i'r milwr ddisgyn. Awd ag ef i'r dafarn, a rhoddwyd iddo ei wala o gwrw er ei feddwi, fel nad elai i hysbysu y milwyr eraill fod Becca a'i merched allan wrth eu gorchwylion nosawl.

O barch ac o ofn y foneddiges ddieithr daeth gwraig y tafarn a glasiaid o frandi iddi. Tynodd hithau ei maneg oddi am ei llaw yn ddifeddwl ac estynnodd at y cwpan. Bradychodd y llaw hi. Gwelodd gwraig y tafarn pwy ydoedd, ond nid ynganodd air y noson hono. Aeth y cwmni yn un dyrfa at y clawdd a gwnaethant ddistryw mawr ar y clawdd newydd. Wedi gwneud y galanastra diangodd y ddwy Becca ymaith ar garlam gwyllt, ac ni wyddai neb o'r cwmni i ba le, ac ni ymdrechent gael allan. Pan welodd gwraig Crosswell y bachgen â'r llaw tri bys a hanner y boreu canlynol, dywedodd wrtho, "Ti yw Becca." Pan welodd yntau ei fod wedi ei ddal ni fu awydd arno fod yn Becca mwy. A dyma ddiwedd ar

Beccayddiaeth yn plwyf Meline. Ond yr oedd rhannau eraill y Sir, a llawer iawn o Ddeheudir Cymru, yn derfysglyd iawn. Codai Becca newydd bron ym mhob ardal.

Oddeutu y flwyddyn 1843, aeth pethau yn ddifrifol iawn, a gwelid fod perygl i'r Cymry gael eu cymeryd fyny fel teyrnfradwyr. Galwyd cyfarfodydd crefyddol ym mhob capel ymron, a chyfarfyddai gweinidogion y gwahanol enwadau i gyd-ymgynghori, a chyd-weddïo, a cheisio perswadio y Beccayddion i roddi heibio y dull hwn o geisio eu hiawnderau, a threio dull mwy teg a chyfreithlon. Cafodd yr ymdrech Gristionogol hon ddylanwad mawr er llonyddu y terfysg. Bu Becca a'i merched a'i gwaith dan sylw y Senedd droion. Dyma y pryd y sefydlwyd y drefn heddgeidwadol bresennol drwy yr holl wlad, er rhwystro Becca i dorri yr holl dollbyrth. Bu milwyr hefyd allan mewn amryw fannau yn cadw gwyliadwriaeth a threfn.

Trwy ddylanwad Cristionogaeth ac ofn cosp wladol, distawodd Beccayddiaeth yn y ffurf honno, a bu tawelwch mawr. Cafodd y prif doll-byrth lonydd, ac ni chyfodwyd ychwaneg gan y plwyfi. Ond ym mhen rhai degau o flynyddau, yn ddisymwth rhyw foreu, daeth y newydd fod y Frenhines Victoria ei hun wedi torri allan yn brif Becca, ac yn cael ei chanlyn gan ddwy Becca arall, Tŷ'r Cyffredin a Thŷ'r Arglwyddi, a'r holl heddgeidwaid, ac urddasolion y deyrnas yn osgordd iddynt ganol dydd goleu, i dorri holl doll-byrth y deyrnas ar un ergyd, gan roddi y ffyrdd yn rhydd i bawb a phob peth i'w tramwy; ac nid oes awydd ar neb eu hail godi.

Buasai yn ddymunol iawn pe bai y Brenin a'r Senedd a Thŷ'r Arglwyddi o honynt eu hunain yn ceisio cyd-farnu beth sydd yn gyfiawn i bob dyn, a chyd-weithredu i symud pob trais ac anghyfiawnder o'r wlad liw dydd goleu, fel na byddo eisiau i un Becca fyned allan liw nos byth mwy i ddangos iddynt yr hyn a ddylid ei wneuthur; oblegid cyfiawnder a ddyrchafa genedl, a thrwy gyfiawnder y sicrheir yr orsedd.

Wrth ddarllen y papyr newydd y dydd o'r blaen gwelais fod ysbryd Becca eto yn fyw, a Lloyd George wedi ei feddiannu ganddo, ac nis gallwn ddiweddu yn well na thrwy ddifynu geiriau Lloyd George ei hun yn Nghaerdydd: "They are getting frightened; they see a crowd at the gate. The turnpike keeper says, 'Don't pull it down, please; it needs a little repair, but I'll put a fresh coat of paint on it.' We say, 'The key, please'" Ond och! pwy fydd byw pan wnelo Duw hyn?[5]

Afraid dweud nad oedd Jack Felingigfran yn ŵr poblogaidd o fewn ei gymuned. Bu farw John James yn hen lanc yn 75 oed yn 1857 a'i gladdu mewn bedd ar ei ben ei hun ym mynwent capel Brynberian. Roedd ei nith, Mary Thomas, yn byw o dan yr un gronglwyd ag ef. Deil enw'r Becca tri bys a hanner yn ddirgelwch. Dylid nodi hefyd bod gored Blackpool ger Pont Canaston a oedd yn eiddo i'r Barwn de Rutzen wedi'i dinistrio ar 14 Hydref.

Yn y cyfnod hwn roedd ymddygiad y Becäod yn destun trafodaeth frwd ymhlith yr enwadau crefyddol. Mynych yr ystyriwyd p'un a ddylid eu cefnogi neu eu condemnio. Cyfarfu Cymdeithasfa'r Methodistiaid Calfinaidd yn Nhrefdraeth ar 3 Hydref 1843 gan gondemnio tor-cyfraith yn llym ac annog diarddel nid yn unig yr aelodau fyddai'n cymryd rhan ond hyd yn oed y rheiny a ddangosai duedd o gefnogi'r gweithredu a'r amcanion. Ond wedyn ymboeni am Bum Pwynt Calfin a materion diwinyddol astrus o'r fath fu rhawd y Methodistiaid. Ychydig ynghynt, ar ddydd Mawrth, 26 Medi, cyfarfu nifer o weinidogion Anghydffurfiol yng nghapel yr Annibynwyr Pen-y-groes i drafod y gweithredu cynyddol yn enw Becca. A ddylen nhw gefnogi'r terfysgwyr neu eu condemnio? Oedden nhw'n cefnogi'r amcanion os nad y dulliau?

Saith niwrnod cyn y cyfarfod uchod ceir cofnod yng nghofiant y Parch Evan Lewis, Brynberian (1813–1896) am bedwar gweinidog, yn cynnwys y Parch Caleb Morris, a oedd erbyn hynny ers 16 mlynedd yn weinidog yn Llundain, yn treulio'r prynhawn "yn tynu allan gynlluniau i wneud daioni, ac ystyried beth a ddylent ei wneuthur yn sefyllfa pethau yr adeg honno".[6]

Yn y cyfarfod ym Mhen-y-groes bu Caleb Morris yn traethu am awr a hanner. Byrdwn ei araith oedd na allai Eglwys Crist gefnogi gwrthryfel ac y dylai'r bobl ddadlau ac ennill ac amddiffyn eu hawliau mewn ffordd gyfreithlon. Doedd yna ddim condemniad fel y cyfryw. Dadl y gweithredwyr eu hunain wrth gwrs fyddai nad oedd neb yn cynrychioli eu hawliau yn y man oedd yn cyfrif sef y senedd. Doedd democratiaeth yr adeg hynny ddim wedi aeddfedu i ganiatáu pleidlais i bawb. Cyfyngid y bleidlais i ddynion, a dynion yn unig a oedd yn berchen ar hyn a hyn o dir. Doedd dim dewis felly ond gweithredu os am newid neu ufuddhau i'r drefn a pharhau anghyfiawnder. Golygai hynny y byddai'n anodd disgyblu a phlismona'r gweithredu ac y byddai gwrthdaro gyda'r gyfraith yn anorfod. Oedd persbectif Llundeinig wedi llethu safbwynt Caleb Morris neu a oedd hynny yn ei alluogi i edrych ar y mater o bellter mewn modd cytbwys? Crynhoir ei safbwynt yn ei gofiant:

> Mae Beccayddiaeth, er ei holl ddrwg, yn amlygiad o symudiadau y meddwl a'r galon; mae yn arwydd fod cyfnod cysgadrwydd ar ben. Mae Beccayddiaeth yn ddechreuad cyfnod newydd mewn materion gwladol. Mae wedi cyffroi pob dosbarth i feddwl a chymeryd dyddordeb yn eu buddiannau personol a chymdeithasol. Mae rhyw allu yn gweithio. Pwy allu? Mae galwad uchel am ddiwygiad. Gweddïwn a gweithiwn dros ein gwlad.[7]

Mae cofiant Evan Lewis yn nodi ymhellach bod yna gyfarfodydd gweddi wedi'u cynnal ac yn wir mae'r cofiannydd, yr Athro D. Morgan Lewis (1851–1937), M.A, Aberystwyth, mab y gwrthrych, am nodi bod y gweinidogion wedi chwarae eu rhan yn y newidiadau a gafwyd:

> Ar y 18fed o fis Hydref dywed Mr Lewis fod cyfarfodydd gweddi yn achos derfysglyd y wlad wedi eu cynal yn Mhenygroes, Brynberian a Felindre, a bod Mr. Evans, Mr. S Evans, Mr. Thomas, Trefdraeth, ac yntau ynddynt. Dranoeth dywed ei fod mewn cyfarfod gweddi yn Nhrefdraeth a dychwelodd Mr. S. Evans ac yntau ar yr 20fed.
>
> Y mae yn anhawdd i ni sydd yn byw yn nghanol rhyddid a goleuni a chysur y dyddiau hyn sylweddoli agwedd y wlad drugain mlynedd yn ol. Y mae gwelliantau mewn celfyddyd a masnach ac mewn gwleidyddiaeth ac addysg wedi gwneud eu rhan, ond os ydym am olrhain holl achosion y cyfnewidiad er gwell sydd wedi cymeryd lle rhaid i ni beidio anghofio llafur bendithfawr y dynion hyny fu gyda'r fath gysondeb yn cymhell egwyddorion sobrwydd, cyfiawnder a gwleidyddiaeth egwyddorol yn yspryd crefydd."[8]

Mae'n ymddangos mai bwrw ati i ymgyrchu yn enw dirwest fu pennaf gyfraniad y gweinidogion uchod. Roedd y mudiad yn dechrau magu cwils yn y cyfnod hwnnw wedi iddo ymledu o'r Unol Daleithiau a medd-dod yn cael ei weld yn broblem yn yr ardaloedd diwydiannol. O ystyried y safbwyntiau uchod oes yna unrhyw hygrededd i dybiaeth T. J. Jenkin mai oherwydd ei gysylltiad â'r Becca y cafodd Thomas Rees ei ddiarddel fel aelod eglwysig? Wel, ddwy flynedd yn ddiweddarach yn 1845 y terfynwyd aelodaeth Twm. Roedd y gweithredu wedi dwysáu ers dyddiau'r Efail-wen a hynny ar ôl bwlch o ddwy flynedd heb ddim yn digwydd. Ac ers ailgychwyn doedd dim tystiolaeth bod Twm ei hun yng nghanol y berw. Does bosib bod swyddogion Bethel am gosbi eu haelod am drosedd a gyflawnwyd ganddo chwe blynedd ynghynt. Fel y crybwyllwyd eisoes roedd yna resymau tebygol eraill dros ei ddiarddeliad.

Mae'r brodyr Rees, Caleb a Stephen, yn eu llyfr am hanes capel Pen-y-groes yn cydnabod arwyddocad mudiad y Becca:

> Gyda golwg, felly, ar y mudiad rhyfedd hwn a lwyddodd mewn byr amser, er gwaethaf rhai agweddau digon hyll, i gynysgaeddu Prydain Fawr â ffyrdd di-doll, a heddgeidwaid sefydlog a rheolaidd, ac â llywodraeth leol etholedig, yn lle ynadon gosodedig, gellir dweud nad i'r Eglwysi Ymneilltuol na'u gweinidogion fel y cyfryw y mae priodoli'r bai – na'r clod – am yr hyn a ddigwyddodd ar ein heolydd, 'brynhawn echddoe'.[9]

A yw hynny felly'n rhoi'r farwol i'r honiad ynghylch y cysylltiad honedig â'r adnod honno yn Llyfr Genesis? Doedd y cyfarfodydd crefyddol a gynhaliwyd i drafod y gwrthryfel ddim yn cyfeirio ati. Mae'n debyg na chlywid sôn am yr adnod yng nghyswllt y Becca tan 1843 pan ymddangosodd adroddiad yn *The Welshman* ym mis Chwefror am ymosodiad ar dollborth Tafarn-speit ger Hendy-gwyn. Wrth nodi mai'r Saesneg yn unig glywid ymhlith y criw o tua 40 i 50 cyfeirir at yr adnod fel cyfiawnhad dros eu gweithred.

This text, which is somewhat applicable to the sitution of affairs near St Clears, is preached from, and expatiated upon by many itinerant preachers, and the multitude doubtless believe they have a warrant for their lawless doings.[10]

Ai'r awgrym fan hyn yw mai yn y pulpudau Saesneg roedd y pregethwyr crwydrol yn codi'r testun hwn i gefnogi a chyfiawnhau gweithredoedd y Becca? Pan ddaeth Thomas Campbell Foster, gohebydd y *The Times* i'r gorllewin ym Mehefin 1843, yn fuan wedi'r ymosodiad ar wyrcws Caerfyrddin, ni fu fawr o dro yn cydio yn yr esboniad. Doedd e ddim yn y cyffiniau yn 1839. Ni fedrai'r Gymraeg. Does dim amheuaeth ym marn y ddau frawd nad oedd a wnelo'r adnod ddim oll â'r Becca, yn sicr, ddim yn y dyddiau cynnar:

... pan ddrylliwyd toll-glwyd yr Efail-wen yn 1839 gan derfysgwyr 'Rebecca' am fod y glwyd yn rhwystr afreolaidd ar eu ffordd i gyrchu calch o'r Eglwys-Lwyd cafodd Thomas Campbell Foster, gohebydd galluog y Times, yr argraff oddi wrth rywun mai achos y terfysg ydoedd pregethau 'cynhyrfus' gweinidogion o stamp John Evans. Yn wir fe gafodd o rywle y syniad fod rhywun wedi pregethu ar y testun 'Ac etifedded dy had byrth ei gaseion' (Gen xxiv , 60). Yn y Saesneg ymddengys yr adnod yn rhyfedd o gyddrawiadol oherwydd defnyddio'r gair 'gates' ynddi. Ond yn y Gymraeg o brin y byddai neb – hyd yn oed pe bai rhywun wedi pregethu arni – yn cysylltu'r gair 'pyrth' â'r toll-glwydi oedd yn achos tramgwydd i'r bobl yn eu gorchwylion beunyddiol. A chofier mai Cymry unieithog ydoedd yr ymosodwyr ar iet (nid porth) yr Efail-wen.

Daeth felly y syniad rhyfedd mai'r geiriau hyn am ddarparwraig Isaac a barodd i arweinwyr y terfysgwyr fabwysiadu'r enw 'Rebecca' ar ôl gwisgo dillad merch ar gyfer yr ymgyrch yn yr Efail-wen. A dyna'r syniad gwrthun a chwerthinllyd o anhygoel a goleddir hyd heddiw gan rai o 'haneswyr' Lloegr.[11]

Dyna ymwadiad diflewyn ar dafod ynghylch damcaniaeth yr adnod Feiblaidd. Yn wir, teifl y brodyr ddŵr oer ar wybodaeth ysgrythurol honedig 'Twmi Carnabwth, gan ei ddilorni'r un pryd wrth ei alw'n 'Twmi' yn hytrach na 'Twm', neu hyd yn oed wrth ei enw priod fel y gwneir wrth gyfeirio at bawb arall yn y gyfrol. Mae'r sylwadau hefyd yn bwrw amheuaeth ar ddealltwriaeth Pat Molloy o deithi meddwl Anghydffurfiaeth Gymraeg y cyfnod:

> Y mae'r wybodaeth drwyadl sydd gennym am gymeriad John Evans ac eraill yn ddigon ynddo ei hun i wrthbrofi'r syniad, heb bwyso o gwbl ar y wybodaeth leol a theuluol sydd gennym, na wyddai 'Twmi Garnabwth' a'i gymdeithion yn yr Efail-wen 'ond y nesaf peth i ddim' am Isaac na'i ddarpar-wraig yn Llyfr Genesis. Cawsant eu cyfenw am y rheswm digonol mai gan Rebecca 'Fawr', Mynydd Bach, Llangolman, y cafwyd y 'dillad digonol' a wisgwyd gan Twmi ar yr achlysur. Gyda llaw dim ond clwyd yr Efail-wen a ddrylliwyd gan y 'Rebecca' gyntaf. Efelychwyr Twmi Garnabwth ydoedd pob 'Rebecca' arall.
>
> Yn ddiau, medrai hanesydd athronyddol, pe bai ganddo hamdden a gofod, weled a dangos yn eglur mai effaith hanfodol y mudiad heddychol am gael "Eglwys Rydd" ydoedd y mudiad terfysglyd diweddarach am gael "Ffordd Rydd", ond ni fyddai haeru mai gan weinidog rhyw "Eglwys Rydd" yr anogwyd Twmi a'i "ferched" i ddryllio clwyd yr Efail-wen yn ddim ond arwydd o ragfarn a phenwendid. Felly hefyd, amlygiad o ragfarn benboethlyd ydyw'r duedd a ganfyddir ambell dro mewn darlithiau poblogaidd i briodoli pob math ar rinwedd cymdeithasol i gymeriadau megis Twmi Garnabwth (cyn ei argyhoeddi) ac i Dai'r Cantwr a Shoni'r Sgubor-fawr (cyn eu halltudio).[12]

Gan fod eu llyfr wedi'i gyhoeddi yn 1959 doedd y wybodaeth ddim ar gael pan oedd David Williams yn gwneud ei waith ymchwil ar gyfer ei gyfrol orchestol a gyhoeddwyd yn 1955.

Mae H. Tobit Evans hefyd yn dyfynnu llythyr o eiddo'r tirfeddiannwr, Edward Lloyd Williams, Gwernant, Castellnewydd Emlyn, sy'n cyfarch a dwrdio'r Becäod, yn amau perthnasedd yr adnod ar y sail ei bod yn cael ei chamddehongli.

What crooked rendering of the Holy Scripture!! All the learned
divines agree that the meaning of the words is that the mother
and brother of Rebecca were praying on God for her to be fruitful,
and that her seed should overcome her *enemies*. Rebecca *was
a female certainly, a good and godly female* fearing the Lord and
respecting all his commandments, taking care not to transgress
them by *'doing evil unto others'*. But if you persisit in your literal
explanation of the text, it is necessary to take the next verse also
in the same way: *'And the servant took Rebecca and went his way,'*
which means that *Rebecca had been taken*, and that the servant was
not hindered in the work.[13]

Ond roedd Pat Molloy wedi'i swyno gan yr adnod sy'n darllen
fel a ganlyn yn y Saesneg: "And they blessed Rebecca, and said
unto her, 'Thou art our sister; be thou the mother of thousands
of millions, and let thy seed possess the gates of those which
hate them'." Y gair 'gates' sy wedi dal ei sylw. I'r Gwyddel
Pabyddol ymddengys fod pawb oedd yn ymgynnull yn sgubor
Glynsaithmaen yn cydadrodd yr adnod o Lyfr Genesis yn null
y Gymanfa Bwnc. Er ni wnaeth alw i gof rhai o hoelion wyth
y pulpud yn y cyfnod chwaith, megis y Bedyddiwr, Christmas
Evans (1766 – 1836) a'r Annibynnwr, Williams o'r Wern (1781–
1840) heb sôn am y Methodist, John Elias (1774–1841). Mae'n
werth dyfynnu ei ddehongliad o'r hyn a gredai oedd gafael y
Beibl ar Twm a'i gymdeithion wrth iddo gloi ei lyfr:

Given that the Bible was studied and memorised in such minute
detail, that any matter of current concern or importance was aired
in the religious meeting places and in the sermons there – with
appropriate biblical texts to illustrate them – and, even more to the
point, given the unquestioning and literal acceptance of biblical
quotations by the congregations, the effect of Genesis, chapter 24,
verse 60, on a people incensed by the antics of Thomas Bullin and
the Whitland Trust must have been electrifying.

No matter that the expression 'possess the gates' was an ancient
term of warfare signifying the taking of a fortified town or city; no
matter that the whole story of Rebecca related to tribal matters
among the Jews. Genesis 24, 60 meant only one thing to those

who heard it thundered out in the chapels, or who read it in their own Bibles, at that time and in those circumstances. It meant that the Bible was telling them to possess Bullin's gates and that they were doing the work of The Lord. How else would this normally peaceable and God-fearing people, a people so inured to hardship and injustice, be persuaded to take so violently to the roads?[14]

Teg dweud fod Molloy wedi'i cholli hi yn hyn o beth. Aeth ei ddychymyg yn drech nag ef. Yn hyn o beth, anfantais yw dibynnu ar gyfieithiadau a llyncu dehongliadau'r wasg Lundeinig. Glynwn ninnau at esboniad y brodyr Rees. Ond, wedyn, hwyrach bod hyn yn profi mor amlhaenog oedd Beccayddiaeth erbyn 1843 ac nad y tollbyrth oedd yr unig dargedau. Nid oes neb o blith y gweithredwyr yn gwadu priodoldeb yr adnod. A phwy fyddai am wadu cyfiawnhad Beiblaidd a fyddai'n cryfhau eu hachos? Rheitiach fyddai dyfynnu Jeremiah XXIX – y seithfed adnod; "Ceisiwch heddwch y ddinas yr hon y'ch caethgludais iddi, a gweddïwch ar yr Arglwydd drosti hi; canys yn ei heddwch hi y bydd heddwch i chwithau". Dyna oedd testun pregeth y Parch John Thomas (1821–1892), gweinidog gyda'r Annibynwyr, ym mhulpud Bwlchnewydd, ar gyrion tref Caerfyrddin, nos Sul, 18 Mehefin 1843. Ei amcan oedd darbwyllo ei aelodau i beidio ag ymuno â'r brotest oedd wedi'i threfnu trannoeth. Ond ni wrandawyd arno. Dengys hynny nad oedd arweinwyr blaenllaw yr Anghydffurfwyr yn cymeradwyo'r gweithredu cynyddol dreisgar.

Fe fyddai Wil Canaan yn debyg o fod yn fwy o ddylanwad ar Twmi Garnabwth na'r un cymeriad o'r Beibl. Pwy oedd Wil Canaan? Wel, odid y celwyddgi golau mwyaf erioed a droediodd ffyrdd yr ardal. Os gallwn gredu unrhyw beth am William Evans yna derbyniwn y wybodaeth a gofnododd ar y cyfrifiadau gan nad oes carreg fedd yn cofnodi ei fodolaeth. Er fel y gwelwyd yn achos Twm Carnabwth ei hun dyw'r wybodaeth hynny ddim yn gwbl ddibynadwy.

Yn ôl Cyfrifiad 1851 roedd Wil yn byw mewn bwthyn o'r

enw Canaan yng Nghwm Rhydwilym nepell o fwthyn Yr Aifft
ac yn 40 mlwydd oed. Ar yr aelwyd hefyd roedd ei wraig,
Margaret, 41 oed, a thri o blant – naw, saith a thairblwydd
oed, Mary, Thomas a John. O dderbyn hynny gallwn ddyfalu y
byddai Wil yn 28 oed adeg yr ymosodiad yn Efail-wen a chan
ei fod, yn ôl y sôn, yn was yn Glandy Mawr gerllaw, gellir hefyd
ddyfalu y byddai ymhlith y fintai wrth yr iet. Roedd yn bendant
yn gyfarwydd â chludo calch o'r Eglwys-lwyd. Mae rhai o'u
straeon pennaf yn ymwneud â'r calch.

Arferai ddifyrru ei gyfeillion ar Fanc Efail-wen gyda'r
nos trwy adrodd 'straeon y calch'. Mynnai ei fod gyda'r
cyntaf yn cyrraedd yr odyn bob tro wrth fynd trwy'r glwyd
am hanner nos. Byddai'r gaseg bron yn 'galapo' yr holl
ffordd ac yn cyrraedd yn chwys diferu ar doriad gwawr. "A
gweud y gwir, wrthoch chi bois, ambell i fore, ar ôl tasgu
yn y tywyllwch, bydde pen ambell ddyn yn sownd yn echel
y cart," fyddai'n dweud i ymestyn hygrededd ei gynulleidfa.
Ond cyn y bydden nhw'n cael amser i dynnu anadl byddai'n
ychwanegu; " ... ond sdim isie i chi boeni, wedd neb obiti'r
odyn chw'el, fydden i'n towlu'r pen i mewn i'r tân, a 'na ni,
neb damed callach". A dim ond dechrau fyddai hynny. Rhyw
damed i aros pryd.

"Dwi'n cofio bryd arall wedd llwyth y diain 'da fi'n dod
'nôl... y cart yn llawn hyd y fîl. Mynd dros rhyw ripyn bach
wedyn lle wedd rhewyn dŵr. Tipyn o shigwdad i'r cart ond
wedd gafel y ffrwyn 'da fi'n holbidag. Chredech chi ddim, bois,
ond fe sarnodd llond dwrn o'r calch i'r rhewyn. Do, tanimarco.
A i chi'n gwbod beth, bois? O fewn deng munud wen i'n clwêd
y morloi draw fan'na yng Ngwlad yr Haf yn boichen llefen.
Do, wir ichi." Wel, os ei dweud hi, ei dweud hi a hynny gydag
arddeliad a thipyn o gwyro. Y calch yn dolurio eu llygaid wrth
gwrs.

Dro arall mynnai Wil fod ganddo ddau geffyl, ceffyl blaen
a cheffyl shafft, ac iddo gael ei ddal gan gawod drom o law
taranau. Roedd hi'n arllwys y glaw. Yn pistyllio lawr. Cyn pen

dim roedd harnais lledr y ceffyl blaen yn dechrau ymestyn nes ei wahanu wrth y ceffyl shafft a hwnnw'n ffaelu'n deg a thynnu'r llwyth. Roedd chwarter milltir neu ragor yn eu gwahanu. Dyma Wil yn gweiddi 'Wo'. Peidiodd y glaw a wele haul tanbaid yn crasu. Yn araf bach gwelodd y tidiau'n tynhau a thynhau nes tynnu'r llwyth i ymyl y ceffyl blaen. A dyna hi, adref yn saff wedyn. Fersiwn arall o'r stori oedd iddo gyrraedd clos Glandy Mawr a thipyn o bellter rhwng y ddau geffyl. "Esum i i'r gwely chw'el, a wir ichi, erbyn bore trannoeth wedd y gaseg shafft wedi cyrradd y clos liweth."

Pwy feiddiai amau ei gelwyddau didwyll? Roedd hefyd yn dorrwr beddau ac yn glocsiwr yn ei amser. Sylw Waldo Williams (1904–1971) yn ei soned iddo yw y bydd ei straeon fyw yn dipyn hwy na gwadnau ei glocs. A hynny nid am fod ei waith fel crydd yn feius ond am fod ei straeon mor orchestol. Claddwyd ei wraig ym mis Medi 1885 yn 76 oed yn ôl y garreg fedd ym mynwent Rhydwilym. Arni gwelir y geiriau 'Gwysgwn arfau y goleuni'. Oedd hynny rywsut yn gyfeiriad at fabinogi ei gŵr? Er bod digon o le ar y garreg i gynnwys rhagor o enwau does yna'r un wedi'i ychwanegu. A yw gweddillion Wil, y torrwr beddau a'r storïwr nad oedd ei debyg, yn gorwedd yno hefyd? Pethau diddorol yw cerrig beddau'r fro o'u priodi â chefndir y trigolion. Am fwy o straeon dihafal Wil Canaan gweler Atodiad X.

Pwy all amau na fyddai Twm a Wil yn chwennych cwmni ei gilydd, a Thwm yn ei dro, fel eraill, yn adrodd storïau carlamus Wil er difyrrwch cynulleidfa. Ac mae yna le i ychydig o ddychymyg ac addurno wrth gyfleu hanes Twm Carnabwth. O leiaf mae gan y beirdd a'r llenorion hawl i wneud hynny. Dyna a wna W. R. Evans ac yntau wedi'i fwydo â straeon am Twm gan ei fam-gu, Sarah – a oedd, wrth gwrs, yn ail-gyfnither i Twm – a chymeriadau'r fro, yn nyddiau ei blentyndod:

Mae'r darlun ohono a saif o'm blaen, ac a baentiwyd yn unig â storïau henwyr y fro, bron yn ddychrynllyd. Rhoed iddo ysgwyddau Hercules. Ei goesau oedd fawrion ac ofnadwy. Ofnaf na fyddai Goliath ond meingoes ochr-yn-ochr â Thwm. Canol ei gorff, hafal oedd i'r mynydd a amgylchynai ei henfro, a'i wefl fawr, drom, yn ymgorfforiad o holl arswyd a phenderfyniad Celt, a'i un llygad yn orlawn o ramant. Ac nid ffŵl efo! Nid oedd gwningen na dryw yn y fro na chrynai o glywed sŵn troed y cawr. 'Carnabwth' oedd y pen-heliwr. A'i ergyd oedd farwol. Doedd ei ddryll ond ufudd wâs i'w holl awdurdod. Gwae'r gïach a roddai sgrech o lawenydd, canys marw hyhi heb yr ail sgrech.[15]

A'r un modd roedd gan yr addysgwr ddarlun clir yn ei feddwl o ran Twm ym Mabinogi'r fro:

Un noson loergan aeth Twm ati i godi tŷ unnos o ddaear hen Dyfed, ac yn y bore safai'r tŷ yn ddinod ond cadarn. Pa enw a roid iddo? Cytunwyd yn fuan, neu chwedl y cymdogion, yn 'weddol shonc' – CARNABWTH. A pha enw arall y gellid ei roi ar y fath drigfan? Clywid y gair 'abwth' yn fynych ar dafod preswylwyr y Fynachlogddu yn golygu 'dychryn' – ac onid carn o ddychryn oedd cartref Twm?

Ond! Mae ffermwyr Dyfed o dan orthrwm – gorthrwm yr ietau trympeg. Cynhelir cynhadledd fawr yng nghegin Glynsaithmaen, ac yn unfrydol dewisir Twm yn arweinydd i'r fyddin. Rhoir amdano wisg hen bechadures fawr y fro – Becca. Wele'r cawr ar gefn ei geffyl gwyn a'i fyddin yn canlyn. Torrir iet Efailwen yn deilchion, ac felly oddiyno i Gaerfyrddin. Yno daeth Byddin Y Frenhines i dawelu pethau, a dychwelodd Carnabwth i'w hen dŷ unnos, yn fawr ei barch a mawr ei galon tuag at ei gymdogion. A phan 'deyrnaso' moduron dros brifffordd Efailwen daw deigryn i lygad yr henwr o barch i Dwm Carnabwth.[16]

Yr un modd y beirdd, gan gynnwys Waldo Williams. Er na chafodd y gerdd 'Rebeca (1839)' ei chynnwys yn ei unig gyfrol *Dail Pren*, er mawr syndod i lawer o'r gwybodusion fe'i gwelir yn y casgliad cyflawn o'i waith, a hithau wedi ymddangos am y waith gyntaf yn y *Western Telegraph* ym mis Mawrth 1939, adeg rhyfel, i gofio can mlynedd ers Terfysg Efail-wen. Mae'n werth ei dyfynnu'n gyflawn. Waldo oedd llais y fro.

Ha wŷr, pan gwynai'n gwerin dlawd
A'i gweddi'n ddim ond cyff eu gwawd,
Hyd nad oedd ganddi ond braich o gnawd
  I'w codi rhag ei cham;
Pan gipiai'r swyddog yn y porth
Y dafell fawr o'i 'chydig dorth,
Enynnodd ein gwreichionen sorth –
   Rebeca oedd y fflam.

Pa awr oedd honno y daeth i'n plith
Trwy gyni y blynyddoedd chwith?
Dameg oedd hon dan uchel rith,
  Chwyrn oedd ei heglurhad.
Cydiodd ei betgwn am ei hais
A chwarddodd bro i wyneb trais,
Ond megis baner oedd y bais
  A'r anterliwt yn gad.

Ei hawr a fu yn ôl y gair
A redai'n gêl rhwng fferm a ffair;
Gadawodd gwaelod gwlad y gwair
  A godre'r foel y cnu.
Pwy ydyw hon a rodia'n fras
Uwchlaw parodrwydd llawer gwas?
Rebeca'r cyntaf tro i'r ma's
  Yw cawr Mynachlog-ddu –

Y nerth a chwarddai uwch y ffust,
Y fraich a wawdiai'r cerrig pyst,
A'r dyner law a swynai'r glust
  Â chainc o'r delyn ledr;
A'r llais a chwyddai'r golud braint
Ym moliant cynulleidfa'r saint –
Cysgod o'i fawredd oedd ei faint
  Ac un â'i faint ei fedr.

Carnabwth yr ucheldir llwm
Lle cwyd y Foel yn serth o'r Cwm
A roes i'n bro wrhydri Twm
  Ryw ddydd o'r dyddiau tlawd.
Ei fabinogi a fydd yn las
Tra pery'r heniaith rhwng ei dras;

Rebeca'r cyntaf tro i'r ma's
Â rhyddid yn ei rhawd.

Rebeca a wadai dynion doeth,
Rebeca a wawdiai dynion coeth,
Rebeca'n hannibyniaeth noeth,
  Rebeca'n hangen bwyd.
Rebeca gadarn ar ei thraed,
Rebeca heb warth, Rebeca heb waed,
Rebeca'r miri mawr a wnaed
O'r groesffordd hyd y glwyd.

Ei chad ni safai hyd y nos,
Ond awr Mehefin hwyrol, dlos
A'r heulwen eto ar y rhos
  A'r hedydd yn y nen,
Codwyd yr eirf wrth arch y cawr
A chododd gorhoïan fawr
Pan gwympai'n deilchion hyd y llawr

Ormes yr Efail-wen.[17]

Mae eraill o blith y beirdd wedi'i chael hi'n hawdd i ganu clodydd Twm Carnabwth (gweler Atodiad VIII), ac yn wir, neb yn fwy na Tecwyn Ifan; mab y Mans a gweinidog ordeiniedig ei hun yn Nyffryn Taf ar un adeg, sy'n bennaf gyfrifol am y bri o'r newydd a roddwyd ar wrhydri Twm Carnabwth. Bu'n weithgar gyda Chymdeithas yr Iaith ac Adfer yn ei ieuenctid, ac fel canwr gwerin defnyddiodd ei dalent i gyfansoddi caneuon er gosod bri ar wrhydri Twm. Yn union fel oedd tollbyrth yn symbolau o orthrwm ar werin dlawd roedd arwyddion ffyrdd uniaith Saesneg hefyd yn symbol o orthrwm ar yr iaith Gymraeg. Daliwn i ganu'r gân:

Ysbryd Rebeca

Ganrif a hanner yn ôl, a'n gwlad o dan ormes
Landlordiaid a hawliai ein tir,
Daeth gŵr o Garnabwth i fynnu ei rhyddid i'r werin
I gael cerdded ei thir.
Mae 'na rwystrau yn dal i'w goresgyn,

154

Ac mae taeog ac estron i'n herbyn,
Ond mae Ysbryd Carnabwth yn ein galw i'w ddilyn o hyd.
Byddwn ffyddlon i'n gwlad,
Amddiffynnwn ein tir,
Er pob gormes a brad
Mynnwn gredu'n y gwir;
Tra bo haul yn y nen,
Tra bo Duw inni'n ben,
Fe fydd Ysbryd Rebeca
Yn fyw yn yr Efail-wen.

Er cerdded o'r amser a threiglo'r blynyddoedd
Heb adael ond atgof o'r tollbyrth a losgwyd i'r llawr,
Mae'n bro o dan warchae, ei chwedlau a'i hanes a'i hacen
Yn cael eu sathru i'r llawr.
     Mae 'na rwystrau...

Tecwyn Ifan

### Beca

O fwthyn Carnabwth marchogion ddaeth yn haid,
Ac eco wna'r pedolau dan eu traed,
Eu harfau oedd bwyell a gordd,
Torrent y clwydi i gyd oedd yn eu ffordd.
     Rebeca oedd ei henw hi,
Arweinydd gwerin plwy Mynachlog Ddu.

Cyrchent tuag at yr Efail-wen
Lle y safai un o'r clwydi pren,
Gofynnwyd i'r porthor i agor y glwyd,
Gwrthod wnaeth i'r un ar y gaseg lwyd.

Ond er y gefnogaeth roddwyd iddi hi,
Roedd eraill yn gwrthod ei harddel hi
Am ddangos arwydd o orthrymder ar eu gwlad,
Yr hon a adawyd iddynt yn dreftâd.

Ar fore braf o Fedi bron i ganrif yn ôl
Y plwy a fu'n galaru, pawb ym mryn a dôl,
Collodd Cymru un o'i chewri ym Mynachlog Ddu,
A chollodd y werin un o'i harweinwyr hi.

Tecwyn Ifan

Yn y pen draw, beth bynnag fyddo ein barn am fuchedd Thomas Rees, Carnabwth, rhaid cydnabod iddo ymateb i argyfwng ei gyfnod. Ac os dymuna rhai dynnu cymhariaeth rhyngddo ag Owain Glyndŵr bedair canrif yn gynharach, wel bid â fo am hynny. Ond roedd yn ymwybodol o'r sefyllfa fel y'i disgrifiwyd gan J. Dyfnallt Owen:

Ofer cynnig dehongli cyffro "Y Becca" heb wybod am ei achosion uniongyrchol. Yn wleidyddol, yr oedd Cymru'n ymrwyfo rhwng cwsg a dihun. O'r braidd y syniai ddim am y peth a elwir yn wleidyddiaeth. Yn gymdeithasol, tlodi oedd nôd gwaradwydd y werin. Edrychai'r meistr tir ar ei denant fel slâf i borthi ei drachwant ac fel un i'w gadw lawr.[18]

Derbynia H. Tobit Evans bod y gair Beccayddiaeth yn gyfystyr â chwyldro ac yn wir fod yr ysbryd yn dal yn y tir yn 1910 os nad hyd y dydd heddiw:

Rebeccaism was the spirit of revolt, which filled the whole nature of the peasant against the tyranny of the Government, the oppresion of the masses by the classes, the fostering of the individual rights at the expense of the community at large. Rebeccaism was the embodiment of the peasants' anger and righteous indignation at the trampling under foot of his rights and feelings. Rebeccaism was the spirit of a nation asserting itself against the wrongdoings and evil actions of the few.

Is Rebeccaism dead? Nay, the name may be a forgotten one, but the spirit ever liveth. It is the spirit of democracy crying out against tyranny. Today it can be heard demanding social reform quite as vehemently, quite as strongly, as did the Rebecca of old demand from the Government of that day, a recognition of its rights and a just treatment of its grievances.[19]

Teflir cis tuag at yr adnod honno gan Beryl Thomas wrth iddi gloi ei chyfaddasiad o lyfr David Williams. Gellir derbyn y perthnasedd hyd yn oed os nad oedd yn ysgogiad y tu ôl i'r gweithredu dechreuol:

Gyda threigl y blynyddoedd anghofiwyd am yr ofn dial a'r
anghysur a amgylchynai'r Becca. Lluniwyd straeon a chwedlau
am arwyr y mudiad. Daeth yr helynt yn symbol o wrthryfel gwerin
orthrymedig yn erbyn anghyfiawnder, ac o ymdrech dynion a
merched yn wyneb tlodi didosturi. Weithiau, yn ystod y ganrif
wedi diwedd y terfysg, fe yrrid ffermwyr a'u gwragedd i frwydro
yn erbyn caledi a llafur eu bywyd. Ar adegau felly teimlent eu bod
hwythau yn feibion ac yn ferched i Rebecca. Ac yna fe fendithient
Rebecca am i'w had, am amser o leiaf, feddiannu pyrth ei
chaseion.[20]

Un o fyfyrwyr disgleiriaf yr Athro David Williams yn
Aberystwyth oedd Gwyn Alf Williams (1925–1995) o Ddowlais,
a ddatblygodd yn hanesydd o fri yn ei hawl ei hun. Roedd ei
ddadansoddiad yntau o'r cyfnod yn gryno a doedd e ddim am
ddiystyru'r adnod:

> The tensions of the district finally exploded in a rebellion of small
> farmers against middle-men and rack-renters, tithe-grubbing
> parsons and magistrates, which found its flash-point in the toll-
> gates erected to levy funds to support a new but inadequate system
> of Trust roads. They began as the Chartist movement was taking its
> rise in 1839, when a crowd dressed as women attacked a toll-gate
> north of Narberth in Pembrokeshire. Their leader Tom Rees, a fist-
> fighter known as Twm Carnabwth from his miserable little farm,
> could not find clothes to fit and borrowed some from a neighbour,
> Big Rebecca. But when the revolts broke out again over 1842–3
> in the immediate aftermath of a Chartist general strike, they had
> found a more biblical warrant in Genesis... 'And they blessed
> Rebecca and said unto her, let thy seed possess the gates of them
> that hate thee... [21]

Deil yna ddirgelwch o amgylch Thomas Rees, Carnabwth.
Ond mae'n ddirgelwch golau. Dywedir mai un o hoff straeon
Twm oedd honno am y ffeirad clymhercyn a'r bustach coch
sy'n dal i gael ei hadrodd gydag arddeliad ac yn nodweddiadol
o hiwmor ei gyfnod.

Am ei fod yn oedrannus roedd ficer 'Nachlog-ddu yn cyflogi

gwas a morwyn. Doedd yr un o'r ddau yn fawr iau nac yn fawr ystwythach o ran eu cyrff. Prif ddyletswydd y gwas oedd cadw llygad ar y bustach coch oedd ganddyn nhw. Rhyw fore dydd Iau dyma Dafi'r gwas yn hysbysu 'mishtir' bod y bustach coch ar goll. Cafodd orchymyn i chwilio amdano. Dyna wnaeth, gan gerdded y cloddiau terfyn ond ddim golwg ohono. Dyma fe'n cyfleu'r un neges i 'mishtir' bore trannoeth a chael yr un cyfarwyddyd 'cerwch i whilo amdano'. Dyna wnaed gan edrych dros y cloddie y tro hwn a bwrw golwg ar berci cymdogion. Ond dim golwg ohono. Cyfleu'r un neges bore Sadwrn a chael yr un gorchymyn. Ond ni fu lwc er cerdded milltiroedd a holi hwn a'r llall.

Daeth bore Sul a'r bustach coch yn dal ar goll. 'Mae'n rhaid ei fod yn rhywle. Gall e ddim fod wedi mynd ymhell,' meddai'r ficer yn ei lais cryglyd. 'Ma tridiau wedi mynd nawr. Mae'n bryd ei gael e'n ôl. Ewch i whilo'n drylwyr'. Cyn mynd at y dasg meddyliodd y gwas blinedig yr ai i'r sgubor ac i'r dowlad am gwsgad cyn mynd ynghyd â'r dasg. Bydde'r ficer yn siŵr o fentro i'r eglwys cyn hir a châi lonydd wedyn am weddill y bore.

Lan ag e ar hyd yr ysgol i'r dowlad a dechre cwalo mewn gwanaf neu ddwy o wair y bustach. Fe glywodd rhyw sŵn obry ond deallodd mai Mari'r forwyn oedd yno yn mofyn tato o'r celwrn er mwyn eu crafu ar gyfer cinio. Popeth yn iawn. Gorweddodd yn ei hyd i wahodd Siôn Cwsg. Aeth yr amrannau'n drwm. Mi oedd rhwng cwsg ag effro ond yn fwy ym myd cwsg pan glywodd tipyn o fwstwr oddi tano. Styrbodd.

Cododd ar ei eistedd a phipo rhwng yr estyll. Beth welodd e ond Mari a'i phen bron o'r golwg yn y celwrn yn mystyn am y tato yn y gwaelod a'r ficer clymhercyn yn sefyll y tu ôl iddi â'i freichiau yn holbidag am ei chanol. A dyma'r waedd, 'O Mari, Mari pidwch â symud. Dwi'n gweld y byd yn grwn'. Dyma Dafi'r gwas yn mentro, 'Wel, mishtir bach, os odych chi'n gweld y byd yn grwn rhowch bip i weld lle ma'r bustach coch'!

Mae'n siŵr y byddai yna rialtwch bob tro y byddid yn adrodd hanes bustach coch y ffeirad.

Gyda llaw, pasiwyd deddf ym mis Awst 1844 yn diwygio'r drefn o reoli tollbyrth yn ne Cymru. Unwyd cwmnïau o fewn ffiniau sirol. Cyfrifoldeb y byrddau ffyrdd sirol oedd gweinyddu'r drefn newydd. Dewiswyd yr aelodau gan yr ynadon yn y Llys Chwarter. Deddfwyd y dylid unioni'r prisiau i fod yn gyfartal ymhob tollborth. Ond roedd Thomas Bullin wedi gwneud ei ffortiwn. A doedd dim toll i'w thalu yn Efail-wen.

Erbyn pasio Deddf Llywodraeth Leol 1888 rhoddwyd y cyfrifoldeb o gynnal ffyrdd y wlad yn nwylo'r cynghorau sir oedd newydd eu sefydlu. Erbyn hynny roedd rheilffyrdd yn ymestyn i bobman gan wneud teithio a chludo nwyddau yn haws. Roedd y cwmnïau tyrpeg yn amhroffidiol ers tro.

Yn wir, dadleuai David Williams na fyddai Terfysg y Becca wedi digwydd pe bai'r rheilffyrdd wedi cyrraedd de Cymru ddeng mlynedd ynghynt fel roedden nhw yn Lloegr. Ta beth am hynny, fe roes presenoldeb y tollbyrth gyfle i breswylwyr y Preselau arddangos eu rhuddin.

Sefydlwyd Comisiwn Brenhinol i edrych ar gyflwr y wlad ac i sefydlu union achosion y terfysgoedd. Sefydlwyd Comisiwn pellach i edrych ar gyflwr addysg yng Nghymru. Adwaenwyd yr adroddiad terfynol a gyhoeddwyd yn 1847 fel 'Brad y Llyfrau Gleision' yn rhannol am mai glas oedd lliw cloriau'r adroddiad ac am iddo ddod i'r casgliad mai rhwystr i ddatblygiad y Cymry oedd yr iaith Gymraeg. Barnwyd mai trwy'r Saesneg yn unig y dylid cyflwyno addysg.

Gwelir casgliadau'r Adroddiad am gyflwr addysg yn y cyffiniau, yn benodol ym mhlwyf Llanglydwen, a'r ddarpariaeth yng nghapel Pen-y-groes yn Atodiad XI. O ganlyniad i'r Adroddiad daeth y 'Welsh Not' melltigedig i rym yn ysgolion Mynachlog-ddu a Maenclochog fel mewn ysgolion eraill ledled y wlad. Ond stori arall yw honno; stori sydd yn parhau am fod unigolion a mudiadau dros y cenedlaethau ers hynny wedi ymgyrchu ac yn dal i ymgyrchu i gywiro'r gwall.

Oedd, roedd helyntion y Becca wedi cydio yn y dychymyg. Heblaw am nofelau diweddar gan awduron megis Alexander Cordell (1914–1997), *Hosts of Rebecca* (1960), a *Children of Rebecca* (1995) gan Vivien Annis Bailey llwyfanwyd drama o dan yr enw *Rebecca and her Daughters* gyda'r is-deitl *Paddy the Policeman* yn y Royal Amphitheatre yn Lerpwl ym mis Hydref 1843. O ystyried mai enwau'r prif gymeriadau oedd Sir Watkin Wiseacre, Sir Henry Honeycomb a Lady Winterblossom a Captain Squib o'r Ponty Puddle Yeomanry, teg ei disgrifio fel drama gomedi, os nad ffars. Taffy Tibbs oedd enw'r plisman. Byrdwn y ddrama oedd dal y terfysgwyr a gwneud yn siwr bod pawb yn hapus wedi'r achos llys. Yn ôl un sylwebydd byddai *Taffy and the Turnpikes* yn deitl priodol iddi. Yn 1902 wedyn cyhoeddodd Violet Jacob (1863–1946) nofel o'r enw *The Sheepstealers*, gan gyflwyno Rhys Walters fel y Becca. Magwyd yr awdures yn yr Alban ond roedd ei mam, Catherine, yn hanu o Sir Gâr.

# 8

# Disgynyddion Twm

OES YNA DDISGYNYDDION i Twm Carnabwth yn y fro o hyd? Wel, oes a nag oes. Mae yna nifer sy'n lled sicr eu bod yn ddisgynyddion cefnderwyr Twm ond heb lwyddo i olrhain yr ach yn fanwl. Mae bron pawb sy'n arddel y cyfenw Rees yn debygol o ddweud gyda balchder, 'O, mae'n siŵr ein bod ni'n perthyn chw'el'. Am fod cofnodion genedigaethau a marwolaethau'n brin yn y ddeunawfed ganrif mae'n anodd llunio darlun o'i genhedlaeth yntau o'r teulu a'r genhedlaeth flaenorol. Gwyddom mai enw ei dad oedd Stephen a hynny am fod yr enw i'w weld ar dystysgrif ail briodas Twm yn 1873. Ie, tair blynedd cyn ei farwolaeth a Twm am greu argraff ar ei ddarpar wraig trwy ddweud ei fod yn iau na'i wir oedran, mae'n siŵr.

Claddwyd Rachel Rees flwyddyn ynghynt, ar ôl 45 mlynedd o fywyd priodasol. Gwelir ei bedd yr ochr arall i'r capel a noda'r garreg ei bod yn wraig i Twm Carnabwth. Does dim golwg fod neb arall wedi'i gladdu yno. Noda'r dystysgrif sy'n profi bod Twm wedi priodi Elizabeth Davies, 44 oed o Kay, Llangolman yng nghapel y Bedyddwyr, Rhydwilym ar ddydd Iau, Mawrth 13, ei fod yntau ar y diwrnod hwnnw yn 63 oed – dwy flynedd ar bymtheg yn hŷn na'i ail wraig. Ac eto ymhen tair blynedd pan fu farw roedd yn 70 oed – os nad 72 – ac nid 66! Byddai Bet erbyn hynny yn 47 oed. Yn ôl E. T. Lewis roedd hi'n "ddynes dawel, dirodres".[1]

Mae'r enw Kay, fel y'i nodir ar y dystysgrif briodas, yn dipyn o ddirgelwch o ran ei darddiad. Caiff ei sillafu mewn amryfal ffyrdd ar ddogfennau'r cyfnod megis cyfrifiadau. Roedd Bet wedi byw ar ei phen ei hun ar y tyddyn dwy erw islaw Mynydd Bach ers marwolaeth ei thad yn 1871. Dichon ei bod yn ieuad gymharus iddi symud i Garnabwth felly i ofalu am Twm yn ei henaint. Ond ni chafodd ei chladdu yn yr un beddfaen â'i gŵr, a hwyrach iddi ailbriodi. Nodir enw Evan Rees fel tyst ar eu tystysgrif briodas sy'n awgrymu ei fod yn frawd neu yn gefnder i'r priodfab efallai.

Byddai ambell i ddynes yn y fro yn ddigon parod i awgrymu nad anaddas fyddai'r dywediad 'diawl penffordd a diawl pen pentan' i ddisgrifio Twm fel penteulu. Cofier ei bod yn ddyddiau anodd ar bawb a rheidrwydd oedd i epil yr aelwyd adael cartref gynted â phosib a cheisio cynnal eu hunain. Doedd dim cynhaliaeth ar y tyddyn. Mawnog oedd yr ychydig dir. Beth ddaeth o'r plantos? Eisoes clywsom am John Rosser, y plismon o ŵyr. Ef oedd plentyn hynaf Elizabeth, merch hynaf Twm a Rachel, ac fe'i magwyd ynghyd â phump o blant eraill mewn tyddyn o'r enw Pwlltarw Isaf ym mhlwyf Trefelen nepell o Faenclochog. Bu John yn blisman yng Nghilgerran ac Abergwaun. Bu farw Elizabeth yn 1886 yn 58 oed. Fe fyddai'n 11 oed pan ymosododd ei thad ar iet Efail-wen.

Ni wyddom hynt ei brawd, Daniel, a fyddai'n wyth oed yn 1839 ond gwyddom cryn dipyn am John, a fyddai'n dair oed yr adeg hynny. Yn ôl Cyfrifiad 1851 roedd John yn was 14 oed yng Nglynsaithmaen. Erbyn 1871 roedd wedi priodi Phoebe o Langwathen, ger Arberth, ac yn magu pump o blant yn Allt-y-pistyll yng Nghwm Rhydwilym. Erbyn 1891 roedd wedi symud i Ffynhonau Bach, eto ym mhlwyf Llandysilio, ac roedd tri phlentyn a thri o wyrion ar yr aelwyd ar y pryd. Bu John farw yn 1894 yn 56 oed. Bu farw rhai o'i blant yn ifanc a gwyddys fod eraill wedi bwrw gwreiddiau yn y gweithfeydd.

Gwyddom fod John wedi dringo i fod yn rheolwr Glofa'r Windsor yn Abertridwr ger Caerffili; ymgartrefodd Elizabeth yn yr un ardal; ymfudodd Daniel i Ganada a threuliodd Sarah y rhan fwyaf o'i hoes yng Ngorseinon. Ni fu Sarah yn briod. Ond cyn gadael ardal Llandysilio pan oedd yn 22 oed rhoddodd enedigaeth i fachgen o'r enw Henry yn 1887. Bu'n gweithio fel morwyn ar ffermydd yr ardal. Erbyn 1911 roedd Henry'n benteulu yn Abertridwr a chanddo ynte a Phoebe, ei wraig, dri bachgen. Ganwyd yr hynaf yn Sir Benfro sy'n awgrymu mai hanu o'r un ardal â'i gŵr wnai'r fam. Daeth ŵyr i Henry a Phoebe, sef David Rees o Faglan, ger Port Talbot, i achlysur a gynhaliwyd yng Nghaffi Beca, Efail-wen, i lansio llyfr cymunedol yn 2011 *O'r Witwg i'r Wern* oedd yn rhoi sylw i'w ach. Ynte felly'n or-ŵyr i Sarah, yn or-or-ŵyr i John Rees, Ffynhonnau Bach, ac yn or-or-or-ŵyr i Thomas Rees, Treial.

Gwyddys fod Anne, a oedd yn bythefnos oed yn 1841, wedi priodi Evan James, gwidman o Langwathen, ac ymgartrefu gydag yntau a'i ddau fab yn Old Hayes yn y pentref. Bu farw yn 1918 yn 77 oed wedi esgor ar dri phlentyn.

Cyfeiria E. Llwyd Williams wedyn at drigolion hŷn Llandysilio 'yn dynwared John Rees, Ffynhonnau-bach, mab Twm Carnabwth, yn canu'r geiriau hyn ar y dôn 'Diadem',

> Bodlonodd pawb trwy'r nef a'r llawr
> Groeshoelio'r Oen ar bren;
> Mae'r wyllys gennyf innau nawr
> Roi'r goron ar ei ben.'[2]

Rhaid bod yr elfen gerddorol yn gryf o fewn y teulu felly a hawdd credu y byddai cryn ddisgwyl am gymorth Thomas Rees yng nghapel Bethel adeg y Gymanfa Bwnc p'un a oedd yn aelod neu beidio.

Cyfeiria Llwyd Williams hefyd at orwyres i Twm, Martha Ena Edwards, a oedd yn yr un dosbarth ag wyrion Twm Bec, ceidwad clwyd yr Efail-wen, yn Ysgol Brynconin. Ai John Rees, Ffynhonau-bach, oedd ei thad-cu felly? Wel, ie, roedd ei mam, Rachel yn ferch i John. Roedd Martha Ena yn un o wyth o blant yn byw ym Mrynbanc, Egrmont, i'r gorllewin o Landysilio. Noda Llwyd mai mab 'Twm Bec' oedd Jim Gwynne Davies a gadwai Tafarn y Bush yn Llandysilio. Wedi helynt tollborth Efail-wen dywed Llwyd fod Twm Bec wedi cael ei wneud yn bostmon a bod ganddo frêc at ei waith, ac i'w fab wedyn ddefnyddio'r brêc i gludo teithwyr i farchnad Arberth bob dydd Iau.

O ystyried felly fod gan Twm oddeutu pymtheg o wyrion a'r rheiny wedi planta'n drwm mae'n rhaid bod yna ddisgynyddion lu o'r un genhedlaeth â David Rees, Baglan – y gor-gor-gor-ŵyr – wedi ymestyn yr ach.

A hwyrach bod Thomas Rees wedi cwympo'n garlibwns ar ei hyd yn yr ardd wrth godi cabatsen i ginio. Mae Ioan Cleddau yn nodi hynny yn ei farwgoffa yng nghyhoeddiad y Bedyddwyr, *Seren Cymru*, ar 17 Tachwedd 1876:

> Ar y 19eg o'r mis diweddaf, yn 72 mlwydd oed, cafwyd Thomas Rees (Twm Carnabwth), arweinydd cyntaf "Rebecca a'i Merched" yn swyddi Penfro a Chaerfyrddin, yn farw yn ei ardd ei hun, ar lan afonig fechan sydd yn rhedeg i'r afon Cleddau, oddiwrth droed Moel Cwmcerwn (Prescelly Top), swydd Benfro. Mae yn debyg mai ergyd o'r parlys mud (*apoplexy*) oedd achos ei farwolaeth.[3]

Wrth gwrs, mae'r garreg fedd yn nodi mai 70 oedd oed Twm ac iddo farw ym mis Medi ac nid y 'mis diweddaf' sef mis Hydref o ystyried dyddiad cyhoeddi'r marwgoffa. Ond hawdd esbonio hynny trwy ddweud bod Ioan Cleddau wedi bwriadu i'w deyrnged gael ei chyhoeddi yn ystod mis Hydref ond na lwyddodd y golygydd wneud hynny am ba reswm bynnag. Ond na, dywed yng nghynffon ei deyrnged iddo fod yng nghwmni Thomas Rees ac iddo ei glywed yn "anerch gorsedd gras boreu dydd Mercher, y 18fed, heb feddwl fawr y buasai o flaen gorsedd barn cyn hanner dydd dranoeth". Roedd y ddau – os ydym i dderbyn mai ei gymydog yn byw yng Nglynsaithmaen oedd Ioan Cleddau o bosib – wedi cyd-fynychu oedfa yng nghapel Bethel. Fel y nodwyd eisoes roedd dydd Mercher, y 18fed yn bendifaddau ym mis Hydref a'r un modd Sul, yr 22ain pan gafodd ei gladdu. Mae'r dystysgrif marwolaeth hefyd yn nodi Hydref 19 fel dyddiad ei farwolaeth a'i oed yn 72.

A gyda llaw, tybed a yw'r pennill hynod yn adleisio'r hyn a welir ar garreg fedd y tu blaen i'r festri ar ochr arall y capel? Bu farw Daniel Rees, Caermeini Isaf yn 74 oed yn 1851. Bu farw ei wraig, Elizabeth, yn 1845 yn 56 oed a'i chladdu ym mynwent yr eglwys ym mhlwyf Llandeilo. Teg tybio ei fod yn yr un ach. Ewythr i Twm falle? Ymddengys iddo yntau hefyd gael ei gladdu ar ei ben ei hun. Ar y garreg gwelir adnod o Lyfr y Diharebion: "Nac ymffrostia o'r dydd yfory canys ni wyddost beth a ddigwydd mewn diwrnod". Tybed beth oedd amgylchiadau ei farwolaeth? Ac o ran hynny mae'r adnod ddilynol ym Mhennod 27 yn llawn gwirionedd a doethineb: "Canmoled arall dydi, ac nid dy enau dy hun; estron, ac nid dy wefusau."

Beth bynnag, pwy fu'n gyfrifol am y cafflo o ran dyddiadau ar garreg fedd Twm? Mae'n rhaid nad oedd a wnelo Ioan Cleddau ddim â hynny, hyd yn oed os mai fe biau'r pennill smala. Hwyrach ei bod rai blynyddoedd wedyn cyn i'r garreg gael ei chodi. Hwyrach nad oedd gan y teulu agos ddim i'w wneud â gosod y manylion neu fe fyddai'r ffeithiau sylfaenol os bosib yn gywir. Oni fyddai gan ei weddw, er mai dim ond tair blynedd o fywyd priodasol gawson nhw, rhyw ran yng nghodi'r garreg? Cafodd ei derbyn yn gyflawn aelod trwy lythyr yn Bethel ar Sul 21 Chwefror 1875 a hithau'n aelod yn Rhydwilym gerllaw cynt. Ond efallai ddim.

A phwy oedd Ioan Cleddau? Wel, mae'r dyfalu yn awgrymu mai ei gymydog Daniel John Davies (1820–1898) Glynsaithmaen gerllaw oedd y gŵr. Byddai'n 19 oed yn 1839 a ph'un a oedd yng Nglynsaithmaen bryd hynny neu beidio byddai'n ddigon posib iddo gymryd rhan yn yr ymosodiad yn Efail-wen yng nghwmni Twm. Byddai yn 56 oed pan fu farw Twm ac yn ddi-os wedi dod i'w adnabod yn dda. Sonia amdano ei hun mewn oedfa ym Methel yng nghwmni Twm ddiwrnod cyn iddo farw.

Pam felly fyddai wedi mynd ati i lunio marwgoffa iddo i'w gyhoeddi yn un o brif gyfnodolion y dydd? Onid dyletswydd y gweinidog fyddai hynny? Wel, doedd Daniel John ddim yn un o'r teulu o ran gwaed. Roedd yn lled ddi-duedd a'i bersbectif yn weddol wrthrychol. Tebyg y byddai wedi'i weld bron yn ddyddiol dros gyfnod maith a'r mynych sgyrsiau rhyngddyn nhw wedi'i alluogi i werthfawrogi mawredd Twm tra byddai eraill efallai wedi'u llethu gan rhyw drybestod teuluol a'r straeon asgwrn pen llo a manion cyffelyb. Gwelai Daniel John, neu Shoni fel y'i hadwaenid, bod y weithred o arwain terfysgwyr Efail-wen wedi ysgwyd y fro i'w seiliau. Gwyddai na fentrodd neb fradychu ei gymydog. Tystiai i grefyddolder hwyr Thomas Rees. Gwnaeth y peth iawn. Hwyrach ei fod wedi hysbysu Twm o'i fwriad.

Oni bai iddo lunio'r deyrnged, tebyg na fyddem yn gwybod i sicrwydd mai Twm Carnabwth oedd arweinydd gwerin plwy 'Nachlogddu. Dyfalu fyddem heb enw penodol i'r arwr nes i'r brodyr Rees yn eu hysgrifeniadau diweddarach gadarnhau enw'r arweinydd. Cyfeirio at afon Cleddau a wna Daniel John yn ei farwgoffa ac nid at afon Wern a fyddai'n llifo heibio Carnabwth ar ei ffordd i'r Cleddau. Tystiolaeth bellach mai Daniel John Davies – Shoni Glynsaithmaen – oedd yn llechu y tu ôl i'r enw Ioan Cleddau.

Er nad oedd Daniel John ei hun yn yr ach roedd ei ferch yng nghyfraith, Sarah, priod Dafi, ei fab, yn ail gyfnither i Twm ac yn ugain oed pan fu farw Twm. Roedd ei thad, Thomas Rees, Felindyrch, yn gefnder cyntaf i Twm, ac yn 53 oed yn 1876 ac yn 16 oed yn 1839 ac yn ddigon hen i fod ymhlith y gwrthryfelwyr. Mae'n rhaid felly fod un o rieni Twm Felindyrch yn frawd neu chwaer i Stephen Rees sef tad Twm Carnabwth, na wyddom ddim amdano. Stephen felly yn wncwl i Thomas Rees, Felindyrch? Mae tystysgrif ail briodas Twm wedyn yn cyfeirio at Evan Rees fel tyst ar ran y priodfab. Brawd neu gefnder hwyrach. Doedd yna ddim prinder ohonyn nhw. Mae'r chwilota'n parhau.

Er tyrchu'n helaeth mewn cofnodion plwyfi, chwilota mewn mynwentydd, darllen cofnodion ewyllysiau a manylion cyfrifiadau ni ddaethpwyd o hyd i unrhyw wybodaeth i gadarnhau ach Twm ei hun. Yr hyn a ddatgelwyd yn Llyfrau Festri Mynachlog-ddu yw iddo dderbyn chwe swllt am ddal dau gadno yn 1853 a thri swllt am ddal cadno yn 1856. Gwyddom ei fod yn cadw cŵn hela ac yn eu galw ar ôl enwau merched. Ond wedyn pam ddylai gael ei dalu gan y plwyf am ddal cadnoid? Byddai'n gwneud hynny'n gyson mae'n siŵr. Byddai ysfa'r heliwr yn perthyn iddo, a'r un sgwarnog na gïach yn ddiogel rhag yntau a'i gŵn. Byddai maglau yn rhan o'i arfogaeth hefyd. Cofnodir hefyd fod yna Thomas Rees wedi'i dalu am doi tloty Iet-hen, nepell o Garnabwth yn 1849. Ond roedd yna ddau Thomas Rees yn bresennol mewn Cyfarfod Festri ym Mhantithel, eto gerllaw Carnabwth, yn 1854. Wedyn, yn 1860, talwyd saith swllt i Thomas Rees am ddarparu bwysel o frag at ddiben y Festri. Ond pa Thomas Rees fyddai hwnnw?

Ie, o dderbyn mai Stephen oedd enw ei dad, rhaid dyfalu yr un pryd tybed a gafodd Twm fagwraeth gythryblus? Ai dyna sydd i esbonio pam yr aeth ati i godi tŷ unnos iddo'i hun mor ifanc? Pam na fyddai'n was ffarm yn rhywle yn ennill ei grystyn ac yn cysgu ar y storws gan ddilyn yr og heb achosi'r un cynnwrf? Roedd ei gefnder, Thoms, a gweddill ei deulu yntau yn ffermwyr digon cefnog yn amaethu eu ffermydd eu hunain boed y rheiny'n ffermydd rhent neu beidio. Efallai bod magwraeth gythryblus wedi'i arwain i fod yn annibynnol a diamynedd, neu yn sicr wedi dwysáu'r elfennau greddfol hynny oedd yn rhan o'i gyfansoddiad. Hwyrach mai hynny sydd yn rhannol gyfrifol am y dryswch ynghylch ei union oedran.

Ond waeth beth oedd ei gefndir cynnar, yr hyn a wyddom i sicrwydd yw bod Twm Carnabwth wedi rhoi llais i gwynion gwerin oedd yn cael eu hanwybyddu. Gwyddom mai'r hyn yw terfysg gan amlaf yw iaith y rhai na chânt eu clywed. Yn hynny o beth does fawr o ots ynghylch cywirdeb mân ffeithiau. Addefwn mai Twm Carnabwth oedd arweinydd gwerin plwy Mynachlog-ddu. O ystyried mor naturiol geidwadol yw trigolion cefn gwlad roedd ei weithred yn hynod fentrus; gweithred fentrus oedd yn canu cloch yn rhybuddio nad oedd y werin am ddioddef cam mwyach.

Roedd ei enw wedi cerdded ymhell fel y tystia Jorjo'r sipsi, un o gymeriadau nofel Myrddin ap Dafydd, *Rhedeg Yn Gynt Na'r Cleddyfau*:

All Twm Carnabwth ddim rhoi tro'd y tu fas i ddrws ei fwthyn yn Sir Benfro nad yw'r cwnstablied Llunden 'na sy 'da nhw yng Nghaerfyrddin yn clywed amdano. Mae'r wlad yn llawn ysbïwyr. Mae arian mawr am wybodaeth ac mae pawb yn gwybod taw Twm oedd y Beca pan whalon nhw'r gatie cynta hynny yn yr Efail-wen a Sanclêr bedair blynedd nôl.[4]

# Atodiadau

## Atodiad I

'LOOK AT THE turnpikes,' cried he. 'Turnpikes here, there and everywhere, and at every turnpike an absurdly high toll to pay. Does the money go to mend the roads? Nonsense! Far more than enough for that is taken at the pikes, and little enough do they spend on repairing the roads – the state they are always in proves that for itself. The turnpike toll is merely another excuse for getting money out of us; and I ask you friends, is it a fair tax? Does it press equally on all alike? Not a bit of it. It does not press on the townspeople, it presses on you – on the country people, who have to bring their farm and garden produce to where they can find a market for it, and who have to seek the market to buy the necessaries of their own existence, and who spend so much on the tolls on their road to the markets that they thus lose half the hard-won profits of their labour. And this unjustly extorted money goes to swell the revenues of the Queen and of her Government – to increase the luxuries of those who already have more than they know what to do with.

Fellow-sufferers! Shall we bear this? England – miserable, servile, down-trodden England – may submit to such things if she chooses; but she is no guide for us. We are not cold-blooded English! We belong to Wales, to that wild Wales, which, in days gone by would be ruled by none but her own native princes, and long flung back every attempt of the English tyrant to grind her under his heel. Have we degenerated? Have we grown so mean-spirited and tame as to be no better than dogs that cringe and fawn on the master who strikes them? Never be it said of us that we are so unworthy of our forefathers! Let us now endure injustice and insults, but let us rise against our oppressors. Surely the spirits of our ancestors will be with us, and will encourage us to victory. Let us join together as one man and destroy every turnpike! Let our deeds speak for us, and declare that we will no longer endure the wrongs that have been done to us! Remember the grand old motto – '*Gwell angau na chywilydd*' – better death than shame, and cry shame on whoever is willing to be down-trodden, on whoever flinches from the task of helping his country to shake off her chains!'

By the time Beynon had finished we were all wildly excited, and were ready to rush to the nearest turnpike and pull it down there and then. But this was not what he wanted of us as yet.

Amy Dillwyn, *The Rebecca Rioter* (Macmillan 1880),
reprinted 2008, Honno Classics, t. 64

# Atodiad II

## David Williams (1900–1978)

Fe'i ganwyd yn Nolbetws, Llan-y-cefn ger Maenclochog. Collodd ei dad, David, pan oedd yn bum mlwydd oed. Derbyniodd ei addysg gynnar yn Ysgol Nant-y-Cwm, Rhydwilym gerllaw ac Ysgol Ramadeg Arberth cyn iddo fynd i'r Brifysgol yng Nghaerdydd yn 1919. Erbyn hynny roedd wedi colli ei fam, Anne, pan oedd yn 14 oed. Graddiodd mewn Saesneg a Hanes (Dosbarth Cyntaf) a dilynodd gwrs Tystysgrif Athro (Dosbarth Cyntaf) cyn treulio cyfnodau yn athro yn Ysgol Eilradd Tywyn ac Ysgol Ramadeg y Barri.

Yn 1926 aeth i astudio yn yr Unol Daleithiau ar Ysgoloriaeth Rockefeller a threulio blwyddyn yn Ffrainc a'r Almaen. Yn 1929 fe'i penodwyd yn ddarlithydd yn yr Adran Hanes yn y Brifysgol yng Nghaerdydd. Y flwyddyn honno priododd Irene Fothergill o Gaerdydd, a fu'n gyd-fyfyrwraig iddo yn astudio Ffrangeg. Derbyniodd radd MA gyda rhagoriaeth.

Yn 1945 fe'i penodwyd i Gadair Syr John Williams fel Athro Hanes Cymru yn Aberystwyth. Dyna lle bu tan ei ymddeoliad yn 1967. Ei ail wraig oedd Hilarie ac mae enwau'r ddau wedi'u cynnwys ar garreg fedd y teulu ym mynwent Capel Rhydwilym yn ei gynefin. Nid oedd ganddo blant.

Yn y gyfrol *Gwyddoniadur Cymru*, wrth nodi ei gyhoeddiadau, dywedir amdano, "... adlewyrcha ei waith gryn dipyn o'i bersonoliaeth ei hun – ei ddyngarwch, ei ffraethineb, ei ddirmyg at bob hunan-dyb a rhagrith, ynghyd â'i deyrngarwch i'w Sir Benfro enedigol."

Meddai A.H. Dodd wedyn wrth adolygu ei gyfrol gyntaf *John Frost. A Study in Chartism* a gyhoeddwyd yn 1939: "Gall fod yn wrthrychol ac yn feirniadol heb fyned yn oer ac amhersonol, fel y prawf ysmaldod hapus ei gyfeiriadau achlysurol, – er enghraifft y geiriau ar t. 299 lle y sonia am Macaulay a'r "'Whig View' of disturbances which have the misfortune to be contemporaneous." Cyhoeddwyd yr adolygiad yn y cylchgrawn *Y Llenor* (XIX Rhif 1) yn 1940.

Roedd ganddo frawd, Griffith W. Williams, dair blynedd yn hŷn, a gafodd yrfa academaidd yr un mor ddisglair yn yr Unol Daleithiau. Aeth i America yn 1923 ar ôl astudio yn Llundain. Pan ymddeolodd roedd yn Athro Seicoleg ym Mhrifysgol Rutgers, New Jersey. Bu'n darlithio yn Atlanta, Illinois, Yale a Rochester cyn ymuno â Rutgers yn 1937. Arbenigodd ym maes hypnosis. Nodwyd ei farwolaeth yn y *New York Times*.

Roedd ganddyn nhw frawd hŷn, Stephen, a arhosodd yn ei gynefin ac yntau yr un modd yn uchel ei barch fel dyn egwyddorol, diacon, ysgrifennydd a chodwr canu yng Nghapel Rhydwilym. Ganddo ef oedd y cyfrifoldeb o gynnal y teulu pan fu farw'r rhieni. Fel aelod o Gyngor Dosbarth Gwledig Arberth llwyddodd i wahardd smygu yn y cyfarfodydd. Fel ysgrifennydd Cymanfa Ddirwestol Taf a Chleddau âi i gyfarfodydd llys i wrthwynebu caniatáu trwyddedu tafarnau, a llwyddo'n aml. Ymunodd â Phlaid Cymru yn y dyddiau cynnar ar ôl ystyried ei hun yn Rhyddfrydwr cyn hynny. Siaradai Gymraeg gyda thipyn o lediaith dysgwr gydol ei oes am ei fod yn naw mlwydd oed pan symudodd y teulu i Ddolbetws o Langwathen – Robeston Wathen – ger Arberth, lle nad oedd y Gymraeg i'w chlywed.

Meddai'r hanesydd Geraint H. Jenkins am y gyfrol *The Rebecca Riots* a gyhoeddwyd yn 1955 "... an outstanding work of historical scholarship by an erudite man who possessed the rare ability to write like an angel".

Ac eto yn fawr ei ganmoliaeth o'r gyfrol o'i eiddo a gyhoeddwyd bum mlynedd ynghynt: "*A History of Modern Wales* (2nd ed., John Murray, 1977) by David Williams, first published in 1950, is a classic work which combines meticulous scholarship with lucidity of language and presentation."

Cofnodwyd y sylwadau uchod mewn rhifyn o'r cylchgrawn *History Today, Vol 37 (2/2/1987)* mewn erthygl o dan y teitl 'Reading History – Modern Wales'

A beth am y sylwadau canlynol wedyn gan yr hanesydd Kenneth O. Morgan, awdur y gyfrol nodedig *Rebirth of a Nation Wales 1880–1980*? Un hanesydd yn cydnabod mawredd y llall. Mae'r sylwadau yn rhan o'i deyrnged hael i'w arwr fel hanesydd mewn rhifyn o'r *Times Higher Education Supplement*, 28 Mawrth 1997 dan y teitl 'Speaking Volumes: David Williams's The Rebecca Riots:

"The Rebecca Riots is a sublime study of a countryside in crisis. When I met Williams he was 55, quiet, slow of tread, soberly dressed. His left eye had a tic that would go into overdrive when some historical curiosity cropped up in conversation. He was a Pembrokeshire Baptist, but the bust of Voltaire on his desk spoke of broader horizons. This placid son of the Welsh peasantry was a mid-Atlantic polymath who had written not only on Wales but on Ben Franklin's political philosophy. At Cardiff in the 1930s, he almost overawed the young Christopher Hill with his learning; Richard Cobb adored him, not least for his "tiny gentle claw of malice". Williams showed me how to be a historian, weighing up evidence, the potentialities and pitfalls of the public records and parliamentary papers and the popular press. He taught me never to be in awe of the past.

The Rebecca Riots describes the attacks by tenant farmers on the tollgates of southwest Wales between 1839 and 1843. It is a faultless work of scholarship, with a rare economy of style. It is subtly crafted. Four structural chapters on the gentry, the fabric of local government, and the economic and social background lay bare a fractured rural society. Then momentum is injected with a study of the "growth of opinion", the newspapers, the chapels, the radicalism generated by the Poor Law and Chartism. The riots are chronicled with irony and insight. Their "tarnished heroes", the bare-knuckle mountain fighter, Shoni Sguborfawr, and the alleged ballad-monger, Dai'r Cantwr, drinking and wenching their way up the valleys, are juxtaposed with complex social movements. The conclusion has an inner strength. The tollgates went after all. The sons and daughters of Rebecca were triumphant.

The Rebecca Riots showed me that the post-union history of Wales could be written. It also suggested this was best done with discipline and restraint, not by over-zealous "roaring boys". It showed too how a local study could anatomise a wider crisis... The ability to see the wider implications of local records is breathtaking. Here truly was "history from below", as subtle as the Annales school and reaching a conclusion. It is a masterly study of social dynamics, of a moral economy at bay. There is a tone of gentle irony: Williams was a master of deflation. Yet there is poetry in the prose, a deep humanity for the impoverished farmers of pre-industrial west Wales. The book is dedicated to his own ancestors who were part of them. Against all the odds, Rebecca's children had won social power. They had changed their world.

It is an unassuming book by a gentle man but its significance is universal. That book and that man determined my life. They made me want to be a historian, of Wales and the world. I wanted to write, to see if I could be even half as good as him. Forty years on, I am still trying."

Kenneth O. Morgan, Coleg y Frenhines, Rhydychen.

Ac yna un arall o'i ddisgyblion disglair, yr Athro Gwyn Alf
Williams o Ddowlais:

"David Williams, in his impeccable and slightly unexpected Hector
Powe lightweight suits, annually renewed in strict routine, his
equally unexpected Italian shoes, his no less impeccable and
then slightly unusual Hillman Minx, piloted by a trim and, in
Aberystwyth, decidedly unexpected wife, was a man of style, wit
and panache; he was also a man who made Routine a creative
passion, logged his hours as Dean as meticulously as a computer
in the service of the TUC, snubbed petitioners if they had not
remembered he was a professor, hid his widower wine and whisky
from his landlady ("Academics are funny people, Mr. Cobb," said
she, "who else would drink whisky from teacups?") and remained
so rooted a Baptist from seminal Rhydwilym that his friend
Christopher Hill of Balliol (and he earned, kept and merited such
friends) once called him a peasant.

In several important respects, a Voltairean Baptist he was,
and had been from his early days as a student of the French
Revolution. He was, too, a scholar of wide and deep European and
American erudition who had worked under Meinecke and Carlton
Hayes, and spent a Christmas Day in the New York Public Library.
The pious mythology of Welsh History served the role of Voltaire's
infame. After a celebrated lecture he gave on radio once about
the two 'tarnished heroes' of Rebecca, a Welsh Nationalist journal
reported that a man "well known in Welsh cultural life" turned to
a friend and said, "Well, I'd rather be wrong with Tradition than
Right with Professor Drip". This delighted David Williams; he
reverted to the term constantly. I was then making my first sortie
into radio documentary and, having written in a historian's part,
labelled the speaker Dry-as-Dust. When David Williams vetted
the text (quite normal in those unliberated days) he meticulously
deleted this every time it occurred and replaced it with Professor
Drip.

He earned this reputation among many. What never ceased to
amaze me was his resolute refusal to permit any of his wit (often
as dry and salty as a manzanilla sherry) his humour (often no
less salty) or his sheer panache (often very French, as many of
his generation were) to make even the most fleeting appearance

in his published and serious work. It was as if he put on his Sunday suit to lecture in. By any standards, he was a giant in the historiography of Wales; we all stand on his shoulders. He was quite literally a pioneer, after him, the history of Wales could never be the same. Yet there was this element of withdrawal from the implications of his own discoveries, a deliberate self-restraint which sometimes came close to self-mutilation.

He seemed to fear imagination. This was partly a functional necessity in his generation of Welsh history which had to clear the ground of myth. It was their categorical imperative. One corollary, however, was a tendency to be ashamed of myth (which had turned us into a people who would not be taken seriously) and a consequent crippling of the craftsman's imagination. David William's colleague, the medievalist Tom Jones Pierce, a no less brilliant and no less self-mutilated man, sometimes seemed to serve as the last of the Actor-Managers in Welsh History, but he was often more inspiring to students in that he let imagination play. David Williams could never bring himself to believe in the Welsh State of the thirteenth century because he could never fully bring himself to believe in Jones Pierce ("Venedotion Imperialism").

Looking back, I suppose it was a Respectability in the fullest sense which ultimately governed him and, in the last resort, subjected his own very real and powerful imagination (witness his brilliant essays on John Evans and the Madoc myth, his perception of the American and Atlantic dimension of the Welsh experience; his Rebecca is one of the most unusual and pioneering, as well as magnificent essays in social history ever written – "A gem! A gem! A gem!" cried the American historian of Chartism, Art Schoyen) to Conventionality. "Un-savoury" was one of his favourite adjectives (applied to Hugh Williams the Chartist, for example); he sometimes seemed to feel that "debunking" was enough.

Partly for those reasons, however, his achievement towers. Systematic, detailed, precise and impeccable scholarship, by its very routine, became a creative power. He walked Wales and knew it, like a palaeographer knows a cherished palimpsest. He could point out houses where the first Methodist seiat had been held in any bro. This he learned from that other giant R.T. Jenkins, who also made boots part of a historian's equipment, in David's much loved Cardiff. (Typically, however, this permanent yearning for

Cardiff was not strong enough to overcome routine; to succeed
William Rees would have meant running two departments).
He built up modern Wales like a coral-reef, every crystal duly
authenticated."

Gwyn A. Williams, Coleg y Brifysgol Caerdydd, *Llafur,
Journal of the Society for the study of Welsh Labour History*, Vol 2
No. 3 1978 t. 7

Roedd Beryl Thomas, a fu'n cyfaddasu'r gyfrol *The Rebecca
Riots* i'r Gymraeg ar gyfer defnydd mewn ysgolion, yn un o
fyfyrwyr disgleiriaf yr Athro David Williams yn Aberystwyth.
Hanai Beryl Williams o Benrhyndeudraeth ac enillodd radd
Dosbarth Cyntaf. Pan gafodd wahoddiad yr Athro i fynd ynghyd
â'r trosiad a'r talfyriad roedd wedi treulio pum mlynedd yn
darlithio yng Ngholeg y Drindod, Caerfyrddin ac wedi ymuno
â staff Coleg y Brifysgol Abertawe yn hybu dwyieithrwydd.
Priododd D. Hugh Thomas o Ddyffryn Aman a fu'n amlwg
fel gweinyddwr ym maes llywodraeth leol a'r Eisteddfod
Genedlaethol.

# Atodiad III

Some people have a hazy idea, due to the gathering mist of
passing time, that the Rebecca Riots were merely a nightly
gambol of reckless spirits let loose on the countryside, whose
sole object was to enjoy themselves in uproarious fashion
– a boisterous gang going about destroying toll-gates for a
pastime, and firing toll-houses for recreation. This is not so; the
Rebeccaites were instigated to their revolt by strong convictions
of their grievances, and they were firmly determined to do away
with the monster of tyranny, which they regarded as sucking
their life blood. The attacks on the toll-gates were undertaken
simply becuse it was a glaring fact forced into their minds every
day of their lives that the heavy tolls demanded from them on
all goods were the direct cause of the high cost of living in

their districts; therefore, though nominally a revolt against the toll-gates, really it was a great movement among the peasantry of South and West Wales for untaxed food and cheaper living. It was thus part of the great epidemic of revolt which swept the country, finding its counterparts in the Chartist Riots in Monmouthshire, the Anti-Corn Law Agitation in England, and the cry of Ireland after the failure of the potato crop. It was the spirit of democracy wearied of its chains and bonds of slavery, crying aloud for freedom and redress.

Of all the counties affected, Glamorganshire alone at that time possessed any paid constabulary or any force that could be of service. The other counties relied upon the services of pensioners, or special constables sworn in on any particular occasion, therefore when the riots were at their height, they were obliged to have recourse to the military for help to protect property and lives.

Finding that restoring gates, rebuilding houses, and offering large rewards for the apprehension of the rioters failed to produce any satisfactory results, the trustees lost heart, and roads were left free of toll. This was the popular triumph.

Undoubtedly the origin of all this turbulence was the resistance to the payment of turnpike tolls. The farmers complained of the expense of paying these tolls, and when it is recollected that in Carmarthenshire alone there were eleven toll-bars on the by-roads, it is apparent to everyone that they had good reason to complain. They also suspected that the proceeds from the tolls were not fairly expended on the roads.

Among the subjects of complaints in the meetings – on hillsides, by mountain streams, and at many out-of-the-way places – held for discussion of grievances, were the following:

1. Tolls had to be paid every third time of passing.
2. Mismanagement of funds applicable to turnpike gates.
3. Amount of payment of tolls.
4. Illegal demands of certain toll-collectors.

5. Increase in the amount payable to tithes.
6. Unequal distribution of rent charges.
7. Operation of the Poor Law Amendment Act.
8. Weak administration of justice by local magistrates.
9. Excessive costs of recovery of small debts.
10. Multiplication of side-bars by private indidviduals.
11. Monoglot Englishmen holding office in Wales.
12. Increase County Rates.

H. Tobit Evans/Gwladys Tobit Evans,
*Rebecca And Her Daughters*, (Cardiff 1910), t. 3

# Atodiad IV

## Rebecca and her Daughters

All was seemingly done in a spirit of wanton frolic. Not a thought appears to have been given to the consequence likely to follow, and few people imagined that an occurrence apparently of little moment was destined to hasten, if not actually to produce, by force of example, a series of grave manifestations of insubordination. Three other 'pikes underwent the same treatment; then the people quietly dispersed. What followed added to their feelings of satisfaction. The history of these particular gates lays bare the seamy side of the system that then obtained. Erected on roads over which a considerable lime and culm traffic passed, the only justification for their existence was the tempting offer made to the trustees by an English speculator.

In the practical manner described the people protested against what they argued, with some show of justice, was wrongful action on the part of the trustees in levying tolls where they incurred no expenditure; for after the passing of the Highways Act "the trustees did not take the road into their charge or provide for its management and repair, and it

continued for several years to be maintained as a parish road."
Reluctant to "parley with treason," the trustees gave notice
of their intention of re-erecting the gates, but so flagrantly
unjust had been their previous action that thirty or forty of the
Carmarthenshire magistrates interposed, and by qualifying as
trustees out-voted the party of determined action.

This step the Royal Commissioners were told "gave
satisfaction to the country for a time, but it strengthened the
hands of the discontented, and in some measure prepared
them for further violence." Probably the effect was accurately
foreshadowed. However, the seeds thus sown were slow in
showing above the surface, for not until the spring of '43
did the harvest appear. Events in the meanwhile had moved
in the direction of disorder. A succession of bad harvests
accompanying rapidly expanding rates, the tide of discontent
rose. Then began those systematic raids upon the obnoxious
gates, and those frequent and persistent violations of "the
blessed spirit of legality".

The old order of things was changing; it had not changed.
This epoch of transition was contemporaneous with Wales'
solitary rebellion, if that grotesquely guised outburst can be
so designated. You who live in populous places, "amidst the
hurry of crowds and the crash of innovation" where the scenes
are ever shifting, and events grave, gay, and exciting chase one
another into forgetfulness, cannot easily imagine the tenacity
with which the minds of the simple countryside folk cling
to the memories of 1843. 'Becca to them has still an actual
personality: she "holds the field" in local lore, the heroine of
countless daring escapades. Time has cast its glamour over
her achievements, bringing into relief the brighter phases of a
unique movement. It has invested with some show of dignity the
wild outburst of destructive forces, the manifestation of which,
tragic as they often were, had nevertheless the properties of a
farce. Reminiscences of that eventful period linger in out-of-
the-way places. Every hill, wood, and hollow in the scenes of

her activity contributes something to the common store...

The public displayed a receptiveness to complaints rarely experienced by law-breakers. All classes seemed to share the belief that the existence of a powerful moving cause was imperatively required ere a people hitherto remarkable for their spirit of obedience would be impelled to violent deeds "against the peace of our Sovereign Lady the Queen". Had not the Welsh – and here we again quote our sympathetic reviewer – "been chiefly known to their English neighbours as a patient, industrious, hard-faring race, tenacious of the traditions of their forefathers, disliking change, and not easily aroused to enterprise; of a temperament somewhat sluggish and unimaginative." We suspect our critic was drawing upon his store of Shakespearian erudition when he furthermore declared the Welsh "warm and choleric in their feelings when excited" and assuredly he had the exploits of 'Becca particularly present in his mind's eye when adjudging them "capable of no small degree of pertinacity and dogged resolution in the pursuit of their objects".

What induced the departure from the peace which successive generations had continuously maintained? We have already casually adverted to the restless spirit abroad. But that of itself could not and did not largely affect the Welsh. The hypothesis advanced by a few that Chartism was a factor rests on frail foundation. Much was said at the time regarding the alleged influx of well-dressed and otherwise suspicious strangers into the disaffected districts. But when these statements came to be sifted there was a total absence of corroborative evidence. In no single instance was the influence of "foreign" agitators specifically shown. The character of the men engaged in the tumults, and the fact that no attempt was made to secure combination over a wide area, disposes us to think the disturbances absolutely local in their origin and disconnected except within narrow bounds.

We doubt whether a 'Beccaite ever "razed a 'pike" a dozen

miles from home. In support of this contention is the well-nigh convincing presumptive evidence that not one of the "Seven points of the Charter" was adopted by 'Becca. That on the contrary grievances concrete rather than abstract, real and not fanciful, did exist and grievously affected the Welsh farmers we shall presently show, not with the view of justifying what needs must be unjustifiable, while constitutional methods of redressing wrongs are not denied, but of explaining in some degree occurrences otherwise almost inexplicable, having regard to the respect for and the wholesome fear of the law which previously had been peculiarly characteristic.

The idea generally obtaining is that excessive turnpike gate tolls solely originated the riots, and that other subsidiary grievances only attained prominence as the influence of the movement extended. This is erroneous, despite the authority given it by the appellation invariably assigned the events of "Turnpike Gate Riots". The inquiry prosecuted by the Government of the day elicited unmistakable testimony showing that while the abolition or diminution of tolls was an important "plank", the "platform" of grievances from the outset was tolerably wide, taking in matters which wounded the susceptibilities of the peasantry more acutely than did the "bleeding" of the farmers by the toll collectors. But nevertheless the brunt of the attack fell on the "pikes", possibly because they were deemed "outward and visible signs" of a vicious and vexatious order of things generally. Many circumstances in combination operated to ferment "the restless humours of the land" – to what extent severally and relatively it is impossible to say. First place was undoubtedly given the tolls, because they were more immediately felt and because the gates and bars afforded what the other evils did not – a ready means for manifesting the discontent felt with all in common.

In the multitude of witnesses who came forward to assist the Royal Commissioners there was not to be found one man with the hardihood to attempt the vindication of the turnpike gate system of that period. It certainly was a most vicious and disjointed one. Parliament had invariably treated in cavalier fashion legislation bearing upon the management of the great public highways. The subject was peculiarly commonplace and unheroic, and consequently uninviting. Hence the advisableness of dismissing it as summarily as possible. The attitude of legislators generally in regard to it suggested the influence of a Micawberian philosophy, for they appear to have legislated with a sturdy faith that in the quiet lapse of events something would "turn up" to demolish at one fell stroke the lop-sided fabric mounted in such haphazard manner. Measure succeeded measure, each regardless of the provisions contained in the preceding one, "healing the inveterate canker of one would by making many." A Turnpike Act was to be had for the asking. A system not particularly sound in conception did not improve with incessant tinkerings.

Imperfections grew with each spasmodic effort. Dangerous powers of taxation were vested, with absolutely no effective check, in virtually irresponsible bodies. The Royal Commissioners, struck by this fact, reported that they "saw no reason why the trustees should not, if they thought fit, in virtue of the large and lavish powers committed to them, establish a gate and demand a toll at intervals of one hundred yards each throughout the County of Carmarthen". They added that "in the creation of each one of these trusts Parliament had paid no apparent regard to the existence of any other trust, and though the trustees have been unwilling to establish too frequent tolls within the limits of their respective districts, they have had no scruple in placing a gate or bar at the confines of their own trusts, however near it might be to the gate of an adjoining one.

With the source thus tainted, the stream could scarcely have escaped pollution. Had the administration of the powers been able and rigidly scrupulous, Acts so wantonly conceived would necessarily have exhibited defects in the working. But except in a few instances that administration gave cumulative force to the original errors. Nominally a Board of Trustees was an imposing gathering of the leading gentlemen in the district, all magistrates, by virtue of their office, being enabled to qualify as trustees. Unless, however, an exciting occasion arose the powers of the board were virtually embodied in a very few. With what result was shown by the disclosures made after the violence of 'Becca had directed public attention to the trusts. For a long course of years costly improvements, often times injudicious and unnecessary, had been lightly undertaken, and the natural consequence was seen in congested liabilities. These had compelled recourse being had to various expedients to make ends meet. In many cases the interest payable on outstanding debts swallowed up the whole of the receipts, and thus the anomaly was created of a body exacting oppressive tolls for the use of roads to the maintenance of which it did not contribute a penny.

Descending the scale we are confronted by a laxity growing with the opportunities offered. The tolls were let by auction. Recently speculators had been attracted from "across the border" and their appearance introduced a fresh factor promoting discontent. These "farmed" the tolls, not better nor worse than men of their class, interested only in making the best of a bargain, are apt to do. They interpreted the law "by their own light" and as a strict supervision was not exercised over them, the farmers promptly found to their cost that the rate of toll fluctuated with an upward tendency. On the slightest provocation the tolls flew up. An ingenious collector conceived the bright idea of charging for the baskets the farmers carried for friends from town, but had his industry rudely checked by the magistrates. The renters had a double-barrelled plan of forcing up the receipts. They plied impecunious trustees with tempting offers of extra sums of money if an additional gate were placed here and a bar there. Too often the temptation proved irresistible.

Still another class has to be noticed, the collectors who, engaged at miserable stipends, often eked out their scanty pittances by petty pilfering on their own account. Gates maintained merely to close every possible loophole to the traveller did not realise sufficient to pay the wages of the man in charge, and by these means a premium was placed on fraud.

It is not easy to conceive of a system which had suffered more at the hands of those responsible for its success. Every note of the gamut added something to the discord. It was the case of the fairies reversed. Each sponsor brought not a blessing, but a curse, and there was not even the solitary exception who did otherwise to complete the analogy. The effects of blunders and evil-doing converted to a single point; the sins of all connected with the management descended to the unfortunate toll-payer.

The extent to which the imposts were levied may be indicated by taking a representative parish. Llanarthney, with an acreage of eleven thousand and a population of two thousand two hundred, had no fewer than eleven bars or gates. Travelling in a certain direction, the law required toll to be paid four times within a distance of four miles. A farmer with three hundred acres of land under cultivation paid about fifty pounds a year in tollage for lime. Had all the farm been corn land the tolls would have amounted to double that sum. He bought lime at two-and-sixpence per load, and in conveying it to the fields, a distance of eight miles, was compelled to contribute as tollage six shillings per load. Nor were the farmers, by any means, the only class that suffered. It was computed by a competent man that of two thousand pounds expended in building a number of houses, one hundred pounds went in tolls.

Nor had the contributors the slight satisfaction of knowing that the Trusts were benefitted to anything like the extent they had a right to expect. The money filtered through the hands of intermediaries, growing small by degrees and beautifully less. Other facts pointing in the same direction could be given, but those already adduced are sufficient for our purpose, which is to demonstrate that the system was indifferently conceived indifferently managed, and that the method of collecting tolls, alike with their oppressive frequency, constituted a real and vexatious grievance to a people already struggling hard against difficulties preventable and otherwise.

Apart from evils appertaining to the levying of tolls there were other causes promoting disorder, by swelling the flood of discontent. A steady and continuous falling away in the respect due to the administrators of justice gave point at a critical period to the saying of Girdinius, "Those that I reverence, those I fear." The moral force which should have been a powerful auxiliary for good in the hour of need fell painfully short of legitimate expectation. Several reasons accounted for this. Incompetent men, deficient in knowledge and experience, had frequently been engaged as magisterial clerks, and on these the justices, rendered all the more dependent by ignorance of the native tongue, were perforce compelled to rely for guidance. The administration of law generally was somewhat out of joint. Then the magistracy had not always shaped their courses discreetly.

An unseemly altercation in open court between Pembrokeshire justices of the peace eventuated in a challenge being publicly exchanged to fight a duel. In this connection the testimony of Mr. W. Chambers, JP, is instructive and entertaining. "At the first petty sessions my father attended in this place – Llanelly," he told the Royal Commissioners, "one of the magistrates acted as clerk. After they had finished the money was pulled out of a little bag, and it was divided among the magistrates. There was an odd half-a-crown, and one of the magistrates said, 'I will keep that, as I acted as clerk.'" "Do you mean to say," interpolated an astonished Commissioner, "that the magistrates were in the habit of dining together with the fees?" "Yes," was the rejoinder, "and then divided the remainder if there was more than enough to pay for the dinner."

Stories of this description, reflecting more or less on the integrity and knowledge of the magistrates, circulated among the people, bringing contempt on those who should have been *sans reproche*. General credence was given the belief too that the justices, in using the great powers committed to them, paid no nice regard to legality. Subsequent researches proved this justified, but not to the extent imagined. Charges to which the county rate was not amenable had been systematically imposed upon it, thereby inducing its steady growth. The plan of paying the clerks by fees made even trivial cases expensive, and was productive of other evils. The evidence bore so strongly on this point that Parliament was invited to immediately remove, if possible, the "grounds of so much reasonable complaint".

David Davies, Llanelly
*The Red Dragon*, National Magazine of Wales Vol. XI,
March t. 239 and April t. 320 1887,
Editor – James Harries (Cardiff).

# Atodiad V

## Bwydydd Sir Benfro

Nid oes nemawr o amgylchiadau allanol bywyd ardal a roddant ddefnyddiau cyflawnach i ffurfio syniad am gymeriad y trigolion na'r bwydydd a fwyteir gan y bobl, y gwerth a roddant arnynt, a'u harferion mewn perthynas iddynt. Cof gennyf rywdro fod yn teithio o Gaerdydd gyda theulu Seisnig oedd wedi gorfod brysio gyda'u cinio i ddal y trên; a mawr y cintach fu ganddynt! Bydd ffermwr yn Sir Benfro, ar ddiwrnod prysur, yn llyncu ei ginio mewn dau funud, ac yn mynd at ei waith yn hapus heb feddwl byth ei fod wedi gwneyd yr aberth lleiaf. Fe fyn y Sais ei ginio, ac fe fyn y Cymro dalu'r rhent.

Efallai fod hyn yna yn ddigon o esgusawd dros Olygydd Y GENINEN am gyhoeddi hyn o ysgrif. Mi geisiaf finnau roi disgrifiad gweddol gywir o'r agwedd yma o fywyd rhan uchaf Sir Benfro, gan adael i'r darllenydd dynnu ei gasgliadau a ffurfio ei syniad am y bobl.

I gael disgrifiad a fyddo yn nodweddiadol o'r ardal yma yn neillduol, rhaid i ni gael ein ffeithiau oddiwrth genhedlaeth sydd yn cofio'r amser cyn pasio deddfau Masnach Rydd, cyn bod helaethrwydd o wenith tramor a the rhad wedi gwneyd byrddau'r wlad i gyd mor debyg i'w gilydd a dwy frân, ac wedi eu hamddifadu o farddoniaeth eu hamrywiaeth a'u tylodi caled; waeth amser caled oedd hwnnw pan oedd gweithwyr gwlad yn gorfod cynnal eu teuluoedd ar bedair neu chwe cheiniog y dydd, a barlish yn chwech neu wyth swllt y winshin (wyth chwart), heb son am wenith na cheirch. Ychydig fara ellid gael o gwbl; ond byddid byw y rhan fwyaf ar dato a 'sgadan' ac nid bob amser yr oedd digon o'r rheiny chwaith.

Yr oedd bwrdd y ffermwr dipyn yn llawnach ac yn fwy amrywiol; a byddai hogyn o ddeuddeg i bymtheg oed, a fedrai gerdded hanner plwyf cyn brecwast i edrych am y defaid, a dilyn yr og ysgafn ar drot ar y llyfn o foreu hyd hwyr, yn cael ei alw'n ffodus os cai yn gyflog "hur yr ên, a bwyta'i wala". Pan oedd gweithwyr mor hawdd eu cael yn rhad, yr oedd teulu'r ffermwr yn un mawr, a'i fwrdd yn cyfateb. Dyma'r lle felly yr arferid trefn, a dyfais, a chynildeb, i beri i ddefnyddiau cynhaliaeth gyrhaedd mor bell ag y gellid i wneyd y gweithiwr yn gryf, ac weithiau, yn foddlon. Dyma'r lle y cawn ninnau ein ffeithiau, os gwyliwn, trwy gylch y flwyddyn, yr hen fwrdd hir, sydd wedi ei ysgwrio gymaint nes y mae mor laned, ac agos mor wyned, a'r llian glanaf. Mae wedi sefyll ar hyd yr oesau rhwng dwy ffwrwm mor laned ag yntau yn yr ystafell hirgul wrth gefn y tŷ, a elwir gennym ni yn rwm-y-ford.

Cawl yw yr elfen amlycaf a mwyaf nodweddiadol ar ein bwrdd ni.

"Clywsoch sôn am gawl Sir Benfro, -
Poten farlish fawr oedd ynddo;
Hono'n berwi cuwch a'r bargod, -
Dyna un o'r saith ryfeddod."

Pwy sy'n cofio'r gweddill o'r hen gân hon?

Fe heria Sir Benfro'r byd am gawl yn ogystal ag am ymenyn a bara. Buom dan orfod yfed cawl Sir Gaerfyrddin, a gwaeth na hynny – gawl Morganwg; ac wfft i'r fath beth, fod yn bosibl i aelodau mor wael berthyn i hen deulu mor barchus. Mae'n hawdd dweyd sut y gwneir ef yn Mhenfro; ond pam na wna pawb ef felly, nis gwyddom. Rhoir dwfr ar y tân mewn crochan i ferwi, a blawd ceirch, a darn o gig ynddo, – fel rheol, cig moch wedi ei halltu a'i sychu; ond gwell, i roi blas i'r cawl, yw cig eidion sych; a gwell eto yw unrhyw gig fresh: ar ôl iddo ferwi tuag awr, rhoddir ynddo fresych a thato, ac erfin, a phannas; ac ar ôl i'r rhain eto ferwi digon, rhoddir ynddo barsli, a chennin, a chennin sifi, ac amryw ereill o ffrwythau gardd os byddant i'w cael; ac ar ôl i'r rhain ferwi ychydig eto gyda'r cwbl ereill, dyna fe yn gawl –

"Stwff sy'n deilwng o bob mawl, -
'Does debyg cawl yn Nghymru."

Llonaid phiol bren o honno gyda bara barlish i ddechreu, a chig a thato, etc., ar drensiwn pren i'w ddilyn; a thyna ginio sylweddol. Ond, er ys llawer dydd, i frecwast ac i swper y ceid cawl, a bwydydd llaeth i ginio ganol dydd. Yr arferiad oedd berwi cawl unwaith neu, i'r eithaf, ddwywaith yn yr wythnos, mewn crochan mawr oedd yn sefydlog yn mraich y simne; ac os byddai yn bygwth mynd yn brin cyn diwrnod berwi cawl, estynnid ef â thipyn o ddŵr, neu weithiau olchion llestri. Dywedai gwas rhyw fferm ei fod yn yfed yr un cawl bob wythnos un-ar-bymtheg o weithiau. Yn yr haf byddai ei gadw cyhyd, a'i gyffroi mor aml, yn peri iddo suro; ac anhawdd oedd yfed hwnnw. "Gofynwch fendith, Caleb," meddai Twm o'r Nentydd wrth y gweithiwr; ac meddai Caleb yn ddefosiynol iawn –

"Cawl sur a bara llwyd, -
Arglwydd anwl, dyma fwyd."

Y mae hyn wedi darfod er ys blynyddau, a neb bellach yn gwybod blas cawl sur, oddieithr, yn ddamweiniol, y moch.

Heblaw y cawl hwn, – cawl *par excellence* – mae amryw fân rywogaethau a elwir, gyda mwy neu lai o deilyngdod, yn gawl.

Moethfwyd o'r fath oreu yw *cawl coch*, wedi berwi ysgyfarnog ynddo. Blasus ddigon yw y *cawl basled*, a wneir yn y gaeaf, ar ol lladd mochyn neu eidion, o afu ac ysgyfaint, a chalon a photenau y mochyn neu'r eidion wedi eu tori yn fân, a'u berwi drwodd, fel y cawl uchod.

Pan fo cig yn brin berwir *cawl esgyrn* – esgyrn yn lle cig i roi blas i'r cawl, a chaws yn lle cig yn enllyn gyda'r tato, etc. Mewn brys mawr, neu pan na fyddo cig neu esgyrn, y berwir *cawl pwt a berw*, neu *gawl pen lletwad*, neu *gawl dwr*; yr unig wahaniaeth rhyngddo a chawl cyffredin yw nad oes cig ynddo, ac felly ei fod yn cymeryd llawer llai o amser i'w ferwi. "Esmwyth cwsg cawl dŵr," neu, yn ol ereill, "Esmwyth cwsg cawl erfin," yw diareb Sir Benfro.

*Cawl llaeth* a wneir drwy ferwi llaeth ag ychydig flawd ceirch ynddo; ond yr oedd hwn yn agored i dwyll: weithiau gosodid dŵr a blawd yn unig i ferwi, ac arllwysid ychydig laeth arno i droi ei liw, i roi iddo ymddangosiad cawl llaeth; ond *cawl celwydd* y gelwir hwn.

*Cawl maidd* a wneir yr un fath a chawl llaeth, ond mai maidd ddefnyddir yn lle llaeth, ac y mae o gymaint a hynny yn waelach. Uwch ei ben, ar ddiwrnod oer, y dywedodd yr hogyn –

"Glas yw dy liw,-
Du yw dy fod, -
Mi dy welaf hyd dy waelod."

Ac esgusawd dros esgeuluso gwaith trwm ar ol ei yfed oedd dweud –

"Bara haidd a maidd glas
Sy'n hala'r gwas yn egwan."

Heblaw y rhai hyn yr oedd amrywiaeth mawr o fwydydd llaeth yn cael eu defnyddio. Y symlaf oedd bara llaeth llefrith neu enwyn. *Picws Mali*, neu *bicws a malws* y gelwid bara llaeth enwyn a wneid pan yn crasu bara ceirch teneu, trwy gymeryd torth yn dwym oddiar y llechfaen, a'i rhwbio yn fân i phiolaid o laeth enwyn. Weithiau, rhoddid bara ceirch teneu, neu shipris, neu farlish, mewn llaeth enwyn dros y nos, i'w fwyta i frecwast foreu drannoeth, – *bara llaeth pwdr* y gelwid hwn.

Bwydydd dipyn yn fonheddig ond gwannaidd oedd can llaeth, a *rice a llaeth*. Mwy cyffredin oedd *uwd siccan a llaeth*. Succan ydyw ceirch wedi ei falu drwyddo, heb dynnu na'r bran na'r eisin o honno. I wneyd uwd rhoir hwn yn wlych am rai diwrnodau yn mlaen llaw, yna hidlir ef trwy ogr mân, nes cael dim ond y manaf a'r goreu o'r ceirch yn y gwlybwr, yr hwn yn awr a ferwir nes y tewhao ac y daw yn debyg i *jelly*. Dyna'r uwd, a bwyteir ef gyda llaeth llefrith, – heb yr hufen, wrth gwrs; oblegid o laeth glas y gwneir pob bwydydd llaeth.

Gydag uwd mae'r llaeth yn well wedi ei ferwi; yna mae uwd a llaeth yn fwyd blasus ac iachus iawn, ond yn treulio yn gyflym. Mae gan hwn hefyd ei berthynas dlawd – *uwd blawd a llaeth enwyn*. Gwlychir y blawd ceirch fel y mae â dwfr; a berwir ef nes y byddo yn ddigon tew i lwy sefyll ar ei phen ynddo a bwyteir ef gyda llaeth enwyn. Bwyd cryf i'r cryf, ac iach i'r iach, ond, druan o'r gwan. Felly hefyd am *sopas*, sef blawd ceirch wedi ei gymysgu a llaeth enwyn yn oer; pryd parod ar frys yw hwn, y gellir ei baratoi a'i fwyta mewn ychydig eiliadau.

Pan fo cyflawnder o dato bwyteir hwynt hefyd mewn llaeth enwyn, naill ai yn eu crwyn neu wedi eu glanhau Nid drwg am dro yw ffa wedi eu berwi, a'u bwyta mewn llaeth llefrith; a blasus iawn yw llysiau duon bach (whimberries) mewn llaeth llefrith.

Weithiau bwyteid *caws llaeth*, sef y llaeth wedi iddo gawsi, cyn gwahanu'r maidd i wneyd cosyn o honno: bwyteid ef naill ai gyda'i faidd neu gyda llaeth. Byddai pobl gynnil iawn yn berwi'r maidd ac yn rhoi ynddo ychydig laeth enwyn i beri iddo gawsi, ac yna bwyteid *caws maidd*.

Perthynas i'r uwd yw *bwdran*. Gwneir ef o'r un defnydd – o sucan wedi ei hidlo; ond rhoddir rhagor o ddwr arno pan yn berwi, i'w wneyd yn deneu, fel y gellir ei yfed gyda bara. Bwyd gwanaidd a rhad yw hwn. Mae hen draddodiad ar lafar gwlad yn dweyd mai gair cyfansawdd o'r elfennau *bwyd-di-ran* yw'r gair; pan oedd prinder bwyd mai hwn oedd yr unig beth y ceid digon o honno, fel nad oedd rhan arno. Cinio gwas Twmi Drefawr, meddai ef, oedd –

"Bwyd di ran,
A chlwt o fara bran."

Prif enllyn yr ardal oedd *caws* – caws sych, gwydyn, wedi ei wneyd o laeth glas, heb un defnyn o hufen, – oddieithr y byddid yn godro defaid; a rhoddid y llaeth hwnnw fel yr oedd am ben llaeth y gwartheg; ond gan y gwerthid y caws goreu, ni fyddai ar fwrdd y ffermwr ond y caws gwaelaf a sychaf, wedi ei wneyd yn gynnar yn y flwyddyn pan oedd y llaeth dlotaf.

"Gwcw glame, cosyn dime:
Gwcw haf, cosyn braf."

O'r caws hwn nid oedd caniatâd i fwyta llawer; ond rhaid oedd i bob un dori darn cymedrol yn rheolaidd a threfnus dros wyneb y cosyn; a phe torrai un ddarn mawr, os byddai'r meistr yn gweled efallai y dywedai "fod y fuwch yn breifad"; neu os beiddiai neb fwyta caws gyda llaeth, neu unrhyw ddau enllyn, yn sicr "byddai'r fuwch yn breifad."

Adroddai Kilsby hen rigwm sydd yn darlunio yn bur fyw deimlad ffermwr, er ys llawer dydd, ar y mater yma:

"Y llipryn llipa, llwyd,
Ti fyti fwyd o'r gore';
Pe dalsit gŵys fel tori caws,
Fe fyse'n haws dy odde'."

Yr enllyn arall ydoedd *cig*; ac er y byddai rhai o'r ffermwyr mwyaf yn lladd eidion a'i halltu a'i sychu, y cig mwyaf cyffredin oedd ac ydyw cig mochyn. Eithriadol iawn ydyw unrhyw gig *fresh*, ond pan leddid y mochyn, pryd y ceir y cig mân yn *fresh*; ond helltir a sychir yr ochr, y balfes, a'r *ham*. Os na fydd raid gwerthu y pen, rhostir ef erbyn Dydd Calan, a "chern mochyn fydd gŵydd y dyn tlawd." Defnyddir pob rhan o'r mochyn, i lawr hyd at y manion geir ar ol toddi'r floneg, y rhai a roddir ar y tân mewn *frying-pan* gyda blawd ceirch; a cheir yr hyn a elwir yn *boten grinshon*, neu *boten gras fach*.

Y mochyn sydd yn gyfrifol hyd yn nod am yr hyn a elwir yn *ffest y cybydd*, neu, yn ngwaelod Sir Benfro, *taters and points*. Berwir tato a chig ar eu gwyneb; codir y cig i drenshwn, a rhoddir ef ar y bwrdd, a'r tato mewn llestr arall; bwyteir y tato yn unig, gan bwyntio at y cig; felly y diwrnod cyntaf a'r ail; a'r trydydd dydd y bwyteir y cig gyda'r tato. Nid rhyfedd fod Sir Benfro yn hawlio "Cân y Mochyn Du." Ychydig ymenyn a welid, ac a welir eto, ar fwrdd cyffredin y ffermwr; fel rheol, dim ond tipyn i frecwast foreu Sul; a gorchwyl anhawdd oedd

"Dwyn (*steal*) 'menyn mewn mynyd
Ar drenshwrn pren i orphan pryd."

Ychydig yw yr amrywiaeth o botenau (*puddings*) yn yr ardal. Yr ydys wedi clywed son am blwm pwdin; ond y boten fwyaf cyffredin ydyw *poten reis*, a geir ryw dair gwaith yn y flwyddyn – dyddiau Nadolig a Chalan Hen (fel rheol, ond fod y gwyliau newydd yn dod yn fwy arferol yn awr); a *"photen ben fedi."* Seremoni fawr oedd hon. Pan fyddai'r medelwyr wedi dod i gornel diweddaf y cae diweddaf o ŷd, ymgasglent o gylch yr ychydig dywysennau olaf, a thaflai pob un ei gryman atynt, i geisio "torri'r pen"; ac ar ol gwneud plethid hwynt yn "wrach". Yr oedd y gwrywod i geisio ei chario i'r tŷ yn sych, ond yr oedd y merched a'r gwragedd wedi mynd o'u blaen i lenwi llestri o ddwfr yn barod o gylch y tŷ, i geisio gwlychu'r wrach; a mawr yr helynt fyddai; o'r diwedd crogid y wrach yn nen y tŷ, ac ai pawb at swper ben fedi, yr hwn a orphenid gyda photen ben fedi a digon o dablen ben fedi.

Heblaw *poten rice*, adnabyddir hefyd *boten dato*, *poten rinion*, *poten fara*, *poten farlish*, *trolies*, a *thumplins*; ond aelodau tlawd o'r teulu yw'r rhain i gyd, ag eithrio, efallai'r olaf.

Er tori syched yn yr haf, yr oedd amrywiaeth mawr o wlybyroedd. Gloewon sucan ydyw'r dwr sydd ar wyneb y sucan cyn ei gymysgu a'i hidlo i wneyd uwd, dwr a blawd, glasdwr, maidd, a llaeth enwyn. Byddai ffermwyr mawr yn macsu yn lled aml; a cheid, fel rheol, ddigon o gwrw, a thablen, a diod fain, yn y cynhauafau gwair a llafur, y gwyliau, ac mewn neithiorau.

Y mae y rhai hyn ymron i gyd wedi eu gwthio o'r wlad gan de, er mai trwy ymdrech galed y cafodd y te yr orsedd. Dechreuodd y gwragedd ei yfed yn llechwraidd mewn drawer neu gwpbwrdd a ellid gau os deuai rhywun i'r tŷ; ac o dipyn i beth rhoisant o'r ffrwyth i'r gwr, ac wedi hyny i'r bechgyn ar ol dod yn ol a'r llwyth calch o waelod y sir, nes, erbyn heddyw, y mae pawb yn yfed te, a rhai yn yfed dim ond te, ac, yn sicr, y rhan fwyaf yn yfed gormod o de. Dywedai un yn bruddaidd, ac nid heb achos, mai ers llawer dydd – "Dim te, dim *doctor*; ond yn awr – "Te a *doctor*".

Tra y mae bwyd y wlad yn llawer gwell nag yr oedd, a digon o honno i'w gael, mae yn golled cyfnewid yr hen fwydydd iach o laeth a blawd am ddim ond te. Unwaith, gofynnai ddychymyg gwibiol yr hen Levi Gibbwn y baledwr i freuddwydio am y tlawd yn cael te yn y prydnawn; ond heddyw mae ei brophwydoliaeth yn nghân "Y Trên" wedi ei gwireddu, a gall.

> "Hari mawr a'i gefen cam
> Fwyta 'i frecwast yn Llangan,
> A chyrhaedd Llundain deg ei dawn
> Yn gynar erbyn te prydnawn."

Thomas Rees, Crymych, Sir Benfro
*Y Geninen*, Cyfrol XVI Rhif 4, Hydref 1898 (Caernarfon),
Golygydd – Eifionydd, t. 246

# Atodiad VI

## Mawn, Eithin a Grug
### Atgofion am ardal Maenclochog, Sir Benfro, yn nechrau'r 20fed ganrif.

### Dr T. J. Jenkin

Aeth y grefft o drin mawn at danwydd bron yn llwyr ar goll yng Nghymru erbyn hyn. Ond hyd yn oed o fewn fy nghof i yr oedd paratoi mawn yn danwydd yn rhan bwysig o waith yr haf ar rai ffermydd nad oedd ganddynt fawn ar eu tir hwy eu hunain, fel y Barnaswil Uchaf (Bernardswell). Ar Gors Tir Rhyg yr oedd hawl gan Barnaswil Ucha, ond hwyrach mai nid hen hawl ydoedd hon ond hawl caniatâd y sgweier, oblegid yr oedd Barnaswil a Chors Tir Rhyg ar ystâd Trecwn.

Nid oedd mawn cymwys at 'dwarch' ar ffarm Budloy, ond dywedai fy nhad bod Hawl Mawnog yn perthyn i'r ffarm yng Nghwm Ceudrym – un o'r cymoedd a red o gyfeiriad Rhos-y-Bwsh (Rosebush) i gesail y Preselau. Bu ffarm Budloy ei hunan un adeg yn rhedeg ymhell i gyfeiriad y cwm hwnnw pan oedd yn rhan o Ystad George Le Hunte, a chyn gwneud y ffordd haearn ar draws y rhos. Ond ni fu Budloy yn cyrchu mawn o Gwm Ceudrym o fewn fy nghof i.

Er hynny, yr oedd mawn bas ar y tir grug caregog ar ben 'mynydd' Budloy. Nid oedd y mawn yn ddigon dwfn i ladd tywarch arno, ond heblaw hynny nid oedd y mawn o'r math iawn – yr oedd yn rhy sych a brau. Eto, nid oeddem yn hollol heb dân mawn yn Budloy. Llosgid y grug ar y mynydd yn rheolaidd, ac aildyfai yn araf ond yn dew o dan ddannedd y defaid a'r gwartheg, fel ym mhen rhai blynyddoedd (46 gallwn feddwl) byddai yno drwch byr iawn ond cyson o rug. Dyna'r pryd yr oedd yn addas i wneud matau (*turves*) drwy ei ddigroeni gyda'r wrth-aradr i ddyfnder o tua dwy fodfedd neu dair tra oedd maten tua 10–12 modfedd o led a thua phedair troedfedd o hyd. Nid oedd llawer o waith trin ar y matau hyn i'w sychu. Gadewid hwy lle y'u trowyd a'r grug oddi tanynt i ddechrau.

Yna tynnid hwy allan ar y grug byw a'r grug ar y matau tuag i fyny. Os byddai'r tywydd yn dda, sychent drwyddynt a byddai'r grug arnynt yn marw.

Defnyddid y matau hyn mewn un o ddwy ffordd yn Budloy. Yn gyntaf, wrth gladdu tatws ar y trwch cyntaf o wellt neu redyn, gydag ymyl y faten uwch dros yrmyl y faten is, gyda'r grug yn hytrach na'r mawn yn agosaf at y tatws. Byddai trwch o bridd dros y rhai hyn drachefn cyn toi'r cladd. Yn ail, yn danwydd yn fwyaf arbennig yn yr awyr agored i gynhesu llaeth i wneud caws. Ambell dro hefyd yn y gaeaf defnyddid matau i wneud tan ar garreg aelwyd y gegin.

Ar ffermydd lle yr oedd tywarch, fe ddefnyddid matau hefyd i doi'r rhic dywarch, a dim ond hwy, gyda'u pennau a'u hymylon yn croesi ei gilydd.

Fel yr awgrymais eisoes, nid oedd pob mawn yn gymwys at wneud tywarch. Rhaid i'r mawn fod dros droedfedd o ddyfnder ar ôl symud yr wyneb. Anfynych yr oedd yr wyneb hwn yn gymwys i wneud matau oblegid bod y tyfiant yn arw, a theflid yr haenen wyneb i waelod y pwll mawn. Mawn lle cymharol wlyb oedd yn taro at ladd tywarch am mai araf iawn mewn lle o'r fath y byddai gweddillion y planhigion yn pydru. Eto rhaid iddo beidio â bod mor wlyb fel mai dim ond Gwlan y Gors (mwsw *Sphagnum*) a fyddai yn tyfu arno. Rhaid i'r dywarchen, wedi iddi sychu, fod yn ddigon gwydn fel na fyddai yn torri na malu yn ddrwg wrth ei thrin a'i chywain.

Yr oedd yr haearn tywarch yn offeryn arbennig at y gwaith, gyda chyllell ddwy-ochr ar flaen coes gymharol hir, a'r ddwy ochr yn un â'i gilydd ar ongl gywir fel yr oedd pob tywarchen tua phedair modfedd o drwch ac yn ysgwâr yn ei thrawstoriad. Yn gyffredin byddai'r dywarchen tua 15 modfedd o hyd.

Wrth ladd tywarch teflid pob tywarchen ddigon o bellter o'r pwll tywarch fel na fyddai ar y ffordd wrth fynd ymlaen â'r gwaith. Am y tro, ac am dipyn o amser, gadewid y tywarch ar eu lledorwedd hyd nes y byddent yn hanner-sych, ac yna deuai diwrnod mawr 'codi'r twarch' – a diwrnod mawr ydoedd, oblegid yr oedd yno lawer iawn o waith i'w wneud. Yr oedd ystyr arbennig i'r term 'codi'r twarch', sef eu gosod ar eu bonau yn erbyn ei gilydd, yn debyg i'r ffordd y gwneir stacanau ŷd yn awr ond bod y gwynt yn gallu mynd rhyngddynt yn haws. Fy atgof yw y byddai tuag wyth dywarchen ym mhob twr, ond gan na fûm i erioed fy hunan yn 'codi'r twarch' nid wyf yn sicr o'r nifer.

Anfynych, mi gredaf y byddai galw am wneud dim ymhellach hyd at gywain y tywarch, a gwneud hynny yn ôl fel y byddai'r tywydd a'r cyfle, ond rhaid i'r tywarch fod yn sych drwyddynt i'w cywain.

Yn fy ardal i, beth bynnag, codid y tywarch yn rhiciau hir ar ben cloddiau a drefnid ar gyfer hynny ond yn ddigon uchel heb y tywarch at amcanion cyffredin. Yr oedd pen y clawdd yn gymharol wastad, a gosodid y tywarch ar eu lledorwedd gydag un pen tuag i mewn ond yr oedd lled y rhic, mi gredaf, tua hyd tair tywarchen. Rhywle tua llathen o uchder ydoedd y rhic cyn dechrau codi pen, ac yna ar ôl tynnu pen hyd at y cribyn, töid y rhic a matau a byddai yn ddiddos dros y gaeaf. Rhedai'r rhiciau hyn i lawer iawn o lathenni ar ffermydd, fel y Barnaswil Uchaf, Y Dafarn Newydd, a Thŷ-llosg, gan fod trin tywarch yn rhan bwysig iawn o waith y tymor ar y ffermydd hyn.

Dim ond yn Barnaswil Uchaf y cofiaf fi weld defnyddio tywarch yn danwydd, ac yno yn fy nghof cyntaf nid oedd lle i dân o fath arall yn y gegin (oddieithr tân coed, ac yr oedd coed yn brin iawn ar y ffermydd hyn). Yr oedd aelwyd eang y tu mewn i fwa'r 'Shime Fawr' a charreg aelwyd enfawr yn gwneud y llawr. Yr oedd carreg felly yn Budloy yn fy nghof cyntaf. Carreg lwyd o ryw fath lleol o gerrig tân ydoedd, ond nid oedd hi wedi gallu gwrthsefyll y tanau tywarch mawr a fu arni rywbryd ac yr oedd wedi hollti'n ddarnau, fel yr ymddangosai fel palmant o gerrig bras.

Ni wn pa fath garreg aelwyd oedd yn Barnaswil oblegid ni welais i hi heb dân ami, a hwnnw yn hwyrnos gaeaf yn dân mawr. Cedwid y tân a'r lludw, i gryn fesur o leiaf, rhag gwasgar yn ddilywodraeth gan hen gylch haearn olwyn cart, fel yr oedd gan y tân hawl ar gylch oedd yn bedair troedfedd a mwy ar ei draws. Gyda thywarch da byddai yn dân poeth iawn, a'r gwres yn llanw'r gegin fawr fel na ellid bod yn agos iawn ato. Cymharol ychydig o ludw a adewid gan dywarch da, ond pan arddodd fy nhad-cu gae a dynasai i mewn o'r mynydd, cliriodd holl domenni lludw tai a thyddynnod bychain yr ardal i'w achlesu!

Gwn fod tân tywarch Barnaswil Uchaf yn mynd ymlaen yn gyson haf a gaeaf, ddydd a nos, flwyddyn ar ôl blwyddyn, ac felly yr oedd hefyd, digon tebyg, ar ffermydd eraill, a thai a thyddynnod, lle y llosgid mawn. Clywais sôn, wrth gwrs, am fenthyca tân, lle yr oedd y tân tywarch rywfodd wedi digwydd diffodd yn ystod y nos.

Nid oeddwn i yn gyfarwydd â bwyd wedi ei baratoi ar dân mawn, a thrwy hynny nid oeddwn ychwaith yn gyfarwydd â blas mawn ar fwyd. Ar wahan i hynny yr oeddwn yn hoffi mynd i Barnaswil Uchaf i weithio ar y gwair, ond yr oedd y cawl i ginio wedi ei ferwi ar dân mawn yn y gegin, a hwnnw drachefn yn gawl cig eidion a minnau yn fwy hoff o gawl cig mochyn, yn amharu cryn dipyn ar y pleser!

Fe soniais am yr arfer o losgi'r grug. Yr oedd ar 'fynydd' Budloy, ar ôl ei gyfyngu, tua chwech erw ar hugain o dir grug, ond ni chai'r grug dyfu i fwy na thua deng modfedd o uchder, a thrwy hynny rhaid oedd llosgi rhywfaint ohono bob gaeaf. Ar dywydd rhew y gwneid hynny, a rhaid ydoedd cadw'r tân o fewn terfynau oherwydd bod tir grug ffermydd eraill, a hefyd blanhigfa binwydd, yn cydio. Y peth pwysig ydoedd llosgi'r grug yn erbyn y gwynt yn hytrach nag ym môn y gwynt i ddechrau. Hawdd ydoedd llosgi gwanaf ar flaen y gwynt, a chadw'r tân rhag dianc tuag ymlaen, ac ar ôl cael y wanaf honno nid oedd berygl ond gofalu am yr ochrau oherwydd yn erbyn y gwynt llosgai'r tân yn gymharol araf ac yn fwy llwyr o lawer na phes llosgid gyda'r gwynt.

Gellid meddwl mai peth elfennol fyddai hyn, ac eto

gwelais droeon ar ôl hynny bobl a ddylai wybod yn amgenach yn dechrau tân ym môn y gwynt, a'r tân yn dianc yn ddilywodraeth.

Yn y dydd, bob amser, y llosgid y tir grug, ond un o hwyliau mawr canol gaeaf ydoedd llosgi eithin yn y nos ar noson serennog rewllyd. Gellid bod yn gymharol ddiofal wrth wneud hyn oherwydd bod terfynau cyfyng i'r perthi eithin, a'r borfa yn fyr rhwng y perthi. Byddai'r teulu cyfan yn mynd i'r mynydd i losgi eithin.

Dyna'n *fireworks* blynyddol, yn hytrach na dydd gŵyl Guto Ffowc! Ac nid oedd bleser arall o'i fath, yn enwedig os byddai'r eithin i lawr yn y cwm yn agos i raeadrau'r Syfnau, gyda sŵn yr afon a sŵn y perthi'n llosgi yn ymdoddi i'w gilydd, a ninnau gyda hwy yn canu – emynau, wrth gwrs.

Ar ôl blino wrth redeg gan gario tân o'r naill berth i'r llall mewn ffaglen o gropyn eithin, a'r tanau bellach yn diffodd, melys ydoedd mynd adref drwy'r tywyllwch a'r awel rewllyd yn cydio yn eich bochau a'ch clustiau. Ac yna i'r gwely yn hwyr ond gyda rhyw fwynhad godidog yn rhedeg drwy'r holl gorff blinedig. Ie, hyfryd ydoedd blino mewn gwaith a oedd wrth fodd eich calon, a gorffwys o'r blino hwnnw. Ond peth arall ydoedd mynd i'r mynydd drannoeth i dorri eithin yn fwyd i'r ceffylau!

Ie, torri eithin a wnaem er ein bod yn lladd gwair a thwarch ac yn taro llafur (gyda'r gader). Byddai'r grepach yn fynych ar fy nwylo wrth gasglu'r eithin yn 'bentyllau'. Defnyddid ambell dro 'pantell' am yr unigol ac elai hwnnw yn 'pentyll' yn y lluosog, ond fynychaf 'pentyll' oedd yr unigol a 'pentyllau' oedd y lluosog. Hyd y gwelaf, ni chlywodd Bodfan am na phantell na phentyll!

Adargraffwyd o *Gwyddor Gwlad*, Rhif 3, Hydref 1957

# Atodiad VII

The War Office plan to acquire a large area on the Prescelly Hills compels one to regard our much-vaunted planned State with considerable misgivings, and local inhabitants wish to compliment our national organ on giving due publicity to this flagrant breach of taste.

That Government department officials, ostensibly public servants, contemplate this project passes comprehension. Had the Whitehall hen sat on hot coals it would hardly have produced such a nondescript egg. It appears that traditions are too unwieldy for our age to carry and that henceforth our culture must be spelt with a capital K.

In this 'Westminster of the early ages' our heroes were laid to rest. The famous blue stones from Caermeini were not transported those hundreds of miles to Stonehenge without reason. At some period in our history the Prescellies had a value and a meaning hardly understood in our materialistic age.

Must Bedd Arthur be disturbed at this hour? Presumably some office boy in the War Office has not entirely forgotten the Arthurian legends; let him inform his superiors, for that hero may be only asleep, and heroes disturbed from their slumbers by the blasting of guns have queer habits.

After Prescelly, let the mandarins select Stonehenge as their next project, to be immediately followed by a demolition squad at St Paul's. The task of totalitarian state will be much facilitated thereby.

E.T. Lewis, *Western Telegraph* 22/11/1947

Let us pass by certain Councillors who seem to care little of the thousand or so of the Precelly inhabitants who will lose their stake in the soil should the plan fructify. After all, these Precelly folk have had roots here for centuries, but the newly-pledged cuckoos must be excused in their desire to dirty the nest. It is in their nature, and it is hardly of importance to them if customs wither and beggars multiply, if their vulgar pockets are filled.

A certain Parish Council might also consider whether a Cathedral Church would be in existence today had it not been for a Precelly cultural base. Possibly though, living too close to a majestic structure tends occasionally to economic myopia. When local people hear of a distant Council which is solely interested in its water supply, scores of local residents are not amused, for they have energy enough to transport theirs by hand for the length of a hundred rooms, with zest to spare for cultural and religious interests and for a righteous struggle.

But what of the Pembrokeshire landowners? One cannot believe that they have given full consideration to this proposal to sell the Hills. Where are the Vaughans, Fentons, Scourfields and Laws of old, who held that culture must take precedence over mundane affairs? Did that great thinker, George Owen, live in this county? Gentlemen, do not allow the traditions that these forbears lived by to be held in scorn.

Is it not strange too, that the people who would subsidise Babylonian excavations can desecrate a fount of civilization at our very doors, for the turn of this century will see far greater respect for these hills than our present ignorance of their meaning seems to warrant. Surely the patriotic attitude is to guard the doors to the treasure houses of a country's past, and to cherish the established traditions held by an intelligent peasantry.

The very few craven souls in this area who believe they would themselves benefit by the War Office plan lie low. When these few stroll into public meetings they are the only ones to sustain themselves by constant smoking and not one, to the writer's knowledge, has had enough energy to raise his hand either way. Those who sell themselves to the devil must accept his price.

The people aho are in the forefront of this agitation to

preserve the Hills are not actuated by self-interest. They are responsible farmers, merchants and doctors who know them intimately and possess enough imagination to realise the changes for the worst wrought by the plan; ministers of the Gospel, young and old, generally actuated by considerations of public welfare and unafraid to voice their convictions; also members of the scholastic profession who do not care two hoots for any economic consequences of participation in the campaign. All and sundry have sufficient faith that the basic ideas of justice and of liberty will ultimately prevail.

E. T. Lewis, *Western Telegraph* 26/12/1947

# Atodiad VIII

## Y Beirdd

TWM CARNABWTH

"Fi yw Becca'r blin werinoedd, – gobaith
   Ac aber eu hingoedd:
  Y tŵr a geidw eu tiroedd,
  Llafar eu gwae, llef ar goedd.

O dan glec fflangell Becca – â ar ffo
   Wŷr ffals am y cynta;
  Yn llwch eu hestyll a â,
  A'r holl lociau i'r llaca.

Chwalwn y bylchau olaf, – a gyrrer
   Y gwŷr o'u cynhaeaf.
  Ein cnwd fo esgyrn pob cnaf!
  Ni ddaw un yn ddi-anaf.

Daw i fyd y dyfodol – y rhyddid
   A roddwn i'n heol.
  O'r ieuau mynnwn reol
  I ddyn iau a ddaw o'n hôl.

Heno genir o'n hiraeth – heol wen
   I lawn etifeddiaeth.
   O gur y gyfundrefn gaeth
   Ceir eto ddemocratiaeth."

               W. R. Evans, *Beirdd Penfro*
               (Gwasg Aberystwyth 1961), t. 50


## MERCHED BECCA

Ar ei geffyl gwyn dros fryn yn freiniol,
   Twm yw blaenwr y minteioedd gwrol.
   Daw llu du ar draed o'i ôl, – byddin gref
   Hyd dir y goddef i ryddid tragwyddol.

Trwy'r Fynachlog-ddu y pennaeth rua.
   Daw rhuthr uthr a'r wynebau dieithra';
   Carn a chlec merched Becca – yn rymus,
   Haid flagardus a dieflig wyrda!

Ceibiau, ffustiau, yw eu harf – a phastwn,
   A choed a bord a phicffyrch dibardwn;
   Un â gordd ac un â gwn, – ânt yn ddi-oed,
   Twr dialgar fel torraid helgwn.

O Lyn Saith Maen ymlaen yr ymlynant.
   Daw berw ynni o ddeiliaid Y Brwynant.
   Fel bytheuaid yr heidiant – i ddwyn cyrch,
   Yna o'r Foel Dyrch i'w rhyfel dyrchant.

A rhaib ynfydion rhai o Benfeidir.
   Fe welwch gôta o Fwlch y Gytir.
   O Bantrithel anelir – at y nôd.
   O'u du dyddynnod heidiau a ddenir.

I'r Efail-wen o'u hofelau unnos!
   Y ddieflig glwyd a dry'n farwydos.
   Ceidwad y "tŷ" a ffy drwy'r ffos, – a rhu
   Holl dwrw y canu'n hollti'r ceunos.

A bwyell pob astell yn chwâl a ffustir;
   Ei hais gadarn o'r bôn a ysgydwir;
   A Thwm â'i holl ddwylath hir – yn bloeddio
   Ei her ddi-ildio tros y garw ddoldir.

Parth â Chaerfyrddin â'r fyddin foddiog
I luchio eu rheg at wŷr blonegog.
Yng nghrud pob clwyd oedd ynghrog – ceir catiau.
Rhwth ydyw'r rhwyllau o'r tollborth drylliog.

W. R. Evans, *Beirdd Penfro*
(Gwasg Aberystwyth 1961), t. 49

EFAIL-WEN

Fendigeidfran y bryniau
yn marchogaeth dy geffyl disymud ar y golofn,
dy fwyell yn hollti'r awyr,
chwys dy farch yn arogl yn ein ffroenau,
a gwreichion o ddicter yn clecian o'r pedolau
yng nghaethiwed y maen.

Ond deui o hyd ar donfedd y dychymyg
fel ysbryd drwy'r llwyni drain,
y ddwylath o ddewrder sy'n llamu i fin y ffordd,
dy wyneb yn galed fel gwenithfaen y bryniau,
a'th drem unllygeidiog yn fflach o fenter.

Distaw yw'r gofeb dalsyth,
distaw fel dioddefaint hil y llechweddau
yn nyddiau'r glwyd drachwantus,
cyn i'r senedd gyfrin ar fuarth Glynsaithmaen
dy ddilyn i'r Efail-wen,
a mawn y corsydd ar dân yn eu gwythiennau.

Mae d'enw yn gyffro i hyd,
... penpaffiwr Ffair Feugan,
... pencantwr Bethel,
a'th geffyl gwyn yn gweryru'n benuchel
uwch fflamau hud y tollty
yn llyfr lloffion plant Ysgol Beca.

Fendigeidfran y bryniau,
a weli-di Dafi'r Cnwc wrth glwyd y modurdy
fel mudan wrth lyw ei fodur,
crocbris Esso ar y polyn dideimlad
yn guwch yn ei lygaid
a'r briffordd lydan yn gwahodd ei freuddwydion?

203

A weli-di Mari'r Llain ar fore Sadwrn
yn mentro tua'r siop,
y plant fel c'nawon cynhyrfus wrth ei sodlau,
a'r hen Samariad y tu ôl i'r cownter
yn dodi cynffon wrth y bil?

A weli-di'r llwynogod sy'n ymgynnull gyda'r nos
ar sgrin cartrefi'r llethrau,
rhathell toriadau yn eu cyfarth ciaidd;
a'r gweithwyr segur yn tindroi ar sgwâr Llangolman
fel hwyaid mewn llyn lleidiog
heb le i ffoi?

Hen, hen yw'r caethiwed
sy'n gludio fel y gwawn wrth wlith y bore,
sy'n cuddio fel bwganod y tu ôl i'r creigiau,
sy'n llosgi yn eurdorch y machlud,
ac yn hymian yng nghân gyntefig Cleddau Ddu.

Fendigeidfran y bryniau,
mae sibrwd ar dafodau cudd y gwynt
o'r Witwg i Garnabwth;
mae ynni dy waed yng ngwythiennau dy hil;
mae Beca yn fflam yn eu cof.

> Eirwyn George, *Llynnoedd a Cherddi Eraill*
> (Gwasg Gwynedd 1996), t.104

MERCHED BECA

Bataliwn o goed uchelfrig sy'n gwarchod Glynsaithmaen,
yn torri min y mynyddwynt
a gadael yr haul a'r lleuad i sbecian rhwng y brigau.

Ym mhen draw'r buarth
mae'r ffermdy ffenestrog yn rhythu ar Garn Bica
yn dawelwch i gyd
a dim ond bref y defaid diantur
yn rhwygo llonyddwch yr hwyr.

Unwaith
bu cyfrin-gyngor rhwng y muriau hyn
cynllwynwyr brawdgarol y bryniau

yn trafod y glaw a'r corwynt diegwyddor
a thollborth yr Efail-wen!
Y lleidr cyfreithlon ar dramwyfa eu tlodi.

Parod fu'r wraig o Langolman i wystlo ei dillad
i'r gŵr ar farch canwelw,
y ddwylath unllygeidiog a ddisgynnodd o'r bryniau
â phlufyn ei hyfdra yn chwifio'n y gwynt
yn annog ei giwed wynebddu â rhyfelgar floedd
i ddryllio'r glwyd drachwantus â bwyeill eu cyni
a chynnau bwthyn y ceidwad â ffaglau eu dig,
cyn diflannu fel ysbrydion drwy'r hwyrnos olau
a chrechwen eu buddugoliaeth yn atseinio o'r creigiau.

Codwn het i'r gofeb ar fin y briffordd
a thaflu ein sieciau bras ar gownter Caffi Beca
wrth syllu ar asgwrn cefn y mynyddoedd cyhyrog
a rhawd yr olwynion dilestair.

> Eirwyn George, *Cân yr Oerwynt*
> (Cyhoeddiadau Barddas 2009), t. 119

## BALED BECA

Mae'r nos yn fud a lloer uwchben
Yr Efail-wen yn gwylio,
Yn taflu gwawl ar ddôl a thwyn
Heb ddifa'r swyn sydd yno;
Ond hyd y plwy mae loes a chlwy,
A'r hil mewn tlodi'n trigo.

Ar draws y ffordd mae clwyd ynghau,
Uchafbwynt dyddiau'r cyni,
Ar drumau'r mawn mae ffermwyr bro
Yn blino ar y trethi,
A'r deiliaid oll yn talu toll
Am ddwyn eu nwyddau drwyddi.

Draw draw o'r nos mae Cleddau Ddu
Yn canu yn y pellter,
Heb dorri ar ddistawrwydd hwyr
Y sawl na ŵyr y fenter,

Nes rhwygo'r nef â'r freiniol lef
'Ymlaen, ymlaen, mae'n amser.'

\*    \*    \*    \*    \*    \*

Beth yw'r cynnwrf? Pwy sy'n dŵad
O dan olau clir y lleuad?
Ceffyl gwyn – fel rhith o'r anwel –
Sŵn ei garnau'n sgathru'r grafel.

Ar ei gefn mae gwraig gyhyrog,
Yn ei llaw mae bwyell finiog,
Wyneb blwng, a het â phlufyn,
Lleng o ferched sy'n ei dilyn.

\*    \*    \*    \*    \*    \*

Rhai â chŷn, neu ordd, neu fwyell,
Rhai â llif, a rhai'n dal cyllell,
O dan genllysg o ergydion
Aeth y glwyd i'r llawr yn deilchion.

Troes y ceidwad syn o'i fwthyn,
(Pwy all feio'i fraw a'i ddychryn?)
Ffoi drwy'r waun wrth odre'r bryniau,
Gweld ei gartre'n fwg a fflamau.

\*    \*    \*    \*    \*    \*

Dos ar dy union wedi'r cyrch disymwth
Draw am dro i aelwyd Twm Carnabwth.

Cei weled gŵr y tŷ ar sgiw yn eiste,
Mae Twm o hyd yn fwy na siŵr o'i bethe.

Mae'n gorffwys, falle, wedi dyddgwaith caled,
Neu falle'n meddwl sut i drin ei ferched.

A gweli'n syth yng ngwên ei wyneb garw
Mai Beca ei hun sydd yma yn dy alw.

\*    \*    \*    \*    \*    \*

Dos eto gam a gwêl o'th flaen
Glynsaithmaen uwchlaw'r gweunydd,

Llonydd a mudan ydyw'r tŷ
Sy'n rhythu ar y moelydd,
Ond dan ei do mae senedd bro,
A therfysg gwlad ar gynnydd.

Ar ôl tri chyrch yn Efail-wen
Rhoes Twm y gorau iddi;
Ond fe aeth Beca, fel o'r blaen,
Ymlaen i ddryllio'r clwydi.
Pwy oedd Hi, mwy? Un ymhob plwy?
Ni fentrodd neb ei henwi.

\*     \*     \*     \*     \*     \*

Rôl chwalu a malu y tollbyrth yn Nyfed,
Troi i'r Gororau, a pharthau Maesyfed.

Er llid yr ynadon, a phlismyn afrifed,
Doedd dim allai atal ffyrnigrwydd y merched.

Brwydro i'r eitha' rhag gormes y tlodion,
Rhoi ffagl i'r tlotai a'u troi yn adfeilion.

Er galw'r dragŵns i derfysg rhai trefi,
Gwir y ddihareb 'trech gwlad nag arglwyddi'.

O dipyn i beth aeth yr hanes i Lunden,
Gohebwyr y wasg yn cael eisin ar gacen!

Yn sgil y protestio, y dadwrdd a'r cwynfan,
Bu pwyso a mesur ar feinciau Sansteffan.

\*     \*     \*     \*     \*     \*

Daeth newid praff i'r deddfau bro,
Daeth taw ar gwyno'r werin,
I fryniau'r grug daeth eto ha'
Heb Feca'n annog byddin,
Boddhad a threfn i'r wlad drachefn,
Dim gormes clwydi Bullin!

A heddiw yn yr Efail-wen
Mae Twm yn dal i wylio,
A phan fo golau'r lloer ar led

Daw'r merched i'n rhybuddio:
**NI** ydyw'r llais sy'n herio trais,
Yma o hyd... heb ildio.

Eirwyn George (heb ei chyhoeddi)

EFAILWEN

Na, nid oes yma ym môn y clawdd
Ddellten o goed yr hen glwyd,
Y mae Twm Carnabwth yn lludw'r bedd
A Beca'n y pellter llwyd.
Gyrrwn yn lluoedd heibio'r lle
Heb arafu trem ar ein hynt
I gofio cymwynas y Cymro cryf
A fu'n wrthryfelwr gynt.

Ond odid na chlyw y plant ambell hwyr
Rhyw adlef rhwng cwm a chwm,
A'r ysbryd yn chwilio am fraich o gnawd
I gynnal gwehelyth Twm.

E. Llwyd Williams, *Tir Hela* (Llyfrau'r Dryw 1956), t.37

# Atodiad IX

## Amgylchiad Hynod

Ar nos Fercher, y 25ain o Hydref diweddaf, dygwyddodd fod dau neu dri o dyddynwyr cyfrifol o gymdogaeth Maenclochog, yn crasu yd mewn melin cyfagos i'r pentref uchod ; ac ar ryw amser yn y nos, dywedodd y melinydd wrth un ohonynt ei fod wedi newydd brynu llawddryll newydd, a cheisiwyd ganddo ei gyrchu allan o'r tŷ, i'r dyben iddynt gael ei weld, yr hyn a wnaeth. Yr oedd y llawddryll yn dygwydd bod yn llwythog ar y pryd, ac ir dyben o ochelyd dygwyddiad annymunol wrth ei arolygu, efe a ollyngodd yr ergyd allan yn nrws y felin. Mr. Thomas Phillips, o Benyrhiw, un o'r ffermwyr ag oedd yno yn crasu yd, a geisiodd genad i brofi y llawddryll, trwy ollwng ergyd arall ohono, yr hyn a ganiatawyd iddo ; eithr tra roedd yn y weithred o ollwng yr ergyd allan, daliwyd ef gan ddau heddgeidwad, (*police*) y rhai oeddynt yn aros yn y pentref, ac a ydynt yn awr mor aml ar hyd y wlad â'r locustiaid yn yr Aifft gynt, ond hyderir na wnant gymaint o niwed, er nad yw ein gobaith ond gwan ar y pen hwnw.

Pa fodd bynag am hyny, sicrhawyd ei ddwylaw, a gofynwyd iddo, os mai efe a saethodd yr ergyd cyntaf. Atebodd yn nacâol, gan ddywedyd mai y melinydd ddarfu. Yna ymdrechasant ddal y melinydd, ond yr oedd hwnw wedi dianc. Tra yr oeddynt yn sicrhau Mr. Phillips, dywedodd wrthynt beth oedd eu dyben wrth saethu,—mai gwneyd prawf o'r llawddryll yr oeddynt, ac nad oeddynt yn meddwl dim drwg ; ond er hyn oll dygasant ef yn rhwym i dafarndy yn y pentref, lle y cadwyd ef hyd dranoeth, pryd y dygwyd ef i Lwyngwair, gerbron yr Ynad Bowen, yr hwn a roddodd *gommitment* iddynt, i'w ddwyn i garchar Hwlffordd, i sefyll ei brawf ; ond cafodd ei fachnio hyd y Brawdlys Trimisol nesaf, pryd yr hyderir y caiff ei ryddhau yn anrhydeddus, gan na chyflawnodd un math o drosedd yn erbyn cyfreithiau y tir.

Mae Mr. Phillips yn aelod hardd a defnyddiol gyda'r Bedyddwyr yn Horeb, ger Maenclochog ; ac y mae pawb trwy yr ardal yn ei garu am ei hynawsedd a'i garedigrwydd bob amser. Gall pawb trwy y gymmydogaeth dystio ei fod yn un o'r dynion mwyaf heddychlawn, llonydd, a thangnefeddus yn yr holl ardaloedd; ac un ag oedd yn bresennol a ddywedodd wrth y *police*, eu bod wedi cymmeryd i fyny y dyn mwyaf gwirion ag oedd ef yn adnabod. Mae yn debyg fod rhai o drigolion pentref Maenclochog wedi bod yn saethu ergydion y nosweithiau blaenorol, er dychrynu yr heddgeidwaid, a pheri iddynt feddwl fod Becca yn dyfod ; ac hwyrach fod yr heddgeidwaid wedi tybied mai arwydd i alw Becca ynghyd oedd y saethu hyn ; ond nid oedd Mr. Phillips yn gwybod iddynt fod yn saethu felly, onide ni fuasai yn gollwng yr ergyd ymaith ; ac nid oedd ychwaith yn gwybod fod *police* yn aros yn y dref.

A phwy a allasai feddwl eu bod yn y fath le â Maenclochog

? Pwy a allasai feddwl bod eisieu y fath greaduriaid yno ? (Ond y mae yn debyg fod y wlad hon wedi myned mor gyfoethog o arian yn ddiweddar, fel y mae yn rhaid dyfetha yr arian gormodol ryw fodd ; a'r ffordd effeithiolaf at wneuthur hynny, yw cadw'r mintai o farchogion, a dau neu dri o *bolice* Llundain, ym mhob man lle y mae tri neu bedwar o dai, ac o ugain i ddeg ar hugain o drigolion ! Nid wyf yn gwybod pa beth yw eu gwaith, os nad cadw hen wrageddos rhag cynhennu â'u gilydd, a chadw plant ein pentrefydd rhag chwarae ar hyd yr heolydd. Hyderwn y bydd i'r difudd ac ymyrgar hyn gael eu danfon yn ol i Lundain yn fuan, lle y mae yn debyg fod mwy o'u heisiau nag sydd yn y parthau heddychlon a thawel hyn, onide caiff ein gwlad ei llwyr ddinistrio, gan y draul fawr sydd yn myned iw cadw a'i cynnal.

Penylan Quintin, *Seren Gomer* Rhagfyr 1843, t. 29

# Atodiad X

## Straeon Wil Canaan:
## fel y'u cofnodwyd gan E. Llwyd Williams yn ei gyfrol *Hen Ddwylo* (Llyfrau'r Dryw 1941)

Cofir amdano gan rai fel gŵr a barodd syndod i Gurnos pan oedd hwnnw'n 'holi' un o Ysgolion Sul y fro ar gyfer y Gymanfa Bwnc. Daeth yr adnod hon o dan sylw... "A phwy bynnag a rwystro un o'r rhai bychain hyn a gredant ynnof fi, da fyddai iddo pe crogid maen melin am ei wddf, a'i foddi yn eigion y môr,". Ceisiodd Gurnos wybod paham yr oedd eisiau maen am wddf y dyn cyn ei foddi. A dyma ateb Wil... "Y mae dyn yn gallu codi pwysau mawr mewn dŵr. Yr oeddwn i'n pysgota'n ddiweddar, ac yr oedd carreg fawr o'r ffordd yn yr afon a dyma fi'n ei symud hi. Yr oedd yn dunell o bwysau... Ond does dim rhaid cael maen melyn i foddi dyn – gwna unrhyw liw arall y tro." Wedi ysbaid, symudodd Gurnos ymlaen at yr adnod nesaf.

Cofir ef fel creadur mentrus. Pan oedd yn was yn y Glandy, daeth adref o'r calch un bore a'r ceffylau'n diferu o chwŷs. Yr oedd eu heisiau ar unwaith hefyd i gywain gwair mewn fferm gyfagos, ac nid oedd gŵr y Glandy am eu gorweithio. Setlodd Wil y cwestiwn mewn amser byr. Gosododd y tarw du yn y siafft, a gwnaeth hwnnw ei ddiwrnod gwaith fel bustach profiadol.

Fel torrwr beddau, cawsai rybudd am bob marwolaeth rhyw bythefnos ymlaen llaw, a hynny drwy'r un arwydd bob tro. Cadwai offer ei grefft arswydus ym mhen pella'r gegin, a chuddid hwy yno gan gyrten wedi ei liwio'n annosbarthus â mwg tân coed. A dyma ffordd Wil o gyhoeddi angladd... "H'm. Bydd angladd cyn bo hir eto... H'm... Y mae 'nhw' wedi bod 'co neithiwr eto yn bwdlan yr offer!". Congl yr offer oedd congl yr arwyddion.

Yr oedd eira mawr slawer dydd. Eithr anodd credu stori Wil a'r profiad gafodd ef mewn eira mawr... Llwyddodd i fyned â chart dau-geffyl o Faenclochog i Arberth, taith o ryw ddeuddeg milltir, heb gymryd sylw o na ffordd na pherth nac afon. Yr oedd ôl carnau'r ceffylau i'w gweled ar do gwellt rhyw dri neu bedwar bwthyn ar hyd y daith, ar ôl i'r eira glirio.

Daeth nifer o weision fferm ato ar noson o haf, a hwythau wedi bod drwy'r dydd yn eu lladd eu hunain wrth ladd gwair â phladuriau. Yr oeddent yn rhy wan i ddim ond i gwyno a thuchan. "Y mae dyddiau ysgafnach ymlaen, fechgyn," meddai Wil, "bydd mashîn lladd gwair yma cyn bo hir... Siswrn mawr yw e... Siswrn mawr! Rhaid ei gario i'r cae, ei agor a'i gau unwaith, a dyna'r gwair i gyd wedi ei ladd."

Nid oedd y fellten yn ymddwyn yn felltigedig ar aelwyd Wil. Rhwygodd y dderwen braffaf yng ngallt Cwmceiliog, holltodd glocsen Deina Plasybedw a lladdodd dau ebol ym Maesydderwen, ond rhyw gellwair a wnaeth ar aelwyd Canan. Dyma ddisgrifiad Wil ohoni... "Bu lle rhyfedd yn y tŷ 'co neithiwr. Daeth y fellten i lawr drwy'r simne a chwarae'n rhubanau i gyd o gylch y tân. Bu rhaid imi godi ac agor y drws iddi fynd allan,

rhag ofn iddi wneud difrod." Trafododd y fellten mor ddeheuig
â tharw'r Glandy.

Seiliodd Waldo Williams ei soned i Wil Canaan ar y stori
uchod. Ar ôl adrodd y stori mae'n gwerthuso William Evans:

Gofynnodd rhywun iddo ef un tro:
"Na'th storom neithiwr ddamej lan 'da chi?'
"Wel, na,' yn ei lais main, 'dim niwed, c'lo.
Fe dda'th llecheden miwn 'co 'biti dri;
Fe godais i dan bwyll i'w gollwng ma's –
A'th ma's fel wên bach swci!' Crefftwr llwm,
A'i storïau doniol, dwl, o hyd, trwy ras,
Yn olud llafar yng nghartrefi'r Cwm.
Darfu pob dim a soniai am ei fedr
Yn llunio clocs cymdeithas wrth y fainc;
Pydrodd y gwadnau llwyf a'r gwaldiau lledr:
Ei Fabinogi a fydd yn wyrddlas Gainc,
Tra dywed gŵr mewn tyrfa neu mewn tŷ:
'Ys gwedo'r hen Wil Canaan 'slawer dy'.'

*Waldo Williams Cerddi 1922–1970*
(Gol. Alan Llwyd / Robert Rhys), tud. 26

Rhai storïau eraill o eiddo Wil a glywir o hyd o holi a
gwrando yn y man iawn:

Roedd Wil mas yn trasho gyda'i gryman rhyw ddiwrnod
pan gododd ei filgi ddwy gwnigen. Dechreuodd eu cwrso ond
fe redon nhw i gyfeiriadau gwahanol. Oedodd y milgi. Roedd
wedi drysu. Ni wyddai p'un i fynd ar ei hôl. "Ond fe fues i'n
ddigon cloi," medde Wil, "o weld bod y gryman 'da fi yn fy
nwylo. Fe roies i boerad a fe hyrddes hi at y milgi a'i hollti yn
ei hanner. Aeth un hanner ar ôl un gwnigen a'r hanner arall ar
ôl y gwnigen arall... a fe ddaliodd e'r ddwy." Rhoddwyd y ddwy
yn y crochan cawl wedyn wrth gwrs.

*

Dro arall roedd Wil mas yn pysgota ar y Cleddau Ddu. Ymhen hir a hwyr dyma rhywbeth yn cydio. Cododd y wialen a gweld bod samwn mawr yno nad oedd am ildio. Tra oedd yn ceisio cael y gorau arno daeth crychydd heibio a chydio yn y pysgodyn a thynnu. Nawr, doedd Wil ddim am ollwng gafael.

"Peth nesa ddigwyddodd fe gododd y crychydd y samwn, y wialen a finne lan fry. Wedd e'n dal i hedfan a finne'n dala'n sownd. Lan a lan â ni. Pan fentres i edrych lawr welwn i ddim byd ond dŵr. A fel ni fuodd i am hydoedd. Y crechi'n hedfan a'r samwn yn ei geg yn dala'r bachyn a finne'n dala'n sownd wrth y wialen. Wen i'n dyheu am gael fy ngollwng lawr nawr... mae'n rhaid bod y samwn a finne'n weddol drwm i'r aderyn ein cario, 'chwel. A wir i chi fe welon ni dir oddi tanon ni a geson ni'n gillwng lawr gan bwyll bach. Gollyngodd y crechi ei afael yn y diwedd a disgynnes i'n dwt mewn i geg *cannon* o'dd yn digwydd bod wrth law. O'en ni yn Iwerddon ond trwy lwc wen nhw yn barod i danio'r *cannon*. A wir i chi, wen i a'r samwn yn lando nôl yng Nghwm Rhydwilym erbyn swper liweth."

Mae'r un stori'n cael ei chysylltu â Shemi Wâd yn Wdig. Ond mae'r cyfan yn dibynnu ar y dweud.

# Atodiad XI

## Dyfyniadau o *Adroddiad y Comisiwn yn Ymchwilio i Gyflwr Addysg yng Nghymru 1848* (Her Majesty's Stationery Office)

PARISH OF LLANGLYDWEN (Appendix, p. 257) – *Mr William Griffiths*, of Castellgarw, Llanglydwen, farmer, and a teacher in Hebron Sunday-school informed me that there were few children in the parish who were not going to some school; most of those who came to Hebron school could read and write; he did not know where they could have picked it up; clothing was given to some extent in order to induce attendance. There was great lack of day- schools in the district. Wages were 6d or 8d with food, 1s or 1s 2d without; 1s 2d for a superior man; he paid 1s 2d to a tanner; allowances are made in the rent of land, and in prerequisites.

The farmers draw culm for their labourers; they pay for this in labour; very little money circulates. They can cut turf free, and sometimes get it drawn for them. By way of counterbalance, in harvest their wives are expected to assist without making any charge, except their food. He was letting cottages and plots of garden-ground (one-sixth of an acre) for 1 *l* per annum; but many are over-rented, paying as much as 2 *l* for the same holdings (cf. Parish of Cilymaenllwyd); he carried away the cleanings of the gardens, and gave them manure instead.

The poor generally wish to have their children taught. A free-school alone is not enough. The people have not proper clothing. Those that have had a little learning are anxious for schools: those who have had none are less so; but the desire of improved education is gaining ground. They are all expecting new schools, and will not send their children to the poor ones which they used to frequent. There are now about 150 children within two miles from Nebo Chapel, in Cilymaenllwyd parish, who could attend a day-school. There have till recently been schools at Hebron and Glandwr (parish of Llanfyrnach, Kemes hundred, Pembrokeshire), but there are none now.

There are very few farmers in the parish capable of keeping parish accounts in a manner intelligible to any one but themselves; their children, however, are getting on before the fathers. The attendance at school is very irregular. No opposition had been encountered in establishing the school at Nebo. The two principal owners of the parish are both absentees; there are also, a number of freeholders, owning 100 or 200 acres of land. The subscription for the new school is entirely local, from the farmers and small freeholders; neither of the two principal proprietors have been applied to. The poor are not ill versed in religious knowledge, but possess none other.

The farmers' children, on coming home from school, often

used to teach the farm-servants in the evenings and on Sundays; the latter practice is now discontinued; the Sunday-schools take up all the time, and, besides, it is not thought right. Many who put a mark *can* write; it is easier to put the mark, and they don't like to show their bad writing; others can write their names, who cannot write a line of anything else. The registers are no test; but the labourers in general *cannot* write. The people strongly object to having their children sent to church on Sundays; nor is this generally enforced, even in Mrs Bevan's schools. They object, again, to the Church Catechism.

PENYGROES SUNDAY SCHOOL (Appendix, p. 416) – This school is held in the Independent chapel, and in school-room belonging to the same congregation, which is built on a part of the burying ground, above the stable. The Testament classes are in the former, and the junior or elementary classes, with one class of adults reading the New Testament, in the latter. The school commenced this afternoon precisely at two o'clock, by the superintendent desiring one of the teachers to hear two females, apparently about 23 years of age, repeat the first chapter of the book of Joshua, which they did simultaneously, very correctly. A hymn was then sung, and the teacher delivered a prayer. The secretary then called the names of the teachers, and everyone answered, "Here I am."

A teacher then stood up, and stated his opinion respecting a Sunday-school he had been visiting in the neighbourhood. (It appeared that there is a union among seven Sunday-schools of the same connexion, and visits are paid from one school to the other.) He said they had a good supply of teachers; that they were reading tolerably well; the faults of the school were, they had no teachers' school – no secretary – many coming late to school – they were not giving sufficient time for the scholars to read without assisting them – there were not many adult females coming to school. The teachers then went to their different classes.

In the school-room I saw one little boy in the alphabet, one class in the Second Class-Book of the London Sunday-school Union, and two classes in the Third Class-Book. The different teachers had printed questions corresponding to the several Class-Books in their hands, from which they questioned the scholars as soon as the lessons were read correctly. Some of them were taught individually, others collectively.

The adult class *in the school-room* was reading the tenth chapter of the Hebrews, and to the questions proposed by the teacher I heard the following replies: The ceremonial law was nothing but a shadow of things to come – the killing of the beasts under that dispensation had a reference to the death of Christ for the sins of the world – none were benefited by the sacrifices, except those who, through faith, looked forward to the Lamb of God, who would take away the sins of the world – Christ in his person, and in his sacrifice, was the substance of all the sacrifices under the ceremonial law. All the sacrifices and burnt offerings had especial reference to him. The sacrifices proved the sinfulness of man, and at the same time pointed out the way for him to be saved, through the blood of Christ.

All the classes *in the chapel* have the same lesson, and the teachers, on the mornings of every sabbath-day, meet their minister (the Reverend Simon Evans) to have the lesson explained to them, and to be questioned on it, that they may all question the scholars in the same manner. This appeared to be the grand secret of their success. Every word and every passage is fully explained, and they are expected to do the same in their different classes. The lesson this day was the twelfth chapter of St Mark, 13–24 verses.

I visited every class, and the following were the answers I heard given to the questions proposed by the different teachers: Pharises, a sect among the Jews, who considered themselves better than others – Herodians, Herod's partisans – tribute, a tax paid to the Emperor of Rome – Caesar was the emperor. (By me) – Rome was in *Canaan* – Jesus Christ knew the hypocrisy of the Pharisees and the Saducees – he knew their hearts – the Saducees denied the existence of spirits, good and evil – also the resurrection – the Pharisees tried to entangle Christ in his spech respecting paying tribute to Caesar – he told them to bring him a penny, a Roman coin, 7½ d of our money – he told them to render unto Caesar the things which are Caesar's, and to God the things which are God's.

The Saducees (from Sadock, their founder) tried to entangle Christ by asking a question respecting the seven brothers who married the same woman, as Moses enjoined in the twenty-fifth chapter of Deuteronomy, fifth verse, – they were prompted to put the question by malice and envy, but were equally surprised with the Pharisees by the answer which Christ gave – Moses, whom they quoted to entangle him, proved the resurrection in the verse quoted by Christ, "I am the God of Abraham, of Isaac, and of Jacob" – he was their God, then, when they were dead, as he was when they were living.

The same questions were proposed, and nearly the same answers given in every class. There was only one female teacher in the school, and she was as expert in proposing questions as the male teachers. At a quarter to four the superintendent ordered the books to be taken up; the anthem, "Worthy is the Lamb" was sung by 20 or 30 of the teachers and scholars; and Mr David James, of Pontgafel, concluded the school with prayer.

I was informed that the teachers and scholars were freeholders, farmers, servants, labourers and their children; but the major part of the scholars were adults.

This is a school of considerable reputation.

*January* 31st, 1847
Wm.Morris, *Assistant*

# Nodiadau

## Rhagair

1   Beryl Thomas, David Williams, *Helyntion Becca* (Caerdydd, Gwasg Prifysgol Cymru 1974), t. 6
2   E. T. Lewis, *North of the Hills* (C. I. Thomas, Hwlffordd 1972), t. 204
3   Gwylon Phillips, *Llofruddiaeth Shadrach Lewis* (Gomer 1986), t. 10
4   H. Tobit Evans, *Rebecca and her Daughters* (Cardiff 1910), t. 9

## 1. Helynt Iet 'Evelwen'

1   *Carmarthen Journal* 26/7/1839 t. 3
2   'Tangnefeddwr', *Seren Gomer* 1/2/1843, t. 57
3   Stephen Rees, *Cardigan and Tivyside Advertiser* 10/2/1911, t. 2
4   ibid.
5   ibid.
6   ibid.
7   ibid.
8   Caleb a Stephen Rees, *Pen-y-groes Gyrfa Dwy Ganrif* (Gwasg John Penry, Abertawe 1959), t. 11
9   H. Tobit Evans, *Rebecca and her Daughters* (Cardiff 1910), t. 18
10   ibid. t. 16
11   ibid. t. 30
12   Anhysbys, Tarian y Gweithiwr 19/8/1886, t. 2–3
13   Pat Molloy, *And They Blessed Rebecca – An account of the Welsh Toll-gate Riots 1839–1844* (Gomer Press 1983) t. 35

14 ibid., t. 1–2

15 *Carmarthen Journal* 9/8/1839, t. 2

16 ibid., 4/10/1839, t. 3

17 Brian John, *Rebecca and the Angels* (Greencroft Books 2004), t. 186

18 David Williams, *The Rebecca Riots, A Study in Agrarian Discontent* (Cardiff, University of Wales Press 1955), t. 39–40

19 E. Llwyd Williams, *Crwydro Sir Benfro* (Cyfrol 1), (Llyfrau'r Dryw, Llandybïe 1958), t. 79

20 Lefi Gibbwn, *Casgliad Baledi y Llyfrgell Genedlaethol, Cyf 14, rhif 50*

21 H. Tobit Evans, *Rebecca and her Daughters* (Cardiff 1910), t. 239

22 J. Dyfnallt Owen, M.A., *Y Beca, The Carmarthen Antiquary, Vol 1 1943/4*, t. 16

23 *Gwyddoniadur Cymru* (Yr Academi Gymreig, Gwasg Prifysgol Cymru Caerdydd 2008), t. 774

**2. Pam Codi'r Tollbyrth?**

1 J. Dyfnallt Owen, M.A., *Y Beca, The Carmarthen Antiquary, Vol 1 1943/4*, t. 17

2 Beryl Thomas, David Williams, *Helyntion Becca* (Caerdydd, Gwasg Prifysgol Cymru 1974), t. 47

3 R. T. Jenkins, *Y Ffordd yng Nghymru* (Hughes a'i Fab, Wrecsam, 1939), t. 147

4 ibid., t. 143

5 Brian John, *Rebecca and the Angels* (Greencroft Books 2004), t. 162

6 J. Lloyd James (Clwydwenfro), *Oracl ei ardal: hanes Siams Dafi, Pentregalar yng nghyda marwnad i'r diweddar Mrs Ann Morse, Abertigen* (Merthyr: Joseph Williams, 1901), t. 17

**3. Talu'r Degwm, Deddf y Tlodion a Thwf Anghydffurfiaeth**

1 R. Tudur Jones, *Hanes Annibynwyr Cymru* (Gwasg John Penry, Abertawe 1966), t. 213

2   ibid., t. 192

3   D. Tyssil Evans, *Cofiant y Parch. Caleb Morris, Fetter Lane, Llundain* (Brodyr Roberts, Working Street, Caerdydd 1900), t. 14

4   Pat Molloy, *And They Blessed Rebecca – An account of the Welsh Toll-gate Riots 1839–1844* (Gomer Press 1983), t. 28

5   Brian John, *Rebecca and the Angels* (Greencroft Books 2004), t. 33

6   J. Dyfnallt Owen, M.A. *Y Beca, The Carmarthen Antiquary, Vol 1 1943/4*, t. 17

7   Commissioners Report, *South Wales Turnpike Roads Highways, Bridges, and Rebecca Riots 1844* (Her Majesty's Stationary Office), t. 203

## 4. Amodau Byw

1   D. Tyssil Evans, *Cofiant y Parch. Caleb Morris, Fetter Lane, Llundain* (Brodyr Roberts, Working Street, Caerdydd 1900), t. 12

2   T. J. Jenkin, 'Dyletswydd Deuluol Slawer Dydd' *Mam-gu, Sian Hwêl a Naomi, Hanes a Hudoliaeth Bro Maenclochog, Golygydd: Hefin Wyn* (Clychau Clochog, 2006), t. 76–78

3   T. J. Jenkin, 'Mawn, Eithin a Grug', *Gwyddor Gwlad Rhif 3 Hydref 1957*, Atgynhyrchwyd yn *Mam-gu, Sian Hwêl a Naomi*, t. 64

4   D. Tyssil Evans, *Cofiant y Parch. Caleb Morris, Fetter Lane, Llundain* (Brodyr Roberts, Working Street, Caerdydd 1900), t. 10

5   ibid., t. 9

6   Elfed, *Cofiant Elfed 1860–1953 gan Emlyn G. Jenkins* (Gwasg Aberystwyth 1957), t. 49

7   Brian John, *Rebecca and the Angels* (Greencroft Books 2004), t. 89

8   Tom Evans, 'Brenhines Hil Gadara', *Mam-gu, Sian Hwêl a Naomi, Hanes a Hudoliaeth Bro Maenclochog, Golygydd: Hefin Wyn* (Clychau Clochog, 2006), t. 209–210

9   John Evans, 'Brethyn Mân y Defaid Mân', ditto., t. 213–215

10  John Davies, *Hanes Cymru* (Allen Lane Penguin Press 1990), t. 321

11  Margaret Ward, 'Mam-gu, Siân Hwêl a Naomi' ditto., t. 39

12  ibid., t. 41

13  Muriel Bowen Evans, 'The Land and its People, 1815–1974, *Pembrokeshire County History Volume IV* (Pembrokeshire Historical Society 1993), t. 5

14  John Davies, *Hanes Cymru* (Allen Lane Penguin Press 1990), t. 365

15  Ivor Wilks, *South Wales and the Rising of 1839* (Gwasg Gomer 1989), t. 9

16  Rhian E. Jones, *Occupy the tollgates: the Rebecca Riots as Myth, Meme and Movement* (Wales Arts Review Digidol 13/11/2015)

## 5. Cynhyrfer!

1   R. T. Jenkins, *Y Ffordd yng Nghymru* (Hughes a'i Fab, Wrecsam 1939), t. 146

2   David Jones, *Before Rebecca Popular Protests in Wales 1793–1835* (Allen Lane 1973), t. 48

3   'Twm o Faenclochog', *Seren Gomer*, Rhif 366 Cyf XXIX Mawrth 1846, t. 85–87

4   Brian John, *Rebecca and the Angels* (Greencroft Books 2004), t. 90

5   David W. Howell, *Land and People in Nineteenth Century Wales, Studies in Economic History* (Routledge & Kegan Paul 1978), t. 11

6   David Williams, *The Rebecca Riots* (Cardiff, University of Wales Press, 1955), t. 118

7   William Day, (Swyddfa Cofnodion Cyhoeddus, H.O. 45/1611) Llythyr 9/7/1843

8   *Cambrian* 30/4/1831, t. 3

9   Owen Square, (Colonel John Owen), *Memories of Above*

*Half a Century,* (London: John Bumpus, 350, Oxford Street 1889), t. 72

[10] David J Jones, *Rebecca's Children, A Study of Rural Society, Crime and Protest,* (Clarendon Press, Oxford, 1989), t. 12

[11] Rosemary A. N. Jones, *Popular Culture, policing, and the disappearance of the 'ceffyl pren' in Cardigan. C 1837–1850,* Ceredigion II (1998–9), t. 24, 27

[12] Gwylon Phillips, *Llofruddiaeth Shadrach Lewis* (Gomer), t. 12

[13] J. Dyfnallt Owen, *Y Tyst,* 9/1/1941 Adargraffwyd yn *Ar y Tŵr* (Llyfrfa'r Annibynwyr 1953), t. 80

[14] *The Welshman* 4/8/1843, t. 3

[15] E. T. Lewis, *Mynachlog-ddu, A Historical Survey of the Past Thousand Years* (E. L. Jones, Cardigan 1969), t. 118

## 6. Twm Carnabwth

[1] Ioan Cleddau, *Seren Cymru* 17/11/1876, t. 3

[2] J. Lloyd James (Clwydwenfro), *Oracl ei ardal: hanes Siams Dafi, Pentregalar yng nghyda marwnad i'r diweddar Mrs Ann Morse, Abertigen* (Merthyr: Joseph Williams, 1901), t. 21

[3] William Gibby, Anerchiad a draddodwyd 5/1/1928 yng Nghapel Bethel, Mynachlog-ddu. Copi ym meddiant ei ŵyr, Hefin Parry-Roberts.

[4] E. T. Lewis, *Mynachlog-ddu A Historical Survey of the Past Thousand Years* (E. L. Jones, Aberteifi 1969), t. 119

[5] Saunders Lewis, 'Cwrs y Byd', *Y Faner* 25/12/1946, t. 10

[6] 'Carnabwth', *Western Telegraph* 9/3/1939, t. 6

[7] E. Llwyd Williams, *Crwydro Sir Benfro Cyfrol 11* (Gwasg y Dryw 1960), t. 127

[8] E. T. Lewis, *Mynachlog-ddu A Historical Survey of the Past Thousand Years* (E. L. Jones, Aberteifi 1969), t. 118

[9] H. Tobit Evans, *Rebecca and her Daughters* (Cardiff 1910), t. 10

[10] Hanes Eglwysi Annibynol Cymru 1873

[11] E. Llwyd Williams, *Crwydro Sir Benfro Cyfrol 1* (Gwasg y Dryw 1958), t. 76

12 Sidney Rosser, Western Telegraph 6/2/1958, t. 3

13 T. J. Jenkin, Papurau Llyfrgell Genedlaethol

14 W. R. Evans, *Fi yw Hwn* (Gwasg y Dryw 1980), t. 48

15 E. Llwyd Williams, *Crwydro Sir Benfro Cyfrol 11* (Gwasg y Dryw 1960), t. 116

## 7. Twm Carnabwth Drachefn

1 Anhysbys, *Tarian y Gweithiwr* 2/9/1886, t. 3

2 T. ab Ieuan, *Seren Gomer* Awst 1843, t. 252

3 Lloyd Hall i'r Swyddfa Gartref 45/454, 20/6/1843

4 Lloyd Hall i'r Swyddfa Gartref 45/454, 15/10/1843

5 Stephen Rees, *Cardigan and Tivyside Advertiser* 17/2/1911, t. 3

6 D. Morgan Lewis M. A., Aberystwyth, *Cofiant y Parch Evan Lewis, Brynberian* (Aberystwyth 1903), t. 205

7 D. Tyssil Evans, *Cofiant y Parch. Caleb Morris, Fetter Lane, Llundain* (Brodyr Roberts, Working Street, Caerdydd 1900), t. 127

8 D. Morgan Lewis M. A., Aberystwyth, *Cofiant y Parch Evan Lewis, Brynberian*, (Aberystwyth 1903), t. 206

9 Caleb a Stephen Rees, *Pen-y-groes, Gyrfa Dwy Ganrif* (Gwasg John Penry 1959), t. 28

10 *The Welshman* 17/2/1843, t. 3

11 Caleb a Stephen Rees, *Pen-y-groes, Gyrfa Dwy Ganrif* (Gwasg John Penry 1959), t. 27

12 ibid., t. 27

13 Edward Lloyd Williams, *Rebecca and her Daughters* H. Tobit Evans (Cardiff 1910), t. 90

14 Pat Molloy, *And They Blessed Rebecca – An account of the Welsh Toll-gate Riots 1839–1844* (Gomer Press 1983), t. 343

15 W. R. Evans, *Western Mail* 9/12/1932, t. 11

16 ditto.

17 Waldo Williams, *Waldo Williams Cerddi 1922–1970* Golygyddion Alan Llwyd, Robert Rhys (Gwasg Gomer 2014), t. 198

[18]   J. Dyfnallt Owen, *Carmarthen Antiquary* t. 16

[19]   H. Tobit Evans, *Rebecca And Her Daughters* (Cardiff 1910), t. 27–28

[20]   Beryl Thomas, David Williams, *Helyntion Becca* (Gwasg Prifysgol Cymru 1974), t. 114

[21]   Gwyn A. Williams, *When was Wales? A History of the Welsh* (Black Raven Press 1985), t. 192

## 8. Disgynyddion Twm

[1]   E. T. Lewis, Papurau E. T. Lewis, Archifdy Sir Benfro D/ETL/84

[2]   E. Llwyd Williams, *Crwydro Sir Benfro Cyfrol 1* (Gwasg y Dryw 1958), t. 83

[3]   Ioan Cleddau, *Seren Cymru* 17/11/1876, t. 3

[4]   Myrddin ap Dafydd, *Rhedeg Yn Gynt Na'r Cleddyfau* (Carreg Gwalch 2021), t. 31

# Mynegai

225

# Hefin Wyn

Eisoes cyhoeddodd yr awdur dair cyfrol am dri o wŷr amlwg Sir Benfro. Cyhoeddodd *Ar drywydd Waldo ar gewn beic* yn 2012; *Ar drywydd Meic Stevens – y Swynwr o Solfach* yn 2015 ac *Ar drywydd Niclas y Glais – Comiwnydd rhonc a Christion gloyw* yn 2017. Dyma'r bedwaredd am ŵr sydd hyd yn hyn yn llai amlwg na'r lleill, ond eto yr un mor ddylanwadol yn ei ddydd.

Cyhoeddodd hefyd ddwy gyfrol swmpus am hanes canu roc a phop Cymraeg, *Be Bop a Lula'r Delyn Aur* (2002) a *Ble Wyt Ti Rhwng?* (2006). Yn ogystal â hynny, cyhoeddodd dri llyfr taith, sef *Lle Mynno'r Gwynt* (1992) am ei brofiadau ym Molifia, De America, *Pwy Biau'r Ddeilen?* (1994) am ei brofiadau yng Nghanada, a *Pentigily* (2008) am ei brofiadau'n cerdded ar hyd llwybr arfordir Sir Benfro.

Gosodwyd tair o'r cyfrolau hyn ar Restr Fer Llyfr y Flwyddyn.

Ar hyn o bryd mae'n gweithio ar gyfrol yn dwyn y teitl *Ar Fy Nhrywydd Fy Hun – Boi Go Lew o'r Glog*.

£14.95

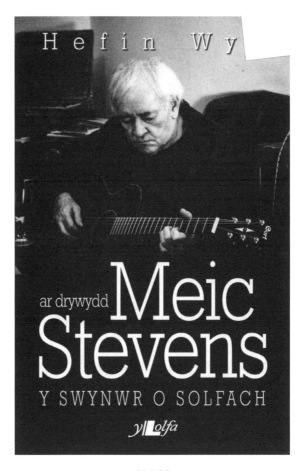

# Hefin Wyn

ar drywydd **Meic Stevens**

## Y SWYNWR O SOLFACH

yLolfa

£14.99

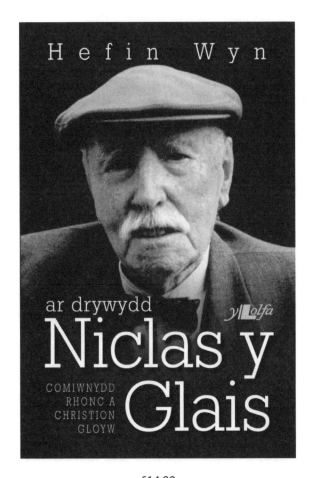

# Hefin Wyn

ar drywydd
# Niclas y Glais

COMIWNYDD
RHONC A
CHRISTION
GLOYW

Y Lolfa

£14.99

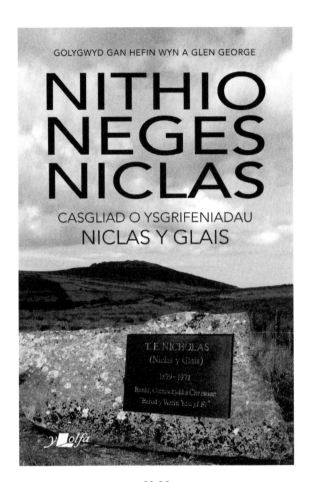

GOLYGWYD GAN HEFIN WYN A GLEN GEORGE

# NITHIO NEGES NICLAS

CASGLIAD O YSGRIFENIADAU
NICLAS Y GLAIS

T. E. NICHOLAS
(Niclas y Glais)
1879–1971
Bardd, Comiwnydd a Christion
"Bardd y Werin Ydw yf Fi"

y Lolfa

£9.99

# BRWYDR Y PRESELAU

**Yr ymgyrch i ddiogelu bryniau 'sanctaidd' Sir Benfro 1946–1948**

*Hefin Wyn*

£6.95

Holwch am bris argraffu!
www.ylolfa.com